Collection dirigée par Michel DANI



# LE FRANÇAIS DE LA COMMUNICATION PROFESSIONNELLE

■ M. DANILO ■ J.-L. PENFORNIS ■ M. LINCOLN

CLE international

## QUELQUES CONSEILS D'UTILISATION

Ce matériel s'adresse à ceux qui étudient en groupe sous la direction d'un professeur. Mais, grâce aux corrigés, il peut aussi être utilisé avec profit par l'étudiant(e) qui travaille seul(e).

• Après avoir lu ou écouté un document, cherchez à bien situer le message transmis en répondant aux questions suivantes : qui dit quoi, à qui, où et quand ? Avec quelles intentions ? Quel type de langue est utilisé : familier, courant ou recherché ? Ces repères vous aideront à comprendre mieux et plus vite de quoi il s'agit et ainsi de répondre plus justement aux questions posées.

• Il n'est pas nécessaire de comprendre tous les mots de chaque document. Ne vous arrêtez pas à une apparente difficulté du lexique. Habituez-vous à deviner globalement le sens grâce au contexte.

• Les documents sonores figurent dans votre livre. Mais si vous disposez de la cassette, il est préférable d'écouter l'enregistrement une ou plusieurs fois avant de vous reporter au texte écrit.

• Dans la plupart des activités, il vous est demandé d'accomplir une tâche bien précise[1]. Faites appel à votre intelligence bien sûr, mais aussi à votre bon sens, à votre imagination ; mobilisez toutes vos connaissances ou votre savoir-faire professionnel pour effectuer les bons choix, trouver les solutions aux problèmes, traiter un cas, présenter des arguments, analyser un schéma. N'hésitez pas non plus à faire preuve d'esprit critique et à commenter le comportement des personnages mis en scène, à comparer l'entreprise française avec celle de votre pays.

Exprimez-vous librement et spontanément en vous servant de ce que vous savez, sans avoir peur de commettre des erreurs.

C'est en pratiquant que l'on apprend !

**1** par exemple, organiser une réunion


ISBN 2.19.033584.1

# AVANT-PROPOS

Le "Français de la communication professionnelle" a été conçu pour vous qui désirez :

- renforcer et perfectionner vos connaissances de français général, tout en abordant les thèmes les plus importants de la vie quotidienne dans les affaires,
- vous entraîner à faire face aux situations courantes de la communication professionnelle, orale et écrite, à travers des activités qui vous impliquent,
- mieux connaître les réalités culturelles, sociales, administratives du monde francophone des affaires,
- vous préparer aux examens de français des affaires et des professions de la Chambre de Commerce et d'Industrie de Paris.

Pour atteindre ces objectifs, cet ouvrage vous propose 10 dossiers thématiques, chacun d'eux comprenant :

– 1 page ressources/synthèse sur le thème traité,
– 5 sections d'une double page,
– 1 tableau de langue ou 1 fiche pratique,
– des exercices de contrôle des connaissances.

Ce sont, au total, 50 sections vous présentant les situations les plus courantes de la communication professionnelle : accueillir un client, organiser un voyage d'affaires, laisser un message sur répondeur téléphonique, prendre rendez-vous, rédiger un rapport, lire et commenter un graphique, rechercher un emploi, négocier avec un importateur, passer une commande...

Dans chaque section, vous trouverez des activités et des exercices variés et réalistes, ayant pour point de départ des documents écrits, sonores ou graphiques. Ils ont pour but de vous entraîner de manière méthodique, à la pratique des différentes formes de la communication, tout en élargissant vos connaissances linguistiques.

Des tableaux de langue fournissent les outils linguistiques nécessaires à la maîtrise de tel ou tel aspect de la communication : comment téléphoner, comment s'exprimer en réunion, comment relier les idées, comment argumenter...

Complément naturel des messages oraux, un enregistrement sur cassette accompagne cet ouvrage.

Un livret "corrigés du français de la communication professionnelle" vous propose les réponses — soit imposées, soit possibles — aux activités de cet ouvrage avec parfois des explications et des commentaires.

# SOMMAIRE

## 1. LA COMMUNICATION DANS LES AFFAIRES


1. Faire la connaissance d'une entreprise 9
2. Communiquer oralement 8
3. Communiquer avec des images et des gestes 10
4. Analyser des situations de communication 12
5. Comparer des situations de communication 14

Contrôle des connaissances 16


## 2. LE TRAVAIL ADMINISTRATIF


1. Assurer la réception et l'accueil 18
2. Faire le portrait de la secrétaire 20
3. Répartir le travail de bureau 22
4. Découvrir les bureaux de l'entreprise 24
5. Organiser un voyage d'affaires 26

Contrôle des connaissances 28


## 3. LE TÉLÉPHONE


1. Avoir un entretien téléphonique 30
2. Faire face aux complications de communication 32
3. Tenir le standard 34
4. Utiliser le répondeur téléphonique 36
5. Suivre l'évolution du téléphone 38

Contrôle des connaissances 40


## 4. LA COMMUNICATION INTERNE


1. Connaître la communication interne 42
2. Assister à une réunion 44
3. Rédiger des rapports et des comptes rendus 46
4. Découvrir la note de service 48
5. Lire un graphique 50

Contrôle des connaissances 52


## 5. LE COURRIER DE L'ENTREPRISE


1. Présenter une lettre commerciale 54
2. Commencer et terminer une lettre 56
3. Découvrir une variété de lettres 58
4. Améliorer le style 60
5. Utiliser le telex 62

Contrôle des connaissances 64


## 6. L'OFFRE ET LA COMMANDE


1. Faire une offre 66
2. Demander des informations 68
3. Sélectionner un fournisseur 70
4. Passer commande 72
5. Modifier et annuler une commande 74

Contrôle des connaissances 76


## 7. LIVRAISON, TRANSPORT, ASSURANCE


1. Préparer une livraison 78
2. Préparer une réclamation 80
3. Adresser une réclamation 82
4. Régler un problème de transport 84
5. Régler un problème d'assurances 86

Contrôle des connaissances 88


## 8. LA FACTURATION ET LE RÈGLEMENT


1. Adresser une facture 90
2. Réclamer pour erreur de facturation 92
3. Résoudre un problème de paiement 94
4. Payer par chèque et par virement 96
5. Payer par lettre de change 98

Contrôle des connaissances 100


## 9. LA COMMUNICATION AVEC LES PARTENAIRES


1. Contacter un hôtelier 102
2. Rechercher un employeur 104
3. Traiter avec un distributeur 106
4. Négocier avec un agent importateur 108
5. Négocier avec un agent immobilier 110

Contrôle des connaissances 112


## 10. LES NOUVEAUX OUTILS DE COMMUNICATION


1. Traiter et reproduire les textes 114
2. Utiliser les services du minitel 116
3. Découvrir l'ordinateur 118
4. Découvrir le courrier électronique 120
5. Communiquer entre groupes à distance 122

Le jeu de l'oie de la communication 124

Comment s'exprimer pour… les expressions de la correspondance commerciale 126

# LA COMMUNICATION DANS LES AFFAIRES

ON NE PEUT PAS NE PAS COMMUNIQUER.
NE RIEN DIRE, C'EST AUSSI COMMUNIQUER.

DANS MA PROFESSION, JE COMMUNIQUE !

## Avec COMBIEN de PERSONNES ?

- **Avec une SEULE PERSONNE** – *Communication individuelle (entretien)*
- **Avec un GROUPE** – *Communication de groupe (réunion)*
- **Avec un GRAND NOMBRE de PERSONNES** – *Communication de masse (publicité)*

## OÙ et AVEC QUI ?

Avec les membres de mon entreprise – *Communication interne*

- **Avec mes SUPÉRIEURS** – *Communication ascendante* – « Pourrais-je avoir l'autorisation de... ? »
- **Avec mes SUBORDONNÉS** – *Communication descendante* – « Préparez ce rapport pour demain. »
- **Avec mes COLLÈGUES** – *Communication latérale* – « Bruno, peux-tu me prêter ta calculette ? »

Avec les partenaires extérieurs de mon entreprise – *Communication externe*

- **Avec mes CLIENTS** – « Nous avons bien reçu votre ordre... »
- **Avec mes FOURNISSEURS** – « Vos prix sont supérieurs à ceux de vos concurrents... »
- **Avec mes BANQUIERS** – « Pourriez-vous me prêter... ? »
- **Avec mes autres PARTENAIRES** – « Veuillez nous faire connaître vos conditions pour le transport »

## DANS QUEL BUT ?

- **Pour INFORMER** – « Nous tenons à vous faire savoir que... »
- **Pour S'INFORMER** – « Veuillez nous indiquer... »
- **Pour FAIRE UNE DEMANDE** – « Vous serait-il possible de nous accorder ...? »
- **Pour FAIRE AGIR** – « Il est rappelé à tous que le port du casque est obligatoire. »
- **Pour OBTENIR UN ACCORD** – « Si vous acceptiez cette solution, nous pourrions de notre côté... »

## COMMENT ?

**DIRECTEMENT** (entretien, réunion, conférence).

**Par des moyens AUDIO-VISUELS** (film, télévison, visiophone...)

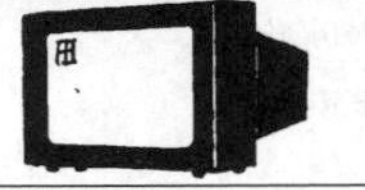

**Par d'AUTRES SIGNES**
- Gestes, attitudes
- Images, photos
- Graphiques, schémas

**PAR ÉCRIT**

Texte { manuscrit, dactylographié, imprimé

**Par l'intermédiaire d'un MEDIA** (téléphone, interphone).

# LA SOCIÉTÉ HAUT-BRANE, négociant en vins

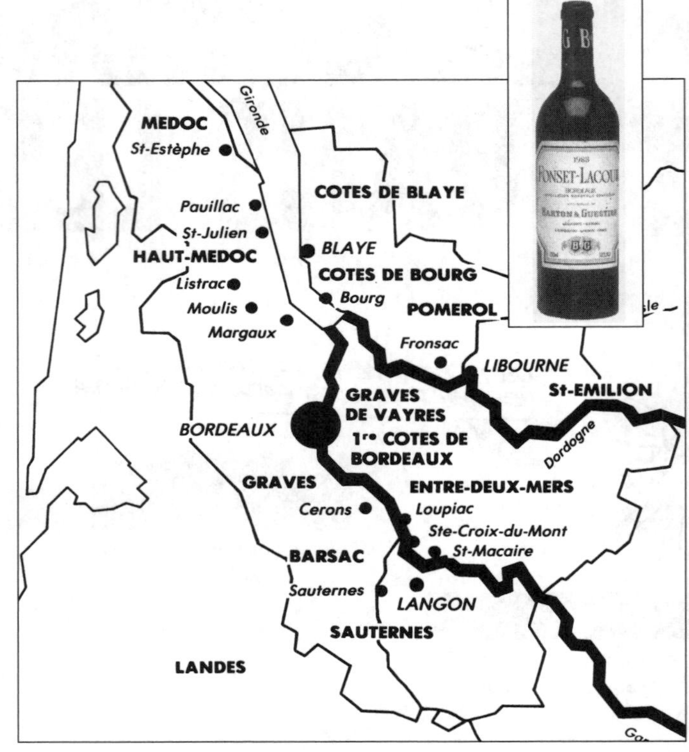
MEDOC
St-Estèphe
Gironde
Pauillac
St-Julien
HAUT-MEDOC
Listrac
Moulis
Margaux
COTES DE BLAYE
BLAYE
COTES DE BOURG
Bourg
POMEROL
Fronsac
LIBOURNE
St-EMILION
GRAVES
DE VAYRES
1re COTES DE
BORDEAUX
BORDEAUX
Dordogne
GRAVES
Cerons
ENTRE-DEUX-MERS
Loupiac
Ste-Croix-du-Mont
St-Macaire
BARSAC
Sauternes
LANGON
SAUTERNES
LANDES
FONSET-LACOUR
BORDEAUX

### 1948

Cette année-là, Pierre Taravant, petit viticulteur à Fronsac, au cœur du vignoble bordelais, décide de commercialiser lui-même son vin, ainsi que les vins des autres viticulteurs de sa commune. Quelques années plus tard, son affaire connaît un développement régulier et, déjà, en 1969, il distribue dans toute la France des vins provenant de l'ensemble du vignoble bordelais. Il achète, après l'avoir testé, du vin à de petits viticulteurs, assure le conditionnement et la vente.

### Aujourd'hui

Le fils, Paul Taravant, qui a succédé, il y a 5 ans, à son père, gère une société prospère. Celle-ci distribue auprès des revendeurs (commerçants détaillants) et utilisateurs professionnels (hôteliers, restaurateurs...) des vins français, essentiellement en provenance du Bordelais, mais aussi de Bourgogne, des pays de Loire... Son marché s'est étendu à l'étranger, particulièrement dans les pays francophones de l'Europe (Belgique, Luxembourg, Suisse), mais également dans certains pays d'Europe du Nord (Grande-Bretagne, Allemagne, Pays-Bas, pays scandinaves...).

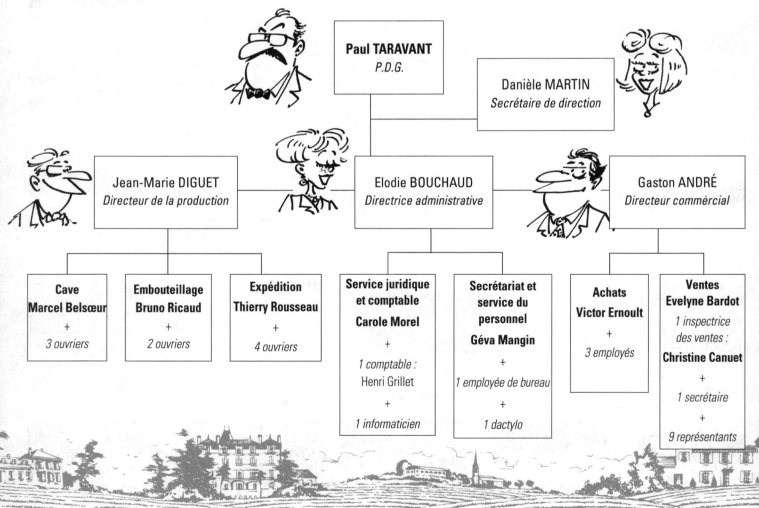

**Paul TARAVANT**
*P.D.G.*

Danièle MARTIN
*Secrétaire de direction*

Jean-Marie DIGUET
*Directeur de la production*

- **Cave**
  **Marcel Belsœur**
  +
  *3 ouvriers*
- **Embouteillage**
  **Bruno Ricaud**
  +
  *2 ouvriers*
- **Expédition**
  **Thierry Rousseau**
  +
  *4 ouvriers*

Elodie BOUCHAUD
*Directrice administrative*

- **Service juridique et comptable**
  **Carole Morel**
  +
  *1 comptable :*
  Henri Grillet
  +
  *1 informaticien*
- **Secrétariat et service du personnel**
  **Géva Mangin**
  +
  *1 employée de bureau*
  +
  *1 dactylo*

Gaston ANDRÉ
*Directeur commercial*

- **Achats**
  **Victor Ernoult**
  +
  *3 employés*
- **Ventes**
  **Evelyne Bardot**
  *1 inspectrice des ventes :*
  **Christine Canuet**
  +
  *1 secrétaire*
  +
  *9 représentants*

# LA SOCIÉTÉ HAUT-BRANE COMMUNIQUE

*La société HAUT-BRANE échange chaque jour de nombreuses communications avec ses fournisseurs, ses clients, les transporteurs, l'administration... (communications externes), mais les différents services de la société échangent aussi entre eux des informations (communications internes).*

**Après avoir pris connaissance des six communications suivantes, indiquez dans le tableau ci-contre :**

**1. QUELLE EST LA NATURE DE CHACUNE D'ELLES :**

**a**. télex pour appel d'offre,
**b**. extrait d'une lettre de candidature,
**c**. note de service,
**d**. extraits de conditions de vente,
**e**. petite annonce pour offre d'emploi,
**f**. entretien téléphonique ;

**2. QUI OU QUEL SERVICE EST L'ÉMETTEUR ?**
**QUI OU QUEL SERVICE EST LE DESTINATAIRE ?**

**3. QUELLES AUTRES COMMUNICATIONS PEUVENT ÊTRE ÉCHANGÉES :**

– entre Haut-Brane et ses partenaires ?
– entre les différents services de Haut-Brane ?

| N° des messages | Nature des messages | Émetteur | Destinataire |
|---|---|---|---|
| 1 | *b* | *candidat(e) à un poste* | *service du personnel* |
| 2 | | | |
| 3 | | | |
| 4 | | | |
| 5 | | | |
| 6 | | | |

**1**

Monsieur le Directeur,

Me référant à votre annonce parue dans *Le Progrès* du 25 janvier 19.. , je me permets de solliciter le poste de comptable vacant dans votre société.

Je viens d'obtenir un D.U.T. de gestion et je souhaite maintenant travailler dans une P.M.E. commerciale.

Vous trouverez ci-joint mon C.V. ainsi que...

**2**

**CONDITIONS DE VENTE (extraits)**

**1- Prix**

Les prix s'entendent hors taxe. Ils sont facturés sur la base du tarif en vigueur au jour de la livraison.

**2- Délais de livraison**

Les délais de livraison sont donnés à titre purement indicatif et ne sauraient nous engager...

**3- Transport**

La livraison se fait en principe départ Bordeaux, l'expédition et l'emballage aux meilleures conditions. Les marchandises voyagent aux risques et périls du destinataire.

**3**

Allô, Jeanne Cronard ?

Bonjour, Madame. Ici Victor Ernoult, service des achats de Haut-Brane. Nous venons de recevoir les échantillons que nous vous avions demandés et nous serions intéressés par 5 000 litres de Château Gracior...

**4**

**HAUT-BRANE**
**Une société de négoce international en vins recherche : UN(E) COMPTABLE**

De formation BTS comptabilité ou équivalent avec 3 à 4 ans d'expérience, vous assisterez le responsable administratif et financier dans les missions de comptabilité générale, déclarations fiscales et sociales, et diverses tâches administratives.

Ce poste s'adresse à un(e) candidat(e) rigoureux(se), motivé(e) et dynamique. Pratique de la micro-informatique indispensable. Anglais vivement souhaité.

Merci d'adresser C.V., photo, lettre manuscrite et prétentions à :

HAUT-BRANE, 35, rue Jourdan,
33020 BORDEAUX CEDEX

**5**

BONJOUR,
PRIERE DE NOUS INDIQUER VOS MEILLEURES CONDITIONS DE VENTE POUR LA FOURNITURE EVENTUELLE DE :
• 500 BOUTEILLES CHATEAU BONDRAU 1989
• 300 BOUTEILLES CHATEAU LA TOUR 1988
MERCI. SALUTATIONS

**6**

**HAUT-BRANE**
**Direction administrative**

À tous les membres du personnel.

À partir du 1er septembre prochain, la vente de tickets-restaurant aura lieu le lundi de 11 h à 12 h au secrétariat du personnel (bureau de Natacha Chaouli).

# 1. QUE DITES VOUS ?

Dans toute communication orale :

on présente des faits.

CETTE MACHINE A UN MOTEUR DE 1300 CM3 !

on exprime des opinions.

CETTE MACHINE N'EST PAS ASSEZ PUISSANTE !

on exprime des sentiments.

J'EN AI MARRE DE TRAVAILLER SUR CETTE MACHINE !

on dit son intention.

JE VAIS CHANGER DE MACHINE LE MOIS PROCHAIN !

## 1. CLASSER

**Parmi les phrases suivantes, indiquez :**

**a.** celles qui présentent des faits,
**b.** celles qui expriment une opinion,
**c.** celles qui expriment un sentiment,
**d.** celles qui expriment une intention d'action.

1. Je suis très satisfait de ce nouveau copieur.
2 J'ai décidé d'engager un comptable.
3. Je crains de perdre prochainement mon emploi.
4. Mon chef de service est un incapable.
5. Je suis très contrarié par ce qui s'est passé à l'atelier.
6. J'envisage de réorganiser tous les services.
7. Il a un salaire mensuel de 16 000 F
8. Mon chef reconnaît toujours ses erreurs.
9. Il n'est plus possible de travailler avec Roger.
10. Nous pensons tous qu'il faudrait revoir le réseau de distribution.
11. Je vais lui demander de modifier le programme.
12. Il est arrivé six fois en retard au cours du trimestre.

## 2. COMMENTER

**Commentez ce dessin en indiquant :**

- les faits (*que voyez-vous ?*)
- votre opinion (*qu'en pensez-vous ?*)
- votre sentiment (*que ressentez-vous ?*)
- votre proposition d'action (*que faut-il faire ?*)

# 2. LES DIFFICULTÉS DE LA COMMUNICATION

*"Nous consacrons tous, volontairement ou non, consciemment ou non, près de la moitié de notre temps à écouter les autres. Cependant il arrive fréquemment que nous ne retenions qu'une part infime des messages que nous recevons."*

C. Macejo *(Le Portique de l'expression)*

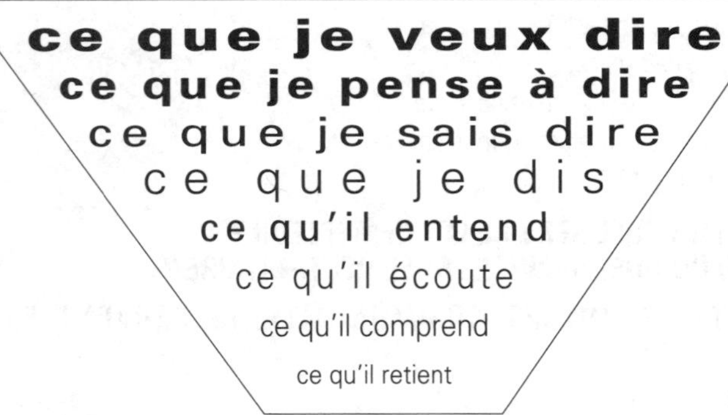
ce que je veux dire
ce que je pense à dire
ce que je sais dire
ce que je dis
ce qu'il entend
ce qu'il écoute
ce qu'il comprend
ce qu'il retient

## 1. REFORMULER

**En utilisant le document ci-dessus, faites des phrases sur les modèles suivants .**

- *Il ne suffit pas de* vouloir le dire *pour* penser à le dire.
- *Ce n'est pas parce que* je veux le dire *que* je pense à le dire.
- *Ce que* je veux dire *n'est pas nécessairement ce que* je pense à dire.

## 2. ÉVALUER

- **Supposons que "*ce que je veux dire*" soit égal à 100 % ; quel sera, d'après vous, le pourcentage de ce qui sera retenu par le/la destinataire du message ?**
- **Comparez votre chiffre avec ceux des autres membres du groupe.**

## 3. EXPLIQUER

- **Quelles sont les causes de cette déperdition du message ?**
- **Donnez des exemples de situations où, pour vous, la communication ne s'est pas bien faite.**

ET IL PARAIT QU'ON VIT LA CIVILISATION DE LA COMMUNICATION...

## 3. JEU DE RÔLES : UN PROBLÈME DE MUTATION

*Jean-Paul Thomas, chef de chantier dans une grande entreprise du bâtiment, vient d'apprendre, par une lettre du chef du personnel, qu'il est muté en Arabie Séoudite, pour deux ans. Pour des raisons personnelles et surtout familiales, il n'est pas du tout intéressé par cette mutation.*

*Il demande un entretien à son chef de service pour essayer de le faire revenir sur sa décision.*

**1. JEU DE RÔLES : utilisez le canevas suivant**

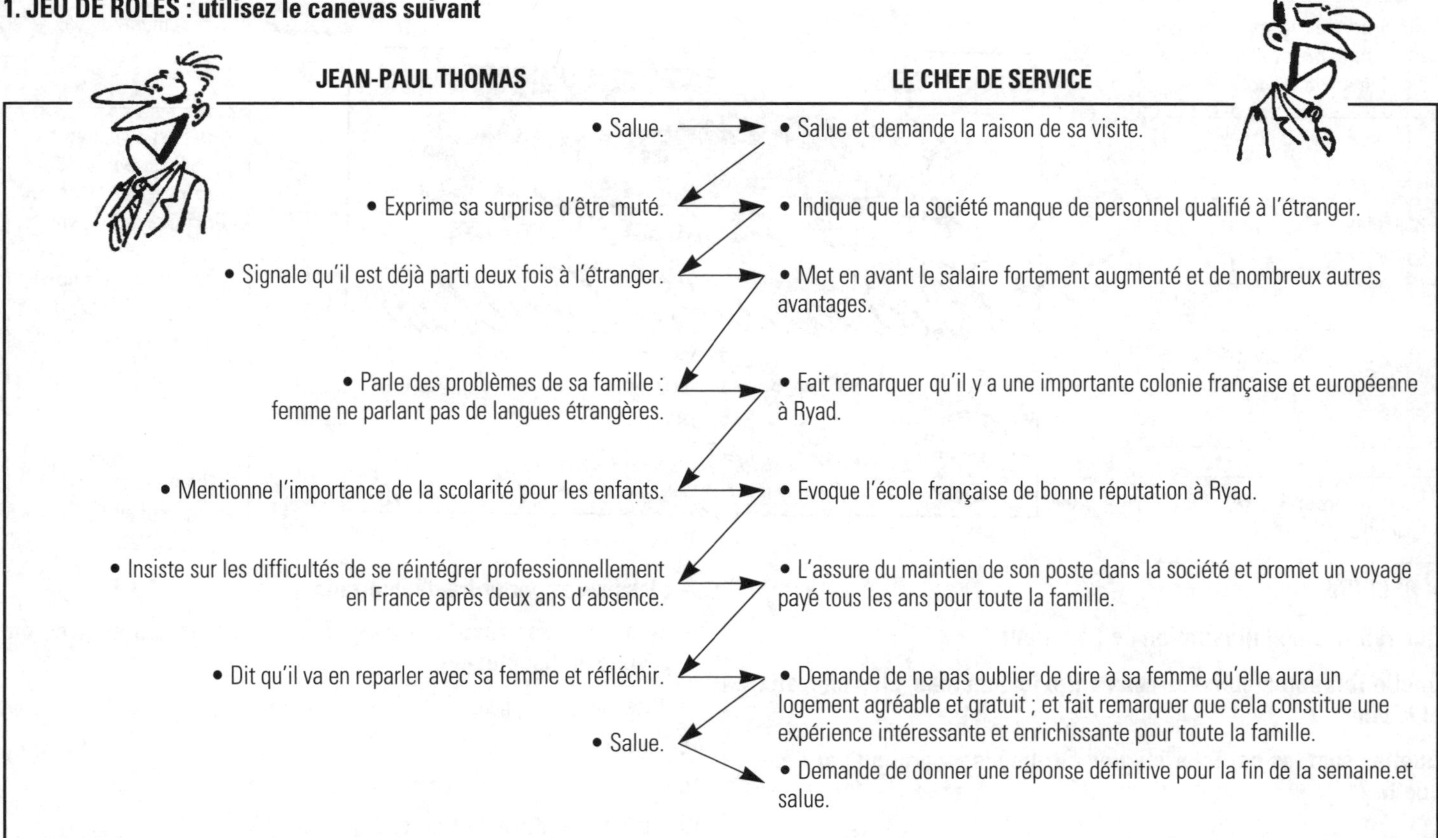

| JEAN-PAUL THOMAS | LE CHEF DE SERVICE |
|---|---|
| • Salue. | • Salue et demande la raison de sa visite. |
| • Exprime sa surprise d'être muté. | • Indique que la société manque de personnel qualifié à l'étranger. |
| • Signale qu'il est déjà parti deux fois à l'étranger. | • Met en avant le salaire fortement augmenté et de nombreux autres avantages. |
| • Parle des problèmes de sa famille : femme ne parlant pas de langues étrangères. | • Fait remarquer qu'il y a une importante colonie française et européenne à Ryad. |
| • Mentionne l'importance de la scolarité pour les enfants. | • Evoque l'école française de bonne réputation à Ryad. |
| • Insiste sur les difficultés de se réintégrer professionnellement en France après deux ans d'absence. | • L'assure du maintien de son poste dans la société et promet un voyage payé tous les ans pour toute la famille. |
| • Dit qu'il va en reparler avec sa femme et réfléchir. | • Demande de ne pas oublier de dire à sa femme qu'elle aura un logement agréable et gratuit ; et fait remarquer que cela constitue une expérience intéressante et enrichissante pour toute la famille. |
| • Salue. | • Demande de donner une réponse définitive pour la fin de la semaine.et salue. |

**2. REFORMULER**

*De retour à la maison, Jean-Paul Thomas raconte à sa femme, Josiane, l'entretien qu'il a eu avec son chef de service.*
**Simulez cet entretien à deux.**

## 4. JEU DE RÔLES : L'ENTRETIEN D'EMBAUCHE

*La société Transroute, spécialisée dans les transports routiers internationaux, recrute le responsable d'une équipe de 30 chauffeurs.*

**• Préparez bien l'entretien**

– en définissant le poste à occuper,

– en prévoyant les questions qui pourraient être posées.

**• Puis,après avoir lu les deux déclarations ci-contre, vous simulerez deux entretiens d'embauche :**

– le premier aura lieu avec Monsieur Toubon,

– le second avec Monsieur Sadaut.

**JOURNALISTE :**
***Quel comportement adoptez-vous au cours d'un entretien d'embauche ?"***

**M. TOUBON :**
Personnellement je cherche toujours à mettre le candidat à l'aise dès le départ. Je me lève pour l'accueillir avec le sourire. Je l'invite à s'asseoir. Je l'encourage à s'exprimer. J'essaie de me montrer disponible, détendu, chaleureux.
Vous savez, vous ne gagnez rien à créer un climat d'insécurité. Le meilleur moyen d'apprécier correctement les capacités de quelqu'un consiste à le mettre en confiance, tout au long de l'entretien, à créer une ambiance de cordialité !

**M. SADAUT :**
Je pense que l'entretien d'embauche doit être l'occasion de découvrir la véritable personnalité du candidat. Pour cela, je ne fais rien pour lui faciliter la tâche. Il doit montrer qu'il est capable de s'adapter à un climat peu sécurisant, de maîtriser une situation difficile.
Par exemple, je commence l'entretien par un accueil plutôt froid : je ne me lève pas ; je l'observe ostensiblement de la tête aux pieds : ses gestes, son attitude me fournissent de précieuses informations sur lui. Puis, je lui pose une question, sèchement : "Qui êtes-vous ?" et je lui laisse 4 à 5 minutes sans intervenir pour voir comment il va se débrouiller.
Et je continue ainsi en lui posant des questions personnelles, surprenantes. Je vous assure qu'à la fin de l'entretien vous savez vraiment ce que vaut le candidat.

## 1. LE LANGAGE DES IMAGES

MIEUX VAUT UN BON DESSIN QU'UN LONG DISCOURS !

Marque du vin et mention du domaine où se trouve l'exploitation viticole.

Millésime (année de la récolte).

Logo-gage d'authenticité de ce vin mis en bouteilles au château.

Nom du propriétaire viticulteur.

Cru Bourgeois

Château du Taillan

HAUT-MÉDOC

APPELLATION HAUT-MÉDOC CONTROLÉE

1981

MIS EN BOUTEILLES AU CHÂTEAU

Henri-François Cruse

PROPRIÉTAIRE AU TAILLAN-MÉDOC (GIRONDE)

75 cl

PRODUCE OF FRANCE

Classement du vin.

Une des appellations prestigieuses de bordeaux (appellation d'origine contrôlée : A.O.C.). C'est une région située au nord-ouest de Bordeaux, sur la rive gauche de la Gironde.

Contenance de la bouteille.

### 1. DÉCRIRE

**Que représente l'illustration de l'étiquette ?**

**Quelle relation établissez-vous entre le "château", les chevaux et le vin ?**

**Quelles sont les caractéristiques attribuées au produit par l'étiquette ?**

### 2. CLASSER

**Le propriétaire du domaine viticole et l'auteur de l'étiquette ont voulu transmettre un certain message.**

**Parmi les objectifs énumérés ci-contre :**

**– indiquez ceux qui vous paraissent justes,**

**– classez-les par ordre d'importance,**

**– comparez vos résultats avec ceux des autres membres du groupe et discutez-en.**

**a.** Créer une atmosphère.
**b.** Provoquer des émotions fortes.
**c.** Permettre d'identifier et de reconnaître la marque.
**d.** Mettre en évidence les qualités du produit.
**e.** Décrire la réalité.
**f.** Donner des informations nécessaires sur le produit.
**g.** Évoquer un mode de vie.
**h.** Convaincre le client d'acheter ce produit.
**i.** Raviver un souvenir d'enfance.

### 3. RACONTER

**a. Racontez la journée de ce personnage.**

**b. À votre avis, quelle est l'intention du dessinateur ?**

BANQUE

SUPER

ZZZZZZZ

ZZZZZZZ

LES LOISIRS

*Le Monde, Dossier, 1981*

# 2. LE LANGAGE DES GESTES

*Certaines études ont révélé que dans une communication orale en face-à-face, les mots comptaient pour 7 %, l'intonation pour 38 % et la gestuelle pour 55 % ? Est-ce vrai ? Les chiffres sont peut-être discutables. Mais ce qui est réel, c'est qu'à travers nos gestes, nos mimiques, nos attitudes... nous transmettons un message à notre interlocuteur. Il faut cependant faire attention car leur signification peut différer d'une culture à l'autre, et même parfois d'un individu à l'autre.*

## 1. QU'EST-CE QU'ILS DISENT ?

**Regardez bien l'attitude des personnages et attribuez chaque déclaration à son auteur.**

3

a CHEF ! IL M'EST VENU UNE IDÉE À PROPOS DU CHANTIER SUD.

1

b QUOI ? TA MÈRE VIENT ENCORE DEMAIN ? CE N'EST PLUS VIVABLE !

4

5

2

c

VOUS SAVEZ, VOTRE RELANCE ECONOMIQUE...!

d ON NE ME FAIT JAMAIS CONFIANCE ICI ! PAS MOYEN DE PRENDRE LA MOINDRE INITIATIVE !

e VOYONS, EST-CE QUE JE LEUR AI BIEN TOUT DIT ?

## 2. QUELLE SIGNIFICATION ?

**Quels sont les gestes qui accompagnent les déclarations ci-contre.**

## 3. DANS QUELLE SITUATION ?

**Imaginez des conversations dans lesquelles un des interlocuteurs est amené à faire chacun de ces gestes.**

| GESTES | DÉCLARATIONS |
|---|---|
| **1.** L'index est porté au front avant de s'éloigner brusquement. | **a.** "D'accord, j'accepte." |
| **2.** La main est placée ouverte derrière l'oreille. | **b.** "Ah ! j'ai trouvé". |
| **3.** Le pouce est levé verticalement. | **c.** "Je n'y arriverai jamais !" |
| **4.** Les bras tombent relâchés le long du corps. | **d.** "Chut !" |
| **5.** L'index est posé verticalement contre les lèvres. | **e.** "C'est vraiment super !" |
| **6.** La tête est remuée de haut en bas. | **f.** "Mais enfin, c'est inadmissible !" |
| **7.** Un coup de poing est donné sur la table. | **g.** "Pouvez-vous parler plus fort, je vous entends mal." |

### COMMENT COMMENTER UN DOCUMENT VISUEL

| IDENTIFIER LE DOCUMENT | | DÉCRIRE LE DOCUMENT | ANALYSER LE DOCUMENT |
|---|---|---|---|
| • Ce document est...<br>• C'est...<br>• Voici...<br>• Vous pouvez voir... | • une photo, prise à l'occasion de...<br>• un dessin, tiré de (*nom du magazine, journal...*)<br>• un schéma accompagnant...<br>• une carte publiée par...<br>• une affiche réalisée pour...<br>• un extrait d'une bande dessinée intitulée...<br>• une publicité pour... (*nom du produit*)<br>• un graphique de la Banque mondiale. | • Cette photo / ce dessin, montre...<br>• Au centre, nous pouvons / on peut voir...<br>• En haut à droite, nous voyons très nettement...<br>• Au premier plan, il y a...<br>• Tout à fait à l'arrière-plan, il est possible d'apercevoir...<br>• Sous le / au-dessous du titre, nous remarquons...<br>• Près du, entre... et ..., nous distinguons...<br>• Sur la gauche, en bas, nous pouvons observer très distinctement ...<br>• Dans le coin inférieur, à droite, un personnage, en gros plan... | • Ce document vise à montrer / décrire / illustrer / dénoncer...<br>• Ce document suggère / évoque / met en lumière / souligne / donne l'impression de...<br>• L'auteur / le dessinateur / le photographe... veut nous montrer/nous faire prendre conscience...<br>• L'objectif de ce document est de nous faire croire à / que ...<br>• Son objectif est : – d'abord d'attirer l'attention du lecteur, – puis de lui faire lire le texte, – enfin de le convaincre d'acheter le produit.<br>• Ce document produit une impression de...<br>• L'impression de puissance / qualité ... que nous ressentons provient de / est due à ...<br>• Ce document s'adresse essentiellement aux personnes qui ... |

# 1. "JE SUIS PAYÉ COMME UN DÉBUTANT."

*M. Durand travaille depuis quelque temps dans l'atelier dirigé par M. Legrand. C'est un ouvrier compétent. À la tête de l'entreprise se trouve M. Dupond.*

M. Dupond

M. Legrand

M. Durand

DITES, DURAND, JE VOUS REMERCIE D'AVOIR TERMINÉ LE TRAVAIL DANS LES DÉLAIS !
J'AI FAIT UN EFFORT... LA SOCIÉTÉ EST-ELLE PRÊTE À FAIRE ELLE AUSSI UN EFFORT ET M'AUGMENTER ?
JE VAIS EN PARLER À M. DUPONT. C'EST LUI QUI DÉCIDE !
M. DUPOND, DURAND DEMANDE UNE AUGMENTATION... QU'EN PENSEZ-VOUS ?
IL FAIT SON TRAVAIL CORRECTEMENT...
DITES-LUI DE PATIENTER. ON ENVISAGERA LE PROBLÈME DANS 2 MOIS...
AU FAIT, MON AUGMENTATION ?
M. DURAND VOUS DEMANDE DE PATIENTER !
CE N'EST PAS NORMAL !!
VOUS SAVEZ, C'EST LUI QUI DÉCIDE !
BIENTÔT, ILS VONT ME DEMANDER DE FAIRE L'ARBITRE !!
JE DIS NON !!
QUELQUES JOURS PLUS TARD, M. DURAND DONNE SA DÉMISSION
VOILÀ QUI EST ENNUYEUX !!

### 1. QUI ? À QUI ? DANS QUEL ORDRE ?

**Pour chacune des actions ci-contre, indiquez :**

**a.** qui communique avec qui,
**b.** dans quel ordre chronologique elles ont lieu.

### 2. C'EST POUR QUAND ?

**M. Durand peut espérer avoir une augmentation de salaire :**

**a.** dans un délai indéterminé,
**b.** dans deux mois,
**c.** dans un an,
**d.** au début de l'année prochaine.

### 3. "VOUS SAVEZ, C'EST LUI QUI DÉCIDE."

**a. Que pensez-vous du comportement de M. Legrand ?**
**b. Si vous aviez été à sa place, qu'auriez-vous dit à :**
– M. Durand (la première et la deuxième fois),
– M. Dupond ?

| Actions | Qui ? | À qui ? |
|---|---|---|
| **a.** Il le félicite pour le travail rapidement terminé. | ........ | ........ |
| **b.** Il demande une augmentation de salaire. | ........ | ........ |
| **c.** Il promet d'en parler à monsieur Dupond. | ........ | ........ |
| **d.** Il transmet la demande d'augmentation. | ........ | ........ |
| **e.** Il demande une appréciation sur Durand. | ........ | ........ |
| **f.** Il répond à la demande d'appréciation sur Durand. | ........ | ........ |
| **g.** Il rapelle sa demande d'augmentation de salaire. | ........ | ........ |
| **h.** Il transmet la réponse de Monsieur Dupond. | ........ | ........ |
| **i.** Il fait part de son mécontentement. | ........ | ........ |
| **j.** Il répond à la contestation et se justifie. | ........ | ........ |
| **k.** Il prend connaissance de la lettre de démission. | ........ | ........ |

1
UNITÉ

## 2. "JE SUIS CONVOQUÉ AU SERVICE MÉDICAL."

*M. Julien Arnaud, informaticien aux Établissements Bolan, reçoit le 25 mai 19.. un message du service médico-social (Message 1). Il en avertit aussitôt son collègue Philippe (Message 2) et son chef de service, M. Buron (Message 3). Puis il se souvient qu'il a rendez-vous le lendemain à 15 h 30 avec un fournisseur. Il lui envoie un message par le service des messageries (Message 4).*

Voici les quatre messages reçus et transmis par Julien Arnaud :

**Message 1**

ANALYSES MÉDICALES

Rennes, le 23 mai 19..

de :
Madame le Docteur Rossinot

à :
Monsieur Julien Arnaud

Vous êtes prié de vous présenter à nos services le 26 mai à 16 h pour la visite médicale annuelle.

**Message 2**

Philippe, je viens de recevoir une convocation pour la visite médicale, demain à 16 h, pas toi ? Il faudra que je quitte le bureau à 4 h moins le quart. Je vais prévenir M. Buron.

**Message 3**

*Bonjour Monsieur Buron, je viens vous avertir que demain je devrai quitter le bureau à 15 h 45 : je viens de recevoir une convocation du service médical. Il faut que j'y sois à 16 h pour passer la visite annuelle.*

**Message 4**

MESSAGE URGENT.
RENDEZ-VOUS IMPOSSIBLE
DEMAIN A 15 H 30
POUR CAUSE DE
VISITE MEDICALE.
PEUT-ON
L'AVANCER A 14 H ?
ARNAUD

**1. Complétez le tableau suivant en indiquant :**

**a.** à qui est destiné chaque message,
**b.** si le message est oral ou écrit.

| | Destinataire | Oral | Écrit |
|---|---|---|---|
| Message 1 | | | |
| Message 2 | | | |
| Message 3 | | | |
| Message 4 | | | |

**2. Indiquez dans quels messages se trouvent les fonctions énumérées dans le tableau ci-dessous :**

| Fonctions | Message 1 | Message 2 | Message 3 | Message 4 |
|---|---|---|---|---|
| Convoquer | | | | |
| Dire pourquoi | | | | |
| Interroger | | | | |
| Exprimer l'obligation | | | | |
| Interpeler | | | | |
| Saluer | | | | |
| Demander d'exprimer un accord | | | | |
| Annuler un rendez-vous | | | | |

**3. Indiquez, par des flèches bien orientées, le sens de la communication de ces cinq personnes.**

Philippe — Le chef de service

Julien

Dr Rossinot — Le fournisseur

**4. Trouvez dans ces quatre messages, les expressions correspondant aux énoncés suivants :**

– Nous vous prions de...
– Je dois être présent..
– Rendez-vous annulé pour...
– Partir d'ici...

**5. Philippe est un collègue de Julien et M. Buron son supérieur. Qu'est-ce qui indique cette différence de niveau hiérarchique dans les messages 2 et 3 ?**

**6. En utilisant le moyen de communication de l'émetteur, imaginez les réponses faites à Julien par :**

– Philippe,
– Monsieur Buron,
– le fournisseur .

# SECTION 5 : COMPARER DES SITUATIONS DE COMMUNICATION

*Les dix communications de la page ci-contre sont échangées soit à l'intérieur de la société HAUT-BRANE, soit avec des personnes extérieures à la société.*

**1**

**CONSIGNE GENERALE EN CAS D'INCENDIE**

| RAISON SOCIALE | |
|---|---|
| ADRESSE | |

**ALARME**

EN CAS DE DEBUT D'INCENDIE PREVENEZ AUSSITOT — 18 — M. Durand

**ALERTE**

SAPEURS-POMPIERS
INDIQUEZ CLAIREMENT L'ADRESSE COMPLETE DE L'ETABLISSEMENT — 18 ou 36 65 02 75

**ATTAQUE DU FEU**

AGISSEZ IMMEDIATEMENT SUR LE DEBUT D'INCENDIE AU MOYEN DES EXTINCTEURS APPROPRIES

MATERIEL D'EXTINCTION ET DE SAUVETAGE

Le matériel sera maintenu accessible et en bon état de fonctionnement

**EVACUATION**

SIGNAL EVACUATION
POINT DE RASSEMBLEMENT — G

| SUIVEZ LES INDICATIONS DES RESPONSABLES DE L'EVACUATION | FERMEZ LES FENETRES ET LES PORTES EN QUITTANT LES LOCAUX | N'UTILISEZ PAS LES ASCENSEURS | NE REVENEZ JAMAIS EN ARRIÈRE SANS Y ETRE INVITE |
|---|---|---|---|

**2**

GÉVA, J'AURAIS BESOIN DU DOSSIER CONGÉS PAYÉS DE MOISON ; DÈS QUE VOUS AUREZ UN MOMENT, APPORTEZ-LE SUR MON BUREAU, S'IL VOUS PLAÎT !
DIRECTION du PERSONNEL
FRAPAR

**3**

Date : 9. 2. . .  Heure : 10 h. 30
A l'attention de M. Gaston André
**en votre absence**
M. Robert Arnon
Société MOSELLE
Téléphone 48 27 36 36

| | | | |
|---|---|---|---|
| A TÉLÉPHONÉ | X | MERCI D'APPELER | ☐ |
| EST PASSÉ VOUS VOIR | ☐ | VOUS RAPPELLERA | ☐ |
| DEMANDE UN ENTRETIEN | ☐ | URGENT | ☐ |

Message Annule le rendez-vous du 12.02. à 14 heures. Propose le 15 à 10 heures ou le 17 à 15 heures 15.
Sylvie Bertin

**4**

**Standard :** Société Haut-Brane, bonjour.

**René Gira :** Bonjour, Mademoiselle. Ici René Gira, agent commercial des établissements Sika. Je souhaiterais parler au directeur commercial.

**Standard :** Bien, Monsieur, je vous mets en communication avec Monsieur André.

**René Gira :** Je vous remercie, Mademoiselle.

**5**

Danièle

N'oubliez pas de porter la lettre recommandée pour le SIKA.

Bon anniversaire

Paul Taravant

**6**

LES ENFUMÉS
EN ONT "RAS-LE-NEZ"
C.N.C.T. 68 Bd SAINT-MICHEL - 75006 PARIS

**7**

IL PARAÎT QUE LA DIRECTION VA LICENCIER MARC SANTERRE !

**8**

**VOTRE OFFRE DE BIENVENUE**

- 12 bouteilles à moitié prix : **240 F** (VALEUR 480 F)
- Une carafe en verre taillé + 6 verres à dégustation homologués I.N.A.O. **80 F** (VALEUR 230 F)

pour seulement **320 F** (+ frais de port) (VALEUR 710 F)

**SOIT 390F D'ECONOMIE !**

**9**

```
COFACRE 329 B
017 1434
HOBRA 534 VE

TELEX N° 398 DU 15.8.8.

PRIERE LIVRER LE PLUS TOT
POSSIBLE
1 CALCULATRICE DE BUREAU,
REFERENCE XC 315 E - MERCI

COFACRE 329 B
HOBRA 534 VE
                        §§§§§§§
```

**10**

**Société CONSTANT**
32, quai du Louvre
35001 Rennes
Tél. : 99.72.08.11

Société HAUT-BRANE

Objet : Changement d'adresse

Rennes, le 30 mars 19..

Messieurs,

Nous avons le plaisir de vous infor-mer qu'à compter du **2 mai 19..** notre siège social sera transféré :

*27, avenue des Figuiers*
*35002 Rennes*
*Tél. : 99.12.32.56*
*Télécopie : 99.12.58.43*

Nous espérons ainsi vous apporter un service et une assistance encore plus efficaces.

Nous vous prions d'agréer, Mes-sieurs, l'expression de nos sentiments distingués.

Le Directeur commercial
Christine Lefort
CLefort

S.A au capital de 1.500.000 F - R.C.S. Rennes B 426811579

## 1. QUI COMMUNIQUE AVEC QUI ?

**Après avoir pris connaissance de chaque message :**

**– indiquez qui est l'émetteur, en mettant le numéro correspondant dans chaque case ;**

**– puis dites à qui il est destiné.**

| N° des messages | EMETTEUR | RÉCEPTEUR |
|---|---|---|
| 5 | **a** *Le P.-D.G. de Haut-Brane.* | *La secrétaire de direction.* |
| | **b.** Le responsable de la sécurité | |
| | **c.** Le service commercial de Haut-Brane | |
| | **d.** Un(e) employé(e) | |
| | **e.** La standardiste | |
| | **f.** La responsable du personnel | |
| | **g.** Un agent commercial | |
| | **h.** Un(e) employé(e) anti-tabac | |
| | **i.** Le service des achats de Haut-Brane | |
| | **j.** Un fournisseur de Haut-Brane qui déménage | |

## 2. LES CARACTÉRISTIQUES DES MESSAGES

### 1. QUEL A ÉTÉ LE MOYEN CHOISI POUR TRANSMETTRE CES INFORMATIONS ?

**Cherchez à caractériser le premier message en répondant aux quatre questions suivantes. Vous pouvez reporter vos réponses dans le tableau ci-contre.**

**Faites de même pour les neuf autres messages.**

a le téléphone
b une discussion en face-à-face
c un panneau d'affichage
d le télex
e l'interphone
f l'affiche
g la note
h la lettre
i le message téléphonique
j le publipostage

### 2. QUELS SONT LES OBJECTIFS DE CES MESSAGES ?

**a.** faire une offre commerciale,
**b.** transmettre une rumeur,
**c.** demander de faire,
**d.** donner une information,
**e.** faire une demande au téléphone,
**f.** donner des consignes de sécurité,
**g.** rappeler et souhaiter,
**h.** demander de faire d'urgence,
**i.** transmettre un message téléphonique,
**j.** interdire ;

### 3. OÙ A LIEU LA COMMUNICATION ?

– au sein de la société Haut-Brane?
– entre la société Haut-Brane et l'extérieur ?

### 4. POUR LES COMMUNICATIONS INTERNES, LA COMMUNICATION EST-ELLE :

– descendante (de supérieur à subordonné) ?
– latérale ou horizontale (entre collègues) ?

| N° des messages | 1 Moyen choisi | 2 Objectif | 3 Communication | | 6 Communication | |
|---|---|---|---|---|---|---|
| | | | interne | externe | descendante | latérale |
| 1 | ............ | ............ | ............ | ............ | ............ | ............ |
| 2 | ............ | ............ | ............ | ............ | ............ | ............ |
| 3 | ............ | ............ | ............ | ............ | ............ | ............ |
| 4 | ............ | ............ | ............ | ............ | ............ | ............ |
| 5 | ............ | ............ | ............ | ............ | ............ | ............ |
| 6 | ............ | ............ | ............ | ............ | ............ | ............ |
| 7 | ............ | ............ | ............ | ............ | ............ | ............ |
| 8 | ............ | ............ | ............ | ............ | ............ | ............ |
| 9 | ............ | ............ | ............ | ............ | ............ | ............ |
| 10 | ............ | ............ | ............ | ............ | ............ | ............ |

# 1. LES OBJECTIFS DE LA COMMUNICATION

Toute communication poursuit un objectif :

| informer | s'informer | convaincre | faire agir | négocier |
|---|---|---|---|---|

### 1. QUEL EST L'OBJECTIF ?

**Indiquez pour les messages suivants quel est l'objectif dominant.**

**a.** Un appel d'offres.
**b.** Une notice d'emploi du télécopieur.
**c.** Un entretien entre un commerçant et son client.
**d.** Une demande de réduction de prix.
**e.** Un graphique sur l'évolution de l'emploi.
**f.** Une demande d'augmentation de salaire.
**g.** Un questionnaire d'enquête auprès du personnel.
**h.** Un message diffusé par répondeur téléphonique.
**i.** Une affiche avec les consignes de sécurité dans l'entreprise.
**j.** Une annonce publicitaire.

# 2. LES VERBES DE LA COMMUNICATION

**Complétez les phrases à l'aide des verbes suivants :**
*avertir, se renseigner, préciser, indiquer, alerter, prévenir, tenir au courant, communiquer, rappeler, mentionner, se documenter, signaler.*

**1.** Vous verrez, au carrefour, un panneau qui vous ... la direction de Genève.
**2.** Pourriez-vous ... ce dossier à M. Taravant ?
**3.** Elle a ... les pompiers, dès qu'elle a vu les flammes dans l'entrepôt.
**4.** Il faudrait que vous nous ... de la suite de cette affaire.
**5.** M. Bouchaud doit venir vers 10 heures. Veuillez m' ... de son arrivée.
**6.** J'ai oublié votre nom. Pourriez-vous me le ... ?
**7.** Avant de faire mon choix, je dois me ... sur les différents types d'appareils.
**8.** Un seul journal a ... cet événement.
**9.** N'oubliez pas de ... la référence de l'appareil sur le bon de commande.
**10.** Pourriez-vous ... votre idée en donnant des exemples.
**11.** Avant d'engager ce candidat, nous devons nous ... sur lui.
**12.** La réunion vient d'être annulée, mais à une heure aussi tardive, il est impossible de ... tous les intéressés.

## COMMENT EXPRIMER LA PENSÉE

### Pour dire que l'on dit

- Je vous *informe / fais savoir / annonce / indique / signale / précise* qu'à ce jour je n'ai toujours pas reçu les marchandises commandées.
- J'ai *dit / déclaré* qu'il démissionnerait.
- Je vous *avais prévenus / avertis* de mon arrivée à Bruxelles.
- J'*affirme / confirme / atteste / soutiens / certifie* qu'il n'est pas venu au bureau ce jour-là.

### Pour introduire une opinion personnelle

- *Moi / Personnellement* j'agirais ainsi.
- *D'après / Selon* moi, tout est possible.
- Je *pense / crois / estime / trouve / suis sûr / suis persuadé* qu'il serait préférable d'arrêter l'expérience.
- Je ne *pense / crois* pas qu'il nous ait compris.

### Pour introduire une opinion de manière impersonnelle

- Il *semble* que c'est (ou soit) la meilleure solution.
- Il est *évident / clair / certain* que l'argent ne fait pas le bonheur.

### Pour introduire l'opinion d'un autre

- *Selon / Comme l'a dit / écrit* M. de la Motte, l'ennui naquit de l'uniformité.
- On *dit* que les bons comptes font les bons amis.
- La plupart des économistes *partagent cette opinion.*

### Pour nuancer une opinion

- Il me *semble* que ce choix présente aussi des inconvénients.
- J'*ai le sentiment / l'impression* qu'elle réussirait mieux que lui.
- Je *crois / pense* qu'il pourrait accepter.
- Il *est possible* qu'il vienne dès ce soir.

### Pour introduire une réflexion

- Il a *montré / démontré / mis en évidence / fait apparaître* les difficultés de cette opération.
- Il *a expliqué* pourquoi il avait refusé.

### Pour introduire une question

- Je *me demande* si nous avons fait le bon choix.
- Je *m'interroge sur* ses capacités à diriger une entreprise.

### Pour amener une information implicite

- Il *a laissé entendre* qu'il reviendrait.
- Il *suggère* de partir immédiatement.
- Je n'*insinue* pas qu'il soit le responsable.

# LE TRAVAIL ADMINISTRATIF

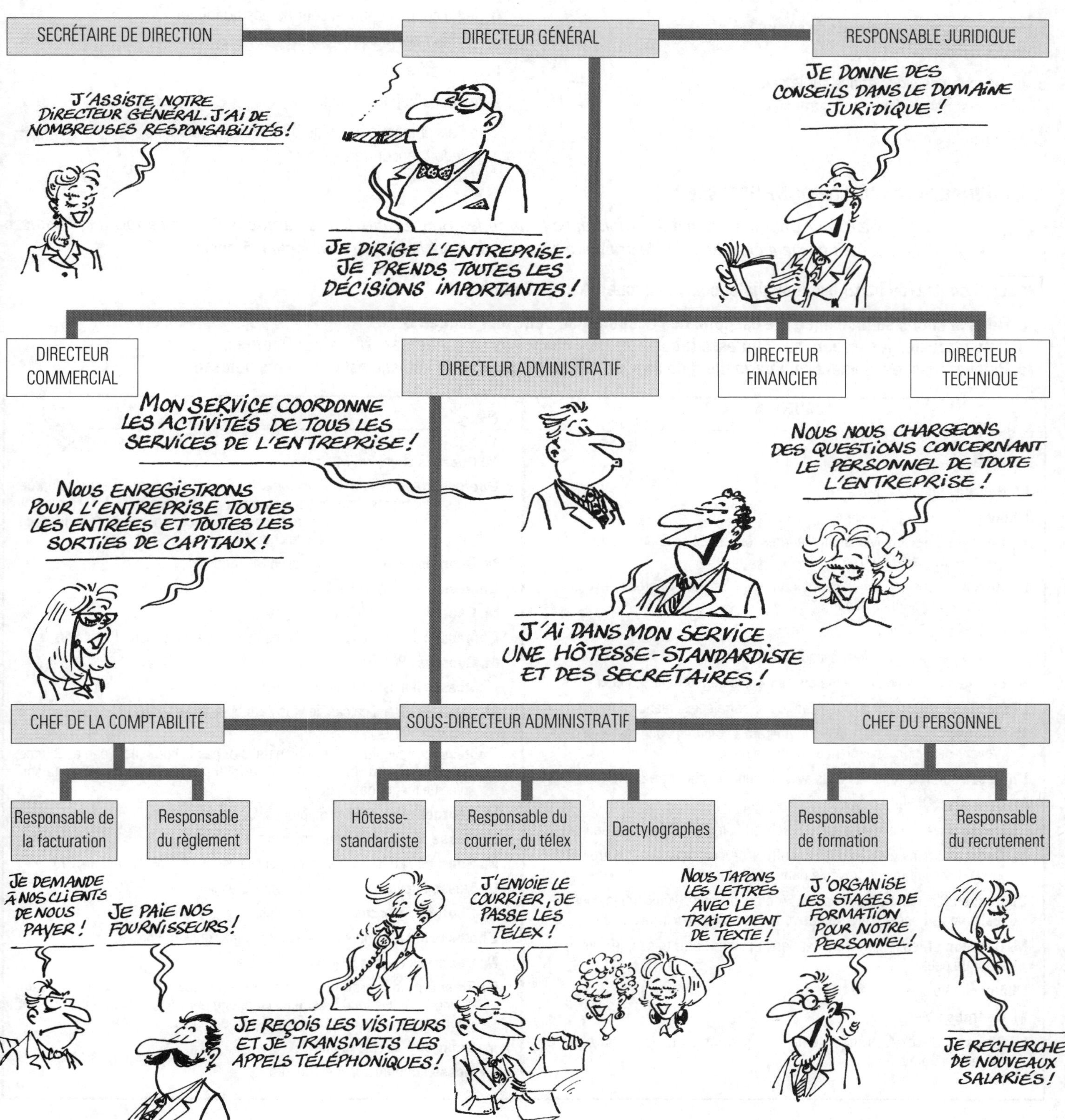
SECRÉTAIRE DE DIRECTION
DIRECTEUR GÉNÉRAL
RESPONSABLE JURIDIQUE
J'ASSISTE NOTRE DIRECTEUR GÉNÉRAL. J'AI DE NOMBREUSES RESPONSABILITÉS !
JE DIRIGE L'ENTREPRISE. JE PRENDS TOUTES LES DÉCISIONS IMPORTANTES !
JE DONNE DES CONSEILS DANS LE DOMAINE JURIDIQUE !
DIRECTEUR COMMERCIAL
DIRECTEUR ADMINISTRATIF
DIRECTEUR FINANCIER
DIRECTEUR TECHNIQUE
MON SERVICE COORDONNE LES ACTIVITÉS DE TOUS LES SERVICES DE L'ENTREPRISE !
NOUS ENREGISTRONS POUR L'ENTREPRISE TOUTES LES ENTRÉES ET TOUTES LES SORTIES DE CAPITAUX !
NOUS NOUS CHARGEONS DES QUESTIONS CONCERNANT LE PERSONNEL DE TOUTE L'ENTREPRISE !
J'AI DANS MON SERVICE UNE HÔTESSE-STANDARDISTE ET DES SECRÉTAIRES !
CHEF DE LA COMPTABILITÉ
SOUS-DIRECTEUR ADMINISTRATIF
CHEF DU PERSONNEL
Responsable de la facturation
Responsable du règlement
Hôtesse-standardiste
Responsable du courrier, du télex
Dactylographes
Responsable de formation
Responsable du recrutement
JE DEMANDE À NOS CLIENTS DE NOUS PAYER !
JE PAIE NOS FOURNISSEURS !
JE REÇOIS LES VISITEURS ET JE TRANSMETS LES APPELS TÉLÉPHONIQUES !
J'ENVOIE LE COURRIER, JE PASSE LES TÉLEX !
NOUS TAPONS LES LETTRES AVEC LE TRAITEMENT DE TEXTE !
J'ORGANISE LES STAGES DE FORMATION POUR NOTRE PERSONNEL !
JE RECHERCHE DE NOUVEAUX SALARIÉS !

# 1. ACCUEILLIR AVEC LE SOURIRE

## 1. ÊTES-VOUS DOUÉ(E) POUR L'ACCUEIL ?

*Un client se présente à l'accueil d'une entreprise. L'hôtesse doit le faire patienter.*

**Mettez-vous à la place de l'hôtesse et dites si vous êtes d'accord (O) ou non (N), avec les affirmations suivantes. Expliquez pourquoi.**

**a.** Je souris au visiteur pour le mettre en confiance. ☐

**b.** Je lui rappelle les consignes de sécurité en cas d'incendie. ☐

**c.** Je lui donne des indications sur le caractère de la personne qu'il va rencontrer. ☐

**d.** Je l'invite à s'asseoir. ☐

**e.** Je prends le temps de discuter avec lui. ☐

**f.** Je lui raconte un épisode de ma vie personnelle pour détendre l'atmosphère. ☐

**g.** Je lui coupe la parole pour ne pas prolonger inutilement la conversation. ☐

**h.** Je lui offre à boire. ☐

**i.** Je l'appelle par son nom. ☐

**j.** Je l'accompagne jusqu'au bureau de la personne qu'il doit rencontrer. ☐

## 2. RECONNAISSEZ-VOUS LA BONNE HÔTESSE ?

*Monsieur Georges est allé deux fois dans l'entreprise Haut-Brane. Il a remarqué la deuxième fois que l'hôtesse n'était pas la même. En effet, la première hôtesse avait été licenciée pour incompétence.*

**Écoutez (ou lisez) les deux dialogues de l'accueil A et de l'accueil B.**

**a. Dites si l'hôtesse incompétente est celle de l'accueil A ou celle de l'accueil B.**
**b. Relevez toutes les erreurs que l'hôtesse incompétente a commises en accueillant Monsieur Georges.**
**c. Relevez tous les éléments qui permettent de dire, au contraire, que l'autre hôtesse est une bonne hôtesse.**

### ACCUEIL A

**M. Georges :** Bonjour, Madame.

**L'hôtesse :** Bonjour, Monsieur.

**M. Georges :** Je suis Monsieur Georges, des Établissements Findus. J'ai rendez-vous avec Monsieur Taravant à 9 heures.

**L'hôtesse :** Monsieur Taravant vous attend, Monsieur Georges. Il vous recevra dans quelques minutes.

**M. Georges :** Très bien.

**L'hôtesse :** Voulez-vous vous asseoir un instant ?

**M. Georges :** Non merci. J'aimerais autant me dégourdir les jambes.

**L'hôtesse :** Puis-je vous offrir un café ou un rafraîchissement ?

**M. Georges :** C'est gentil, merci. Je prendrais volontiers une tasse de café. Voyez-vous un inconvénient à ce que je fume ?

**L'hôtesse :** Je vous en prie. Vous avez un cendrier sur cette petite table.

**M. Georges :** Ah oui ! Je vois.

**L'hôtesse :** Avez-vous trouvé notre adresse facilement, Monsieur Georges ?

**M. Georges :** Sans problème. Le chauffeur de taxi connaissait votre entreprise. Il y avait même travaillé dans sa jeunesse.

**L'hôtesse :** C'est un heureux hasard. À propos, voulez-vous que je vous appelle un taxi après votre rendez-vous avec Monsieur Taravant ?

**M. Georges :** Merci, mais ce n'est pas la peine. Cette fois-ci, je vais marcher un peu.

**L'hôtesse :** Voici votre café.

**M. Georges :** Merci.

**L'hôtesse :** Buvez-le tranquillement et je vous conduis au bureau de Monsieur Taravant.

### ACCUEIL B

**M. Georges :** Bonjour, Madame.

**L'hôtesse** (*elle tape à la machine*) **:** Bonjour (*En aparté*) "l'expression de mes sentiments distingués" ... (Le téléphone sonne) "Salut, François ! ...oui...oui...devant le café de la gare... d'accord, j'y serai... (*Au visiteur*) Ah oui ! Vous voulez quelque chose ?

**M. Georges :** J'ai rendez-vous avec M. Taravant.

**L'hôtesse :** Vous êtes sûr ?

**M. Georges :** Oui, à 9 heures.

**L'hôtesse :** Je ne vous ai pas sur ma liste, mais il a encore dû oublier.

**M. Georges :** Pouvez-vous m'annoncer ?

**L'hôtesse :** Il n'est pas encore arrivé.

**M. Georges :** Dans ce cas, je vais l'attendre. Voyez-vous un inconvénient à ce que je fume ?

**L'hôtesse :** À condition que vous n'utilisiez pas la corbeille à papier comme cendrier. L'autre jour, mon mari a failli mettre le feu à notre maison avec un mégot de cigarette.

**M. Georges :** Oui, oui, je comprends. Où est le cendrier ?

**L'hôtesse :** Il y en a un sous vos yeux.

**M. Georges :** Pouvez-vous vérifier si Monsieur TARAVANT est arrivé ?

**L'hôtesse :** Voyons voir... Au fait, vous êtes Monsieur... ?

**M. Georges :** Monsieur Georges, des...

**L'hôtesse** (*au téléphone*) **:** Il y a un certain Monsieur Porge...

**M. Georges :** Georges, Monsieur Georges.

**L'hôtesse :** ...qui prétend avoir rendez-vous avec vous ...oui...oui...entendu... (*Au visiteur*) C'est bien ce que je pensais ; il avait oublié ; il est toujours dans la lune. Enfin, vous pouvez y aller.

**M. Georges :** Où dois-je aller ?

**L'hôtesse :** Bureau 20, 2e étage, droite.

# 2. ACCUEILLIR DANS TOUTES LES SITUATIONS

## 1. QUE DITES-VOUS ?

*Un visiteur, Monsieur Georges, se présente à l'accueil de l'entreprise Haut-Brane. Plusieurs possibilités, qui sont représentées ci-dessous, peuvent alors être envisagées.*

**Faites correspondre chaque phrase ci-dessous au numéro de l'étape où elle a été prononcée par l'hôtesse.**

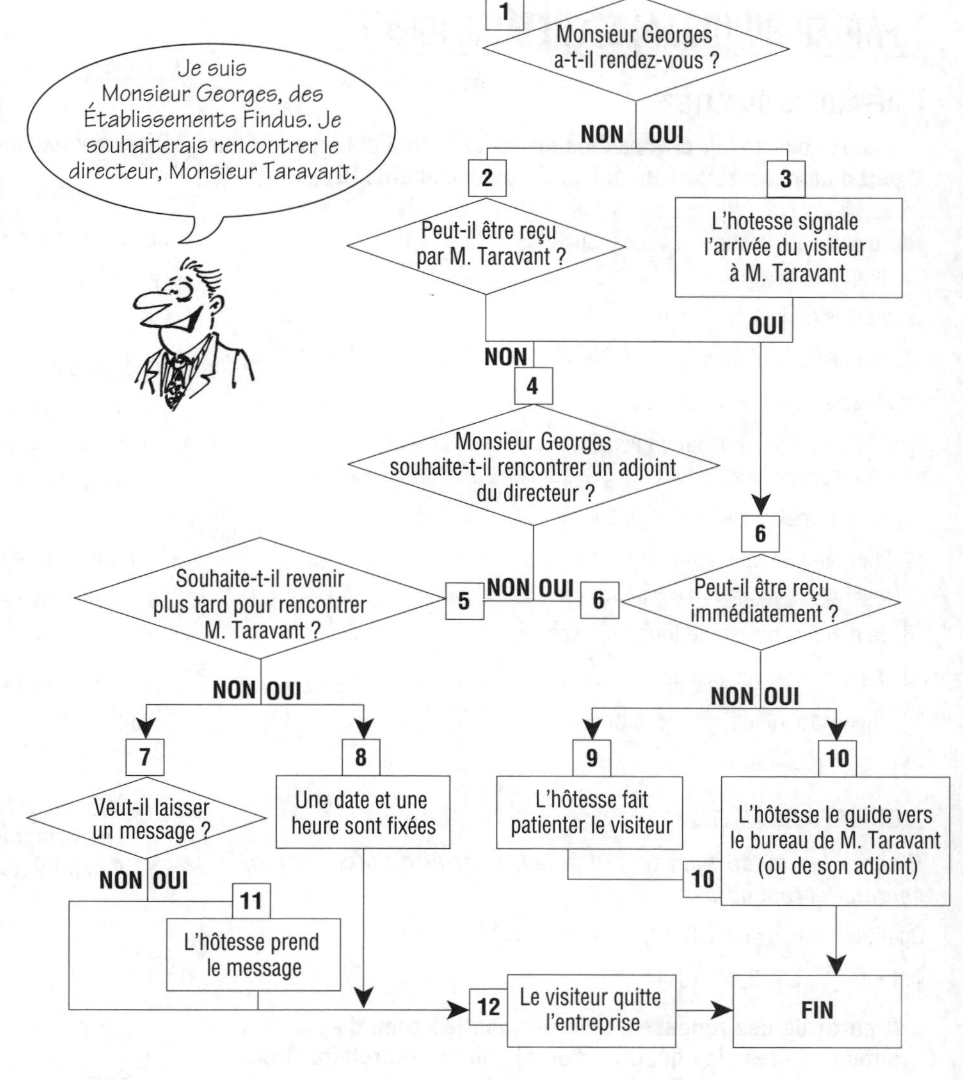

Je suis Monsieur Georges, des Établissements Findus. Je souhaiterais rencontrer le directeur, Monsieur Taravant.
1 Monsieur Georges a-t-il rendez-vous ?
NON OUI
2 Peut-il être reçu par M. Taravant ?
3 L'hotesse signale l'arrivée du visiteur à M. Taravant
OUI
NON
4 Monsieur Georges souhaite-t-il rencontrer un adjoint du directeur ?
5 NON OUI 6
Souhaite-t-il revenir plus tard pour rencontrer M. Taravant ?
6 Peut-il être reçu immédiatement ?
NON OUI
7 Veut-il laisser un message ?
8 Une date et une heure sont fixées
NON OUI
9 L'hôtesse fait patienter le visiteur
10 L'hôtesse le guide vers le bureau de M. Taravant (ou de son adjoint)
10
NON OUI
11 L'hôtesse prend le message
12 Le visiteur quitte l'entreprise
FIN


a. *Est-ce que je peux lui transmettre un message ?* [7]

b. Je ne sais pas si M. Taravant est disponible. Laissez-moi vérifier. [ ]

c. Si vous voulez bien me suivre, je vous indique le chemin. [ ]

d. Je vous annonce à M. Taravant. [ ]

e. Je prends note et je transmettrai dès que possible. [ ]

f. Voulez-vous prendre rendez-vous ? [ ]

g. Puis-je vous demander si vous êtes attendu ? [ ]

h. Voulez-vous vous asseoir un instant ? [ ]

i. M. Taravant est en réunion, mais l'un de ses collaborateurs pourrait vous recevoir. [ ]

j. Il y a un arrêt de taxis en bas de la rue. [ ]

k. Nous disions donc le 8 à 9 h 30. [ ]

l. Je dois m'assurer qu'il est bien sorti de la réunion. [ ]

## 2. QUE FAITES-VOUS ?

*Dans la journée, plusieurs personnes se sont présentées à l'accueil de la société Haut-Brane. Ce qu'elles ont dit à l'hôtesse est rapporté dans la première colonne du tableau ci-dessous.*

**Identifiez par le numéro correspondant à chaque demande :**
- **– l'objet de chaque demande (colonne 2)**
- **– le type d'interlocuteur auquel l'hôtesse a affaire (colonne 3)**
- **– le service ou la personne à contacter (colonne 4)**

| Demande | Dans quel but ? | Qui parle ? | À qui ? |
|---|---|---|---|
| [1] *Claude Pichon à l'appareil. Je voudrais parler à Monsieur Grillet, s'il vous plaît.* | [ ] Réclamation | [ ] Un demandeur d'emploi | [ ] Service de l'entretien |
| [2] Où est-ce que je dois décharger ? | [ ] Offre de travail | [ ] Un actionnaire | [1] *Monsieur Grillet* |
| [3] Il y a une erreur dans le montant de votre facture. | [ ] Lieu de livraison | [ ] Un dépanneur | [ ] Le magasinier |
| [4] Dites-lui que je ne pourrai pas assister à l'assemblée générale. | [ ] Lieu de réparation | [ ] Un client | [ ] Le service du personnel |
| [5] Je viens pour le photocopieur en panne. | [1] *Mise en relation* | [1] Claude Pichon | [ ] Le P-DG |
| [6] On m'a dit que vous embauchiez des saisonniers. | [ ] Message à transmettre | [ ] Un livreur | [ ] Le service de la comptabilité |

# 1 PARLER DU (DE LA) SECRÉTAIRE IDÉAL(E)

## 1. DÉFAUT OU QUALITÉ ?

**Voulez-vous savoir si vous êtes ou seriez un(e) bon(ne) secrétaire ? Dites si chacune des affirmations suivantes reflète plutôt de la part d'un(e) secrétaire un défaut (D) ou une qualité (Q).**

1. Je parle à n'importe qui des problèmes de mon entreprise. ☐
2. Je suis toujours à l'heure. ☐
3. Je m'habille n'importe comment. ☐
4. Je sais ce que je veux. ☐
5. Je suis prêt(e) à annuler un spectacle pour des raisons professionnelles. ☐
6. Pour être efficace, il faut de l'ordre. ☐
7. Pour bien rédiger une lettre, il faut la réécrire plusieurs fois. ☐
8. Je n'ai pas besoin de formation spécifique. ☐
9. J'aime être avec des gens. ☐
10. Je suis tourné(e) vers les autres. ☐
11. Je n'aime pas qu'on dérange mes habitudes. ☐
12. J'aime et je sais plaire. ☐
13. Je m'énerve devant les clients exigeants. ☐
14. Je suis le (la) plus intelligent(e) du bureau. ☐
15. Mon emploi actuel est une étape dans ma carrière professionnelle. ☐
16. J'aime la perfection. ☐
17. J'accepte volontiers de suivre les conseils et les ordres de mes supérieurs. ☐
18. J'aime rendre service. ☐
19. Mon patron peut compter sur moi. ☐
20. Je ne travaille vraiment que lorsque mon patron est présent. ☐

## 2. QUELLES QUALITÉS ?

*D'après les auteurs du test, il fallait, pour être un(e) bon(ne) secrétaire, répondre :*

Qualités : 2, 4, 5, 6, 9, 10, 12, 15, 16, 17, 18, 19.

Défauts : 1, 3, 7, 8, 11, 13, 14, 20.

**a. À partir de ces réponses, indiquez quelles sont, d'après les auteurs du test, les qualités d'un(e) bon(ne) secrétaire. Trouvez un adjectif qualificatif pour chaque affirmation.**

*Exemple :* Il (elle) doit être...

1 - discret(ète),
2 - ponctuel(le),
etc.

**b. Êtes-vous d'accord avec ce portrait du (de la) secrétaire ?**

**c. Si vous étiez secrétaire, quel serait votre comportement à l'égard d'un patron :**
- autoritaire ?
- paternaliste ?
- laxiste (laisser-faire) ?
- participatif ?

**d. Pour le journal de votre établissement, on vous demande de rédiger un court article ayant pour thème "Portrait de la secrétaire de demain". Rédigez ce portrait.**

**e.** *Vous êtes chargé(e) de recruter une secrétaire de direction.* **Les compétences étant supposées égales, laquelle, de ces 4 candidates retiendriez-vous ? Pourquoi ?**

ALLÔ ?
ALLÔ ?
ALLÔ ?
TAC!
TAC!
TAC!
TAC!
TAC!

# 2. AVOIR LE SENS DU CONTACT

## 1. FAITES UN TEST

**Après avoir pris connaissance du document ci-contre, dites quelle serait votre attitude (A, B, C) dans les trois situations présentées.**

## 2. DITES-LE AUTREMENT

**Dites à quelle situation (1, 2, 3) et à quelle attitude (A, B, C) du document ci-contre correspondent les phrases suivantes.**

**a.** *Est-ce qu'il y aura un interprète ?* ........ 2 A
**b.** Je ne m'en sortirai jamais toute seule. ........ ☐
**c.** J'espère que ce n'est pas Pierre. ........ ☐
**d.** Mieux vaut le lire immédiatement. ........ ☐
**e.** Ça demande réflexion. ........ ☐
**f.** Ça tombe mal ! J'ai plein de travail ........ ☐
**g.** Je réponds tout de suite. ........ ☐
**h.** J'ai bien le temps de m'en occuper. ........ ☐
**i.** Je pars tout de suite. ........ ☐

## 3. IMAGINEZ AUTRE CHOSE

**Sur le modèle du document ci-contre, imaginez trois attitudes différentes dans les situations suivantes :**

1. Un client mécontent se présente à vous.
   A - ........................................
   B - ........................................
   C - ........................................

2. On vous propose de faire le discours de fin d'année devant le personnel de votre entreprise.
   A - ........................................
   B - ........................................
   C - ........................................

3. Vous devez partir en voyage d'affaires à la place de votre patron malade.
   A - ........................................
   B - ........................................
   C - ........................................

4. On vous propose un nouveau poste, bien mieux rémunéré, mais beaucoup plus difficile.
   A - ........................................
   B - ........................................
   C - ........................................

## AVEZ-VOUS LE SENS DU CONTACT ?

**1.** Le téléphone sonne.
- **A.** Vous sautez dessus !
- **B.** Pourvu que ce ne soit pas Duchmol...
- **C.** Ah pas maintenant ! J'ai autre chose à faire.

**2.** On vous propose un stage à Tokyo.
- **A.** Oui, si un interprète m'accompagne.
- **B.** À quelle heure est le départ ?
- **C.** C'est séduisant mais il faut que je m'organise.

**3.** Un télex vient de tomber.
- **A.** Tiens ? C'est peut-être important...
- **B.** Au secours ! Le patron est parti !
- **C.** On verra ça plus tard.

## SECTION 3 : RÉPARTIR LE TRAVAIL DE BUREAU

# 1. QUE DOIT-ON FAIRE ?

### 1. VRAI OU FAUX ?

*Les trois documents ci-contre montrent les résultats d'un sondage réalisé auprès d'un groupe de secrétaires.*

**Prenez-en connaissance et dites si les affirmations suivantes sont vraies (V) ou fausses (F).**

**a.** Les secrétaires ne savent jamais où se trouve leur patron. ☐

**b.** Beaucoup souhaiteraient mieux connaître les affaires de leur patron. ☐

**c.** Ils (elles) veulent passer plus de temps au téléphone. ☐

**d.** Ils (elles) passent tous (toutes) beaucoup de temps à organiser les réunions. ☐

**e.** Ils (elles) passent tous (toutes) beaucoup de temps au travail de dactylographie. ☐

**f.** Aucun(e) ne voudrait rédiger lui (elle)-même les lettres ☐

**g.** Le plus souvent, ils (elles) passent eux (elles-mêmes) les télécopies ☐

**h.** La plupart veulent plus de responsabilités. ☐

**i.** Tous les patrons utilisent un micro-ordinateur. ☐

**j.** Aucun(e) n'aime organiser les réunions et encore moins y assister ☐

Oui ou non, votre patron...
Utilise un micro-ordinateur ?
Non 48 %
Vous dit toujours où il est ?
Oui 48 %
Vous confie son agenda ?
Oui 54 %
Passe parfois lui-même ses télécopies
Non 59 %

### 2. CHERCHER LES RESPONSABILITÉS

**Parmi les tâches suivantes, dites celles qui sont plutôt des tâches sans responsabilités (S) et celles qui sont plutôt des tâches avec responsabilités (A).**

*EXEMPLE*

**a.** *Dactylographier la correspondance.* S

**b.** Rédiger toute la correspondance. ☐

**c.** Préparer la salle de réunion. ☐

**d.** Organiser la réunion dans tous ses détails. ☐

**e.** Classer le courrier et les imprimés ☐

**f.** Organiser l'emploi du temps du patron. ☐

**g.** Analyser les informations. ☐

**h.** Noter les rendez-vous ☐

**i.** Photocopier les documents. ☐

**j.** Transmettre les appels téléphoniques. ☐

**k.** Utiliser le traitement de texte. ☐

**l.** Remplir un bon de commande de fournitures de bureaux. ☐

**m.** Sélectionner les documents. ☐

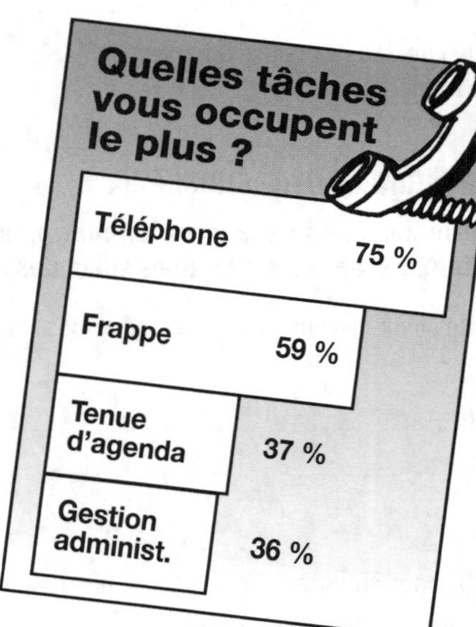
Quelles tâches vous occupent le plus ?
Téléphone 75 %
Frappe 59 %
Tenue d'agenda 37 %
Gestion administ. 36 %

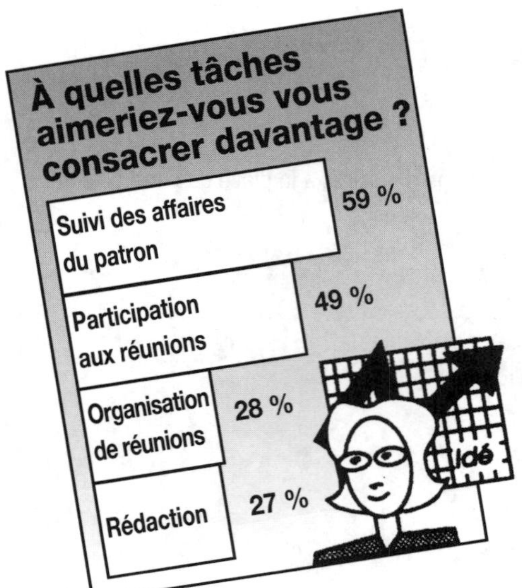
À quelles tâches aimeriez-vous vous consacrer davantage ?
Suivi des affaires du patron 59 %
Participation aux réunions 49 %
Organisation de réunions 28 %
Rédaction 27 %
Idé

# 2. QUE VEUT LE PATRON ?

## 1. CONVERSATION AU BUREAU

*Voici 17 répliques de dialogue. Neuf de ces répliques forment une conversation entre un patron et sa secrétaire.*

**a. Marquez d'une croix (X) les huit répliques qui ne font pas partie de cette conversation.**

| | | | |
|---|---|---|---|
| 1 - Tant pis... Nous rappellerons plus tard. | ☐ | 10 - Monsieur Guillon est arrivé. | ☐ |
| 2 - Je n'y peux rien, Monsieur, il y a une grève des métros. | ☐ | 11 - Achetez des fruits et une salade. | ☐ |
| 3 - C'est trop grand. Prenez du 41. | ☐ | 12 - Encore ?... Pouvez-vous m'apporter le courrier, s'il vous plaît ? | ☐ |
| 4 - C'est occupé, Monsieur. | ☐ | 13 - Tu as une lettre de Pierre. | ☐ |
| 5 - C'est la première fois que vous êtes à Paris ? | ☐ | 14 - Merci... Vous pouvez m'appeler New-York ? | ☐ |
| 6 - Tu me donneras une petite cuisse, mon canard. | ☐ | 15 - Oh ! dis donc ! J'ai oublié mon rendez-vous avec Ribot. | ☐ |
| 7 - Faites-le entrer, Mademoiselle. | ☐ | 16 - Bonjour, Mademoiselle. Vous n'êtes pas en avance ce matin. | ☐ |
| 8 - Mes hommages, Mademoiselle. | ☐ | 17 - Le voilà. Il y a une lettre de Ribot. | ☐ |
| 9 - Vous avez fini de jouer ? | ☐ | | |

**b. Dites dans quelles circonstances auraient pu être prononcées les répliques ne faisant pas partie de cette conversation.**

**c. À l'aide des répliques appropriées, écrivez la conversation, entendue au bureau, entre le patron et sa secrétaire.**

## 2. JEU DE RÔLES : RENDEZ-VOUS CHEZ LE PATRON

*Denis(e) est chef du service administratif dans une société de conseil en informatique. Il a demandé à Martin(e), son (sa) secrétaire, de venir à son bureau pour un entretien.*

**Deux personnes interprètent les rôles de Denis(e) et de Martin(e). Chacun des deux acteurs prépare son intervention de son côté pendant une dizaine de minutes, *sans prendre connaissance des consignes de l'autre.* Le reste du groupe a accès à toutes les informations et doit réfléchir à la situation donnée, pendant que les deux acteurs se préparent.**

**Denis(e)**

Votre secrétaire, Martin(e), travaille avec vous depuis deux ans. Il (elle) est chargé(e) notamment de l'accueil de la clientèle. Vous appréciez son travail. Vos relations restent assez formelles (vous vous vouvoyez).

Vous avez remarqué que Martin(e) a considérablement augmenté sa consommation de cigarettes depuis quelques temps. Cela vous gêne pour plusieurs raisons. D'une part, vous êtes non fumeur et très soucieux de préserver votre santé. La fumée vous dérange. Vous avez d'ailleurs l'impression que tout le personnel est incommodé par l'atmosphère enfumée. D'autre part, vous n'appréciez pas que votre secrétaire accueille les clients avec une cigarette à la main. Vous craignez que cela ne détériore l'image de la société.

**Vous devez :**

**1. Définir vos objectifs : demanderez-vous à Martin(e) de cesser de fumer ? de baisser sa consommation de cigarettes ? de fumer en dehors du bureau ? autre chose ?**

**2. Réfléchir à la meilleure manière de présenter votre demande.**

**Martin(e)**

Vous êtes le (la) secrétaire de Denis(e) depuis deux ans. Vous n'avez pas de problème majeur dans votre vie professionnelle : votre travail vous intéresse et vous appréciez vos collaborateurs. Vous entretenez de bonnes relations, quoique formelles, avec votre chef de service. Le seul reproche que vous pourriez lui faire, c'est de vous déranger, vous et les autres employés du bureau, en parlant constamment très fort au téléphone.

En revanche, vous avez de sérieux soucis dans votre vie privée. c'est pour cette raison d'ailleurs que vous avez considérablement augmenté votre consommation de cigarettes au bureau. Vous en êtes le (la) premier(ère) désolé(e) parce que, d'une part, vous toussez de plus en plus et parce que, d'autre part, vous croyez que la fumée incommode votre entourage. Jusqu'à présent toutefois, personne ne vous a fait de remarques et vous en profitez.

Votre chef de service souhaiterait avoir un entretien avec vous. Vous ne savez pas pourquoi. Peut-être est-ce pour l'affaire des cigarettes...

**Vous devez :**

**1. Définir vos objectifs : que voulez-vous préserver absolument ? quels efforts êtes-vous prêt(e) à faire ?**

**2. Réfléchir à la meilleure manière de répondre à une demande dérangeante.**

# 1. TRAVAILLEZ-VOUS EN VILLE OU À LA CAMPAGNE ?

*Anaïs et Christian sont tous deux employés dans un bureau, mais leur cadre de vie est bien différent.*

**Écoutez (ou lisez) ce qu'ils en disent.**

*ANAÏS*

Mon bureau est au 2e étage d'un vieil immeuble du centre-ville, dans un quartier plein de magasins. Pendant les pauses, je vais "lécher" les vitrines.

Pour venir au travail, je prends les transports en commun parce que c'est impossible de trouver une place pour se garer. Il y a souvent des embouteillages.

Le bureau est petit et on est les uns sur les autres. Les fenêtres restent fermées à cause du bruit de la rue. On travaille toute la journée à la lumière électrique. Les installations sont vieilles. Pour installer nos ordinateurs, par exemple, il a fallu "tirer sur plein de câbles".

Il est prévu que nous déménagions bientôt dans une tour de la ville nouvelle.

*CHRISTIAN*

Je travaille dans le service administratif de notre usine, dans un petit bâtiment situé en pleine campagne.

Comme tout le monde, je viens au travail en voiture. Ça roule normalement très bien et nous avons un grand parking où je trouve toujours de la place.

D'ailleurs, ce n'est pas la place qui manque, ni dehors ni dedans. Dans le bureau, nous avons tous notre coin personnel. Quand il fait beau, j'ouvre grand les fenêtres. Au deuxième et dernier étage, nous pouvons nous retrouver à la cafétéria ou au restaurant de l'entreprise. On y mange bien, même si ça manque un peu de variété.

### 1. C'EST COMMENT ?

*Voici une liste de qualificatifs :* bruyant, rural, à l'aise, encombré, animé, clair, fluide, ancien, paisible, à l'étroit, sombre, moderne, spacieux, incommode, serré, calme, étroit, urbain, commerçant, pratique, embouteillé.

**Distinguez les adjectifs qui se rapportent au lieu de travail d'Anaïs et ceux qui se rapportent à celui de Christian.**

### 2. QUELLES DIFFÉRENCES ?

**À l'aide notamment des qualificatifs ci-dessus et du tableau ci-contre, écrivez des phrases pour exprimer les différences entre les deux lieux de travail.**

**Vous comparerez les bureaux, les gens, la circulation, les installations, l'immeuble, le mode de vie, le quartier, etc.**

### 3. APRÈS LE DÉMÉNAGEMENT

*Anaïs nous dit qu'elle travaillera bientôt dans une tour de la ville nouvelle.*

**Pouvez-vous imaginer et décrire ce nouveau lieu de travail ?**

| POUR EXPRIMER L'OPPOSITION | | |
|---|---|---|
| **Contrairement à**<br>**À l'opposé de** | l'immeuble d'Anaïs, qui est ancien, | le bâtiment où Christian travaille est moderne. |
| Anaïs travaille dans un immeuble ancien. | **Par contre,**<br>**En revanche,**<br>**Au contraire,** | le bâtiment où Christian travaille est moderne. |
| Anaïs travaille dans un immeuble ancien, | **alors que**<br>**tandis que** | le bâtiment où Christian travaille est moderne. |

# 2. QUELS SONT VOS OUTILS DE TRAVAIL ?

## 1. VISITER UN BUREAU

*Voici sur le dessin ci-contre le bureau d'Anaïs.*

**a. Parmi les articles de bureau énumérés ci-dessous, certains n'apparaissent pas sur le dessin. Lesquels ?**

un classeur
un crayon
une gomme
une règle
un stylo
une enveloppe
un copieur
une imprimante
un télécopieur
un bloc-notes
une calculatrice
une agrafeuse
des ciseaux
une cafetière
une chemise
un ordinateur
une disquette
une machine à écrire

**b. Dites où sont situés les articles que vous avez repérés.**

**c. Dites à quoi servent ces articles.**

*Exemple : le crayon sert à dessiner.*

## 2. FAIRE UN PEU DE RANGEMENT

**a. Classez les mots ci-dessus en 3 catégories :**

– Machines *(exemple : un copieur)*
– Petit matériel *(exemple : des ciseaux)*
– Fournitures *(exemple : un crayon).*

**b. Trouvez deux articles de plus pour chaque catégorie.**

## 3. À VOUS DE JUGER !

**a. Que pensez-vous du bureau d'Anaïs ? Travaillez à deux pour discuter notamment des points suivants :**

- Éclairage suffisant ? Adapté ? Ambiance calme ? Agréable ?
- Espace suffisant ? Bien utilisé ? Efforts physiques réduits ?
- Utilisation du matériel facile ? Position reposante ? Accès facile aux différents éléments du poste ? Aux postes parallèles ? Etc.

**b. Dites comment on pourrait rendre ce bureau plus agréable et plus pratique.**

**c. Que pensez-vous de votre salle de classe ? Y a-t-il un moyen de la rendre plus agréable ?**

**d. Pouvez-vous maintenant décrire votre bureau de travail personnel ou celui de votre entreprise ?**

**e.** *Vous recevez dans votre bureau des visiteurs qui s'assoient différemment.*
**Quelles significations ont les attitudes suivantes et quelles conclusions en tirez-vous sur la personnalité de ces visiteurs ?**

A
B
C
FRAPAR

# 1. PRÉPARER UN VOYAGE À L'ÉTRANGER

*Danièle Martin est chargée d'organiser le voyage en Italie de son patron, Monsieur Taravant.*

## 1. DANS L'AGENCE BELAIR

*Françoise Fertet travaille dans l'agence de voyage Belair. Elle reçoit un appel téléphonique de Danièle Martin.*

 **Écoutez (ou lisez) deux fois l'entretien téléphonique qu'elle a eu avec Danièle Martin et complétez la fiche de réservation.**

**Danièle Martin :** Allô !

**Françoise Fertet :** Allô, Agence Belair, je vous écoute.

**Danièle Martin :** Bonjour, Mademoiselle ; ici la société Haut-Brane. Je voudrais réserver une place en classe affaires sur le vol Paris-Florence pour après-demain, le dimanche 20 mai.

**Françoise Fertet :** Vous préférez le matin ou l'après-midi ?

**Danièle Martin :** Non, je voudrais le dimanche soir, autour de 17 heures.

**Françoise Fertet :** Un instant s'il vous plaît, je vais voir les possibilités. Vous avez deux vols Air France, l'un qui part à 12 h 10 et qui arrive à 13 h 50 et l'autre qui part à 18 h 35 et qui arrive à 22 heures avec escale à Milan.

**Danièle Martin :** Ah ! Vous n'avez rien entre 16 heures et 18 heures ?

**Françoise Fertet :** Je suis désolée, je ne vois rien d'autre... Ah ! Attendez, je vais consulter les horaires d'Alitalia... En effet, il y a un vol direct de Paris à 17 h 50, le vol AZ 135. Départ de l'aéroport Roissy-Charles de Gaulle.

**Danièle Martin :** Et il arrive à Florence à ...

**Françoise Fertet :** à 19 h 35.

**Danièle Martin :** Oui, ça va. Réservez-moi une place sur ce vol.

**Françoise Fertet :** Je réserve à quel nom ?

**Danièle Martin :** Au nom de Monsieur Taravant, Paul Taravant.

**Françoise Fertet :** A quel numéro peut-on vous joindre ?

**Danièle Martin :** Au 56 78 55 32.

**Françoise Fertet :** Vous m'avez bien dit classe affaires ?

**Danièle Martin :** Oui... mais il me faudrait aussi une place pour le retour à Paris à partir de Naples.

**Françoise Fertet :** Pour le lendemain ?

**Danièle Martin :** Non, pour le mercredi 23 après 15 heures.

**Françoise Fertet :** Alitalia vous propose le vol AZ 232 qui part à 16 h 45 et qui arrive à 19 heures.

**Danièle Martin :** C'est parfait.

**Françoise Fertet :** Bien, c'est enregistré. Vous pourrez retirer votre billet à notre guichet à partir d'aujourd'hui.

**Danièle Martin :** Une dernière question : quel est le prix du voyage ?

**Françoise Fertet :** En classe affaires, ça nous fait..., pour l'aller retour : 3 895 francs.

**Danièle Martin :** Merci, Mademoiselle. Au revoir.

**Françoise Fertet :** Au revoir, Madame, à votre service.

### FICHE DE RÉSERVATION

AGENCE BELAIR
3, rue de la Paix
75008 PARIS

Le ________________ téléphone ☐ visite ☐

Pays destination ________________

Ville ________________

Voyage : Aller ☐ Retour ☐

Aller Date ________ Heure départ ________ Aéroport ________

Heure arrivée ________ Aéroport ________

Retour Date ________ Heure départ ________ Aéroport ________

Heure arrivée ________ Aéroport ________

Billet à l'ordre de ________________ Montant du voyage ☐

Classe ________________

Vol aller ________________ Billet envoyé par poste ☐

Vol retour ________________ Billet :

– disponible à l'agence ☐

– à partir de ________

Personne à contacter : ________________

Téléphone : ________

## 2. CHEZ HAUT-BRANE

**a.** *Si Danièle Martin avait téléphoné à l'Agence Belair après 17 heures, les bureaux auraient été fermés. Mais elle aurait pu laisser un message téléphonique.*
**Quel message aurait-elle pu laisser ?**

**b.** *Monsieur Taravant doit rester un jour de plus en Italie. Il adresse le télex suivant à Danièle Martin.*

RESTERAI 24 HEURES DE PLUS A NAPLES POUR NEGOCIATION IMPORTANTE. PRIERE ANNULER RENDEZ-VOUS AVEC MADAME HELGA BULHER, DIRECTRICE MARKETING SOCIETE GOTWEIN, DE HAMBOURG. ADRESSER

- **Transformez ce télex en lettre télécopiée.**
- **Écrivez la lettre d'excuses à Madame Buhler.**

**c.** *Danièle Martin téléphone aussitôt à Alitalia à Paris pour demander de reporter de 24 heures la date de retour de Monsieur Taravant.*
**Jouez à deux cette conversation téléphonique.**

# 2. RÉUSSIR UN VOYAGE D'AFFAIRES

## 1. COMPRENDRE LE TEXTE

**a. Qui a fait paraître ce document ?**
1. Un constructeur d'avion.
2. Une compagnie aérienne.
3. Une agence de voyage.

**b. À qui est destiné ce document ?**
1. Aux hommes d'affaires.
2. À tout voyageur.
3. Aux ambassadeurs.

**c. Dans quel type de magazine ce document a-t-il pu paraître ?**

**d. Quel est le but de ce document ?**

**e. Comment atteindre ce but ? Pour l'atteindre,**
1. on explique ;
2. on invite a faire ;
3. on cherche à convaincre ;
4. on décrit ;
5. on raconte ;
6. on compare.

**Donnez des exemples.**

Comment réussir vos voyages d'affaires outre-atlantique.
1ère CONDITION Prenez vos distances
TWA accorde une attention toute particulière aux hommes d'affaires qui se déplacent aux Etats-Unis. Elle vous offre des facilités d'enregistrement et met à votre disposition un compartiment distinct dans l'avion.
JFK
2ème CONDITION Prenez vos aises
La Classe Ambassador des 747 de TWA est synonyme de repos et de détente. Vous bénéficierez de sièges très confortables. Aucune autre classe affaires n'offre de sièges comparables.
2a. Inclinables à volonté.
2b. Seule TWA propose des repose-pieds.
2c. Un dossier réglable pour maintenir le dos.
3ème CONDITION Travaillez "relax"
Seulement six sièges par rangée. De la place pour vos jambes, de l'espace pour travailler en toute tranquillité : c'est la Classe Ambassador TWA.
4ème CONDITION Exigez le meilleur
Sur TWA, les hommes d'affaires bénéficient d'un service sur mesure avec un personnel de bord particulièrement attentionné.
5ème CONDITION Allez jusqu'au bout sans changer de compagnie
TWA dessert plus de 60 villes à travers l'Amérique.
Domestic Departures
Tout homme d'affaires qui se déplace aux USA cherche à réunir ces conditions.
La Classe Ambassador de TWA répond à cet objectif, alors n'hésitez plus
Choisissez TWA !
TWA ouvre la voie vers les USA.
TWA

## 2. DIRE POURQUOI

*Un homme d'affaires, grand partisan de TWA, donne les raisons de sa satisfaction.*

**Mettez-vous à sa place et chercher à utiliser le maximum d'expressions de cause :** en raison de, grâce à, avec, à cause de, comme, parce que, etc.

## 3. RÉDIGER

*Le TGV (Train à Grande Vitesse) concurrence maintenant l'avion sur des distances de l'ordre de 500 à 1000 km.*

**a. À votre avis, quels avantages présente le TGV par rapport à l'avion ?**

**b. Écrivez un texte publicitaire destiné à montrer les avantages offerts aux hommes d'affaires par le TGV.**

## 1. ALLÔ ! OUI ?...

*Les exemples donnés dans le tableau sur la ponctuation sont les répliques, données dans le désordre, d'une conversation téléphonique entre la secrétaire de Monsieur Taravant et une cliente, Madame Leguellec.*

**Reconstituez cette conversation.**

| COMMENT COUPER LES MOTS | |
|---|---|
| **Coupez :** | |
| - entre deux syllabes : | pa/tron |
| - entre deux consonnes doublées : | ac/cueil |
| - après un préfixe : | in/dépendant |
| **Ne coupez pas :** | |
| - un sigle : | SARL |
| - un nom propre : | Paris |
| - un mot composé, sauf après le trait d'union : | bloc-/notes |
| - après une apostrophe : | l'hôtesse |
| - après une voyelle isolée : | état |

## 2. DES SECRÉTAIRES EN RÉUNION

**En vous aidant des tableaux, mettez la ponctuation et, si nécessaire, rectifiez la coupure des mots dans le texte suivant :**

La semaine passée la Société CONTACT entreprise de communication appliquée au travail administratif réunissait mille secrétaires au CNIT sur le thème Secrétariat partenaire de l'excellence De nombreux sujets furent abordés l'accueil le portrait de la secrétaire la répartition du travail de bureau les bureaux de l'entreprise On en profita également pour tester les participantes sur leurs relations avec leurs patrons De nombreuses questions furent posées Quelles tâches vous occupent le plus Participez-vous aux réunions Utilisez-vous un micro-ordinateur Votre patron vous confie-t-il son agenda Et bien d'autres questions encore Les patrons peuvent être rassurés leurs secrétaires sont plutôt contentes d'eux Toutefois si les patrons se montrent coopératifs dans l'organisation de leur travail ils participent peu aux tâches quotidiennes Par exemple la majorité des secrétaires expliquent que leur patron n'utilise ni la télécopie ni le micro-ordinateur Autre enseignement intéressant de l'enquête les secrétaires voudraient s'impliquer davantage dans le travail de leur supérieur Seront-elles entendues.

**COMMENT MARQUER LA PONCTUATION**

| | Signe | Nom | Fonction | Suivi d'une | Exemples |
|---|---|---|---|---|---|
| 1 | . | Le point | marque la fin d'une phrase. | majuscule | C'est noté. Il vous rappellera dès son retour. |
| 2 | , | La virgule | sépare les parties de phrase. | minuscule | Je regrette, mais Monsieur Taravant est absent pour le moment. |
| 3 | ; | Le point virgule | marque la fin d'une proposition et permet de fragmenter les phrases trop longues. | minuscule | Bonjour, c'est Madame Leguellec à l'appareil ; je suis la gérante de La Maison du Vin ; je voudrais parler à Monsieur Taravant |
| 4 | ? | Le point d'interrogation | marque la fin d'une interrogation directe. | majuscule | Voulez-vous laisser un message ? |
| 5 | ! | Le point d'exclamation | marque la fin d'une exclamation. | majuscule | Quel dommage ! |
| 6 | ... | Les points de suspension | marque une interruption dans la phrase. | majuscule ou minuscule | Dans ce cas, je dois prendre note du numéro de... |
| 7 | : | Les deux points | marque un développement. | minuscule | Le voici : c'est le 56.78.55.32. |
| 8 | « » | Les guillemets | encadrent une citation. | minuscule ou majuscule | Dites-lui ceci : "Madame Leguellec est à Bordeaux et attend son coup de téléphone." |
| 9 | ( )<br>— | Les parenthèses<br>Les tirets | encadrent une remarque annexe. | minuscule ou majuscule | (Madame Leguellec interrompt la secrétaire...) |

# LE TÉLÉPHONE

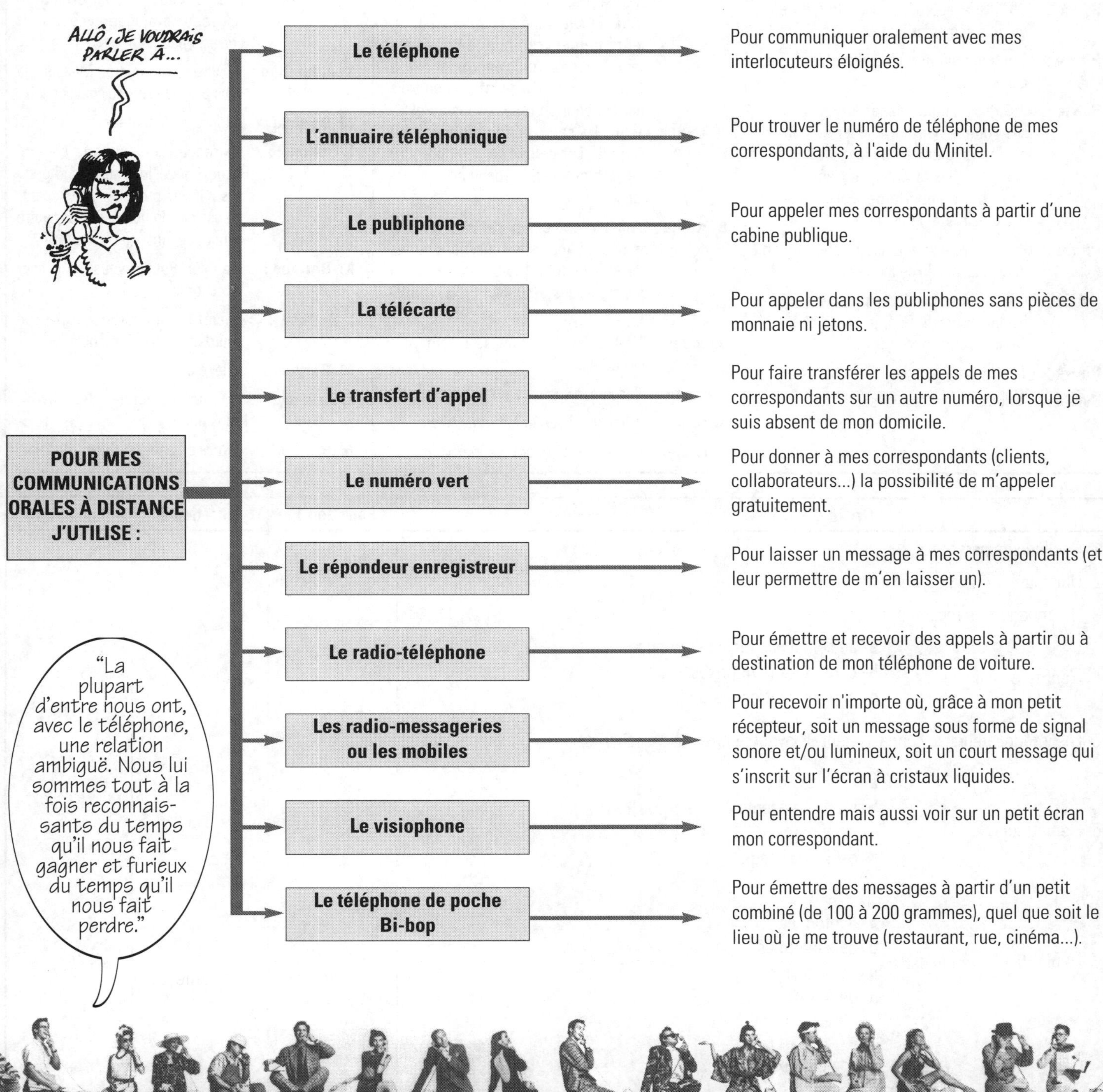
ALLÔ, JE VOUDRAIS PARLER À...
POUR MES COMMUNICATIONS ORALES À DISTANCE J'UTILISE :
Le téléphone
Pour communiquer oralement avec mes interlocuteurs éloignés.
L'annuaire téléphonique
Pour trouver le numéro de téléphone de mes correspondants, à l'aide du Minitel.
Le publiphone
Pour appeler mes correspondants à partir d'une cabine publique.
La télécarte
Pour appeler dans les publiphones sans pièces de monnaie ni jetons.
Le transfert d'appel
Pour faire transférer les appels de mes correspondants sur un autre numéro, lorsque je suis absent de mon domicile.
Le numéro vert
Pour donner à mes correspondants (clients, collaborateurs...) la possibilité de m'appeler gratuitement.
Le répondeur enregistreur
Pour laisser un message à mes correspondants (et leur permettre de m'en laisser un).
Le radio-téléphone
Pour émettre et recevoir des appels à partir ou à destination de mon téléphone de voiture.
Les radio-messageries ou les mobiles
Pour recevoir n'importe où, grâce à mon petit récepteur, soit un message sous forme de signal sonore et/ou lumineux, soit un court message qui s'inscrit sur l'écran à cristaux liquides.
Le visiophone
Pour entendre mais aussi voir sur un petit écran mon correspondant.
Le téléphone de poche Bi-bop
Pour émettre des messages à partir d'un petit combiné (de 100 à 200 grammes), quel que soit le lieu où je me trouve (restaurant, rue, cinéma...).
"La plupart d'entre nous ont, avec le téléphone, une relation ambiguë. Nous lui sommes tout à la fois reconnaissants du temps qu'il nous fait gagner et furieux du temps qu'il nous fait perdre."

# SECTION 1 : AVOIR UN ENTRETIEN TÉLÉPHONIQUE

**Écoutez chaque entretien téléphonique et complétez la grille d'analyse.**

### Entretien 1

**Sylvie :** Allô ! Pierre, c'est toi !
**Pierre :** Oui, c'est Sylvie ? Ça fait bien longtemps que je ne t'ai pas entendue.
**Sylvie :** Oh ! Tu exagères un peu. Ça fait deux ou trois semaines au plus.
**Pierre :** Oui, mais ça m'a paru bien long. Que me veux-tu ?
**Sylvie :** J'aurais voulu te demander un service. Ma voiture vient de tomber en panne, et j'ai absolument besoin d'aller demain dans les environs de Nantes pour une affaire importante. Est-ce que tu peux me prêter la tienne ?
**Pierre :** Pas de problème, d'autant que je n'en ai pas besoin en ce moment.
**Sylvie :** C'est chouette ! Je peux vraiment compter sur toi. Bon, je passe chez toi demain vers 7 h 30. Ça va ?
**Pierre :** Très bien. À demain.
**Sylvie :** À demain. Je t'embrasse.

### Entretien 2

**Bertrand :** Allô ! Bertrand Mycal, services des ventes, j'écoute.
**Jacques :** Ici, Jacques, des achats. Je t'appelle pour te demander un petit service. Voilà, Élodie, mon assistante est absente aujourd'hui pour des raisons personnelles. Le problème, c'est que je dois m'absenter pendant environ trois heures, pour un rendez-vous à l'extérieur. Tu sais, la fameuse affaire Xorema. Est-ce que tu peux prendre mes communications pendant mon absence ?
**Bertrand :** Bien sûr. Je ne sais pas si je pourrai répondre à toutes les questions de tes correspondants. Mais je te laisserai des messages et tu pourras les rappeler.
**Jacques :** Dis-leur que je serai de retour vers 17 heures.
**Bertrand :** D'accord, tu peux compter sur moi.
**Jacques :** Merci beaucoup et à tout à l'heure.
**Bertrand :** Bonne chance pour le rendez-vous.

### Entretien 3

**Standardiste :** Établissements Desnos, bonjour.
**L. Bellamy :** Bonjour, Mademoiselle, Laurence Bellamy de la société Haut-Brane. Pourriez-vous nous envoyer votre nouveau catalogue avec le tarif correspondant ?
**Standardiste :** Veuillez ne pas quitter, Madame, je vous passe le service commercial.
**M. Bertaud :** Allô ! Oui, j'écoute.
**L. Bellamy :** Laurence Bellamy de la société Haut-Brane. Nous serions intéressés par vos produits. Vous serait-il possible de nous adresser votre catalogue ainsi que votre tarif ?
**M. Bertaud :** Bien sûr. Pouvez-vous me laisser vos coordonnées ?
**L. Bellamy :** Société Haut-Brane, 35, rue Jourdan, 33020 Bordeaux Cedex
**M. Bertaud :** Voilà, c'est noté...
**L. Bellamy :** Je vous remercie. Au revoir, Monsieur.
**M. Bertaud :** Je vous en prie. Au revoir, Madame.

| Grille d'analyse | | Entretien 1 | Entretien 2 | Entretien 3 |
|---|---|---|---|---|
| 1- Combien de personnes sont intervenues ? | | | | |
| 2- Qui appelle ? (l'émetteur) | | | | |
| 3- Qui répond ? (le récepteur) | | | | |
| 4- L'entretien a lieu | **a-** au sein d'une même entreprise. | | | |
| | **b-** entre deux entreprises. | | | |
| | **c-** hors de l'entreprise. | | | |
| 5- Les interlocuteurs se connaissaient-ils avant l'entretien ? | | | | |
| 6- L'émetteur | **a-** a-t-il salué ? | | | |
| | **b-** s'est-il présenté ? | | | |
| | **c-** a-t-il remercié ? | | | |
| | **d-** a-t-il pris congé ? | | | |
| 7- Le but de l'entretien est | **a-** d'informer. | | | |
| | **b-** de s'informer. | | | |
| | **c-** de négocier. | | | |
| | **d-** de faire agir. | | | |
| 8- Le ton de l'entretien est | **a-** chaleureux. | | | |
| | **b-** cordial. | | | |
| | **c-** amical. | | | |
| | **d-** formel. | | | |

3
UNITÉ

# ENGAGER UNE CONVERSATION AU TÉLÉPHONE

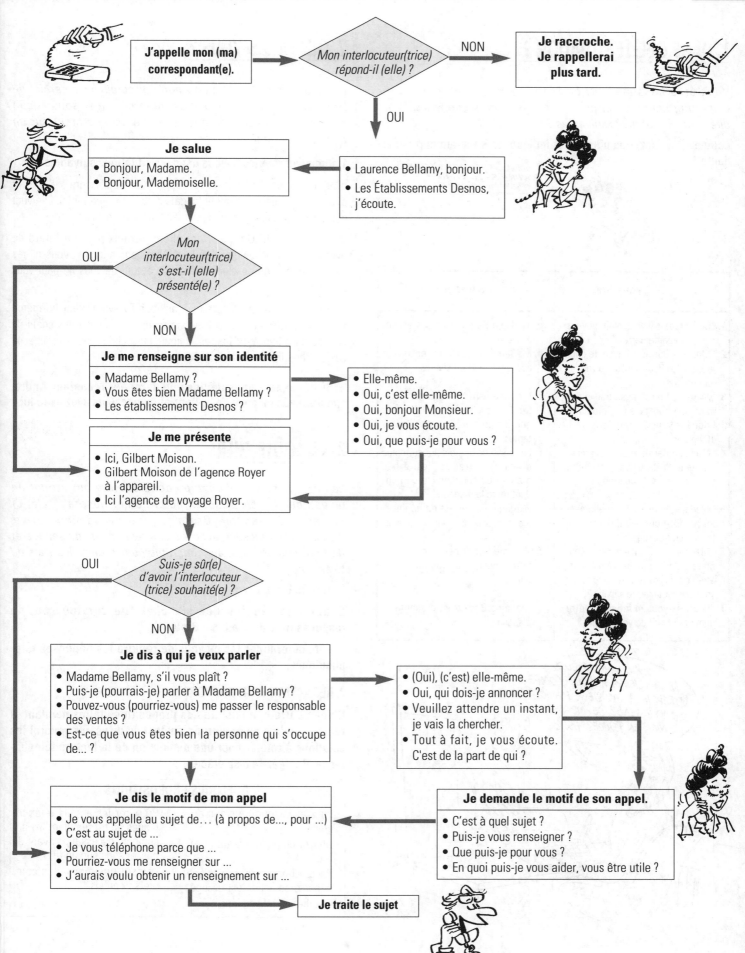

**J'appelle mon (ma) correspondant(e).** → *Mon interlocuteur(trice) répond-il (elle) ?*

NON → **Je raccroche. Je rappellerai plus tard.**

OUI →

- Laurence Bellamy, bonjour.
- Les Établissements Desnos, j'écoute.

→ **Je salue**

- Bonjour, Madame.
- Bonjour, Mademoiselle.

→ *Mon interlocuteur(trice) s'est-il (elle) présenté(e) ?*

OUI → Je me présente

NON →

**Je me renseigne sur son identité**

- Madame Bellamy ?
- Vous êtes bien Madame Bellamy ?
- Les établissements Desnos ?

→

- Elle-même.
- Oui, c'est elle-même.
- Oui, bonjour Monsieur.
- Oui, je vous écoute.
- Oui, que puis-je pour vous ?

→ **Je me présente**

- Ici, Gilbert Moison.
- Gilbert Moison de l'agence Royer à l'appareil.
- Ici l'agence de voyage Royer.

→ *Suis-je sûr(e) d'avoir l'interlocuteur (trice) souhaité(e) ?*

OUI → Je dis le motif de mon appel

NON →

**Je dis à qui je veux parler**

- Madame Bellamy, s'il vous plaît ?
- Puis-je (pourrais-je) parler à Madame Bellamy ?
- Pouvez-vous (pourriez-vous) me passer le responsable des ventes ?
- Est-ce que vous êtes bien la personne qui s'occupe de... ?

→

- (Oui), (c'est) elle-même.
- Oui, qui dois-je annoncer ?
- Veuillez attendre un instant, je vais la chercher.
- Tout à fait, je vous écoute. C'est de la part de qui ?

→ **Je demande le motif de son appel.**

- C'est à quel sujet ?
- Puis-je vous renseigner ?
- Que puis-je pour vous ?
- En quoi puis-je vous aider, vous être utile ?

→ **Je dis le motif de mon appel**

- Je vous appelle au sujet de… (à propos de..., pour ...)
- C'est au sujet de ...
- Je vous téléphone parce que ...
- Pourriez-vous me renseigner sur ...
- J'aurais voulu obtenir un renseignement sur ...

→ **Je traite le sujet**

## 1. DANS QUELLE SITUATION ?

*Vous êtes l'assistant(e) de Madame Barret, directrice du marketing dans une grande entreprise. Dans quelle situation, dites-vous les phrases suivantes ?*

**Écoutez (ou lisez) ces phrases et indiquez la situation correspondante.**

*Exemple : 1g*

BONJOUR, MADEMOISELLE, POURRAIS-JE PARLER À MADAME BARRET ?

| Vous dites : | Situation |
|---|---|
| **1.** "Un instant, s'il vous plaît, je vous passe Madame Barret." | **a.** Madame Barret n'est pas encore arrivée. |
| **2.** "Madame Barret est absente pour la journée. Pouvez-vous la rappeler demain ?" | **b.** Madame Barret a un entretien avec un important client. |
| **3.** "Madame Barret ne se trouve pas dans son bureau en ce moment. Pourriez-vous rappeler vers 10 heures ?" | **c.** Madame Barret a demandé de filtrer les appels et de ne lui passer que les communications importantes. |
| **4.** "Madame Barret est actuellement en ligne. Préférez-vous attendre quelques instants ou rappeler ?" | **d.** En raison de son emploi du temps Madame Barret ne désire pas prendre de communication pendant toute la matinée. |
| **5.** "Madame Barret est actuellement en rendez-vous. Voulez-vous lui laisser un message ?" | **e.** Madame Barret est en déplacement en province pour la journée. |
| **6.** "Madame Barret n'est pas disponible en ce moment. Mais peut-être pourrais-je vous renseigner ou vous passer un autre service ?" | **f.** Madame Barret est en communication avec un autre correspondant. |
| **7.** "Pourriez-vous m'indiquer votre nom et le motif de votre appel ?" | **g.** Madame Barret est présente et disponible. |

OUI, OUI, MONSIEUR LE DIRECTEUR, J'AI BIEN COMPRIS. JE RÉPÈTE À MONSIEUR MARIOT, CE QUE VOUS VENEZ DE ME DIRE... MAIS EN TERMES POLIS !

## 2. QUE FAITES-VOUS ?

*Ce matin, Monsieur Gaston André, directeur commercial de Haut-Brane, vous demande de ne le déranger sous aucun prétexte : il travaille en effet avec un collaborateur sur un dossier important.*

**1. Comment réagissez-vous dans les situations suivantes :**

**a.** 9 heures 35. Appel de la femme de Monsieur André ; elle vient d'avoir un accident de voiture (dégâts matériels importants). Elle veut demander conseil à son mari pour les formalités d'assurance.

**b.** 10 heures 10. Un important client, furieux pour un retard de livraison, veut absolument parler à Monsieur André... Vous n'êtes pas au courant du dossier et personne autour de vous ne peut vous renseigner.

**c.** 10 heures 30. Le directeur, Monsieur Taravant, veut lui-même annoncer à Monsieur André qu'une réunion d'urgence des chefs de service aura lieu à 12 heures, aujourd'hui même, pour examiner le cas de Christine Canuet.

**2. Si finalement vous décidez de déranger Monsieur André, simulez avec un partenaire l'entretien que vous avez avec lui.**

## 3. ÇA COÛTE CHER

*Les dépenses téléphoniques de la société ont atteint un niveau qui semble excessif au directeur général. Celui-ci demande à Madame Broto, directrice administrative, d'examiner la question avec les différents chefs de service et de faire des propositions concrètes pour réduire les frais de téléphone.*

**1. JEU DE RÔLES**

**Simulez la réunion des six chefs de service sous la responsabilité de Madame Broto.**

***Objet* : déterminer les moyens de réduire les dépenses téléphoniques.**

**2. RÉDACTION D'UN RAPPORT**

**Madame Broto, à la suite des propositions faites pendant la réunion, rédige un rapport présentant au directeur général les solutions à retenir pour une diminution de la facture téléphonique. Rédigez-le à sa place.**

**QUELQUES PROPOSITIONS**

- Limiter la longueur des appels.
- Utiliser en priorité lettre et télex.
- Raccrocher et rappeler quand le poste demandé est occupé.
- Installer un télécopieur.
- Préparer les appels téléphoniques en rassemblant les documents nécessaires avant de passer son coup de fil.
- Laisser des messages complets et précis.

# LES PROBLÈMES DE COMMUNICATION AU TÉLÉPHONE

3
UNITÉ

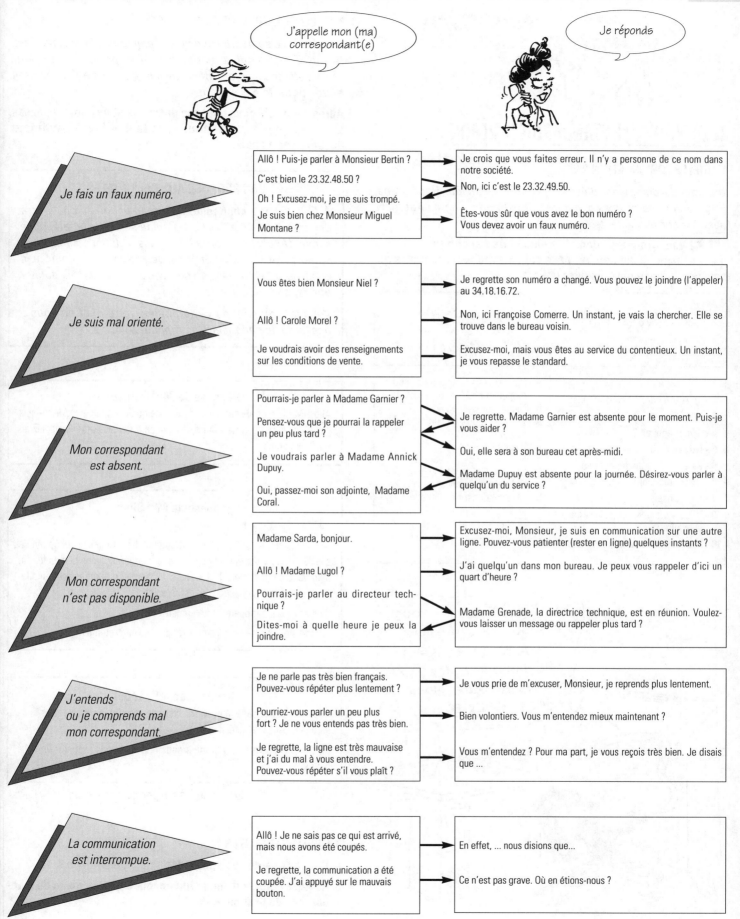

| | J'appelle mon (ma) correspondant(e) | Je réponds |
|---|---|---|
| *Je fais un faux numéro.* | Allô ! Puis-je parler à Monsieur Bertin ? | Je crois que vous faites erreur. Il n'y a personne de ce nom dans notre société. |
| | C'est bien le 23.32.48.50 ? | Non, ici c'est le 23.32.49.50. |
| | Oh ! Excusez-moi, je me suis trompé. | |
| | Je suis bien chez Monsieur Miguel Montane ? | Êtes-vous sûr que vous avez le bon numéro ? Vous devez avoir un faux numéro. |
| *Je suis mal orienté.* | Vous êtes bien Monsieur Niel ? | Je regrette son numéro a changé. Vous pouvez le joindre (l'appeler) au 34.18.16.72. |
| | Allô ! Carole Morel ? | Non, ici Françoise Comerre. Un instant, je vais la chercher. Elle se trouve dans le bureau voisin. |
| | Je voudrais avoir des renseignements sur les conditions de vente. | Excusez-moi, mais vous êtes au service du contentieux. Un instant, je vous repasse le standard. |
| *Mon correspondant est absent.* | Pourrais-je parler à Madame Garnier ? | Je regrette. Madame Garnier est absente pour le moment. Puis-je vous aider ? |
| | Pensez-vous que je pourrai la rappeler un peu plus tard ? | Oui, elle sera à son bureau cet après-midi. |
| | Je voudrais parler à Madame Annick Dupuy. | Madame Dupuy est absente pour la journée. Désirez-vous parler à quelqu'un du service ? |
| | Oui, passez-moi son adjointe, Madame Coral. | |
| *Mon correspondant n'est pas disponible.* | Madame Sarda, bonjour. | Excusez-moi, Monsieur, je suis en communication sur une autre ligne. Pouvez-vous patienter (rester en ligne) quelques instants ? |
| | Allô ! Madame Lugol ? | J'ai quelqu'un dans mon bureau. Je peux vous rappeler d'ici un quart d'heure ? |
| | Pourrais-je parler au directeur technique ? | Madame Grenade, la directrice technique, est en réunion. Voulez-vous laisser un message ou rappeler plus tard ? |
| | Dites-moi à quelle heure je peux la joindre. | |
| *J'entends ou je comprends mal mon correspondant.* | Je ne parle pas très bien français. Pouvez-vous répéter plus lentement ? | Je vous prie de m'excuser, Monsieur, je reprends plus lentement. |
| | Pourriez-vous parler un peu plus fort ? Je ne vous entends pas très bien. | Bien volontiers. Vous m'entendez mieux maintenant ? |
| | Je regrette, la ligne est très mauvaise et j'ai du mal à vous entendre. Pouvez-vous répéter s'il vous plaît ? | Vous m'entendez ? Pour ma part, je vous reçois très bien. Je disais que ... |
| *La communication est interrompue.* | Allô ! Je ne sais pas ce qui est arrivé, mais nous avons été coupés. | En effet, ... nous disions que... |
| | Je regrette, la communication a été coupée. J'ai appuyé sur le mauvais bouton. | Ce n'est pas grave. Où en étions-nous ? |

LA FAÇON DE DIRE AIDE À FAIRE PASSER CE QUE L'ON DOIT DIRE !

# 1. LA NOUVELLE STANDARDISTE RÉPOND

## 1. QUELLE FORMULATION ?

*Une standardiste vient d'être engagée à la société Haut-Brane. Elle manque de professionnalisme et est parfois un peu abrupte avec les correspondants.*

**Vous trouverez dans la colonne de gauche les formules qu'elle emploie. Recherchez dans celle de droite les formules qui conviendraient mieux. Écoutez et lisez.**

|  |  |
|---|---|
| **1** - Quittez pas ! | **a** - Désirez-vous rester en ligne ou rappeler dans quelques instants ? |
| **2** - Vous attendez ou vous rappelez ? | **b** - Merci de rester en ligne. |
| **3** - Vous êtes qui ? | **c** - Vous est-il possible de rappeler demain ? |
| **4** - Il vous connaît ? | **d** - Il est à l'extérieur. |
| **5** - Ne raccrochez pas. | **e** - Ne quittez pas, s'il vous plaît. |
| **6** - Essayez de rappeler demain. | **f** - Avez-vous déjà été en contact ? |
| **7** - C'est pourquoi ? | **g** - Qui dois-je annoncer ? |
| **8** - Il est absent. | **h** - M. Dupont est très difficile à joindre en ce moment. |
| **9** - Vous ne comprenez pas ce que je veux dire. | **i** - C'est à quel sujet ? |
| **10** - Il n'est jamais dans son bureau. | **j** - Je crois que je me suis mal exprimé. |

UN INSTANT JE VAIS VOUS PASSER QUELQU'UN QUI SAURA PEUT-ÊTRE A QUI DEMANDER LA PERSONNE A LAQUELLE VOUS ADRESSER
Koll

## 2. QUELLE STANDARDISTE ?

*Une nouvelle standardiste doit être engagée à la société Haut-Brane. Trois candidates ont été retenues et pour faire un choix définitif, elles ont été soumises à un test qui comportait, entre autres, le cas suivant.*

**Après avoir pris connaissance de ce cas et des trois réponses, indiquez quelle serait pour vous la meilleure candidate. Justifiez votre choix.**

### CAS PROPOSÉ AUX CANDIDATES

*À 14 h 30 votre chef quitte le bureau et vous dit qu'il sera de retour vers 16 h 30. Il est à peine sorti que le téléphone sonne. Un client important mais assez difficile demande à parler à votre chef. Il était convenu avec ce dernier qu'il l'appellerait entre 14 et 15 h et votre chef devait lui donner une réponse importante.*

*Vous ignorez tout de cette affaire, votre chef ne vous a pas parlé de cet appel. Que répondez-vous ?*

### Réponse de Mme Dejean

Allô ! M. X... est absent, il est sorti il y a quelques minutes. Je ne suis pas au courant de cette affaire; il ne m'en a jamais parlé. Rappelez en fin d'après-midi.

### Réponse de Mlle Sinet

Allô ! M. X... vient de sortir.

Non monsieur, il n'a pas oublié votre appel. Il a été dans l'obligation de s'absenter pour quelques heures. Il m'a chargée de vous demander s'il peut vous rappeler vers 17 heures car il souhaite aborder personnellement avec vous la question qui est à régler.

Pouvez-vous me rappeler votre numéro.

Je vous prie encore de nous excuser pour ce contretemps.

### Réponse de Mme Lebel

Allô ! Je suis désolée mais M. X.. vient de sortir et je ne puis vous fournir une réponse valable.

Je comprends votre ennui mais nous pouvons vous rappeler vers 17 heures.

Extraits de *Travaux pratiques de secrétariat,* © Dunod.

## 3. QUELLES QUALITÉS ?

**a. Quelles qualités doit posséder un(e) standardiste ?**

**b. Rédigez le texte d'une petite annonce pour le poste de standardiste de la société Haut-Brane.**

## 2. PRENDRE UN MESSAGE AU TÉLÉPHONE

### 1. CORRIGER

**Écoutez (ou lisez) l'entretien téléphonique 1 et relevez les erreurs que la secrétaire de Monsieur Taravant a commises en rédigeant le message 1. Rédigez ensuite le message correct.**

**Entretien 1 : lundi 12 mai**

- **Danièle Martin :** Société Haut-Brane, bonjour.
- **Françoise Fertet :** Bonjour Mademoiselle. Ici Françoise Fertet de la société Vica. Pourrais-je parler à Monsieur Taravant s'il vous plaît ?
- **Danièle Martin :** Ah ! Je regrette... Monsieur Taravant est absent pour la journée. Voulez-vous lui laisser un message ?
- **Françoise Fertet :** Oui, c'est au sujet de mon rendez-vous avec lui. Je viens d'apprendre que je dois partir d'urgence en mission au Koweit jusqu'à vendredi soir. Je ne pourrai donc pas le rencontrer jeudi prochain 15 à 14 heures comme prévu. Savez-vous s'il pourrait me recevoir le jeudi de la semaine suivante, le jeudi 22, à la même heure ?
- **Danièle Martin :** Un instant, s'il vous plaît. Je consulte son agenda... Ah non ! Le jeudi 22 à 14 heures Monsieur Taravant sera en réunion.
- **Françoise Fertet :** Et le vendredi 23, soit à 9 heures, soit à 15 heures 30.
- **Danièle Martin :** Oui, la première solution conviendrait parfaitement.
- **Françoise Fertet :** Bon, je note donc le 23 à 9 heures.
- **Danièle Martin :** Monsieur Taravant sera informé dès son retour.
- **Françoise Fertet :** Je vous remercie, Mademoiselle. Au revoir.
- **Danièle Martin :** Au revoir, Madame.

Date : 12 mai  Heure : 10 h 45

A l'attention de M. Paul Taravant

**en votre absence**

Post-it™ Notes 7660

Mme Françoise Fertet

Société CICA

Téléphone 45 87 44 21

| | | | |
|---|---|---|---|
| A TÉLÉPHONÉ | ☒ | MERCI D'APPELER | ☐ |
| EST PASSÉ VOUS VOIR | ☐ | VOUS RAPPELLERA | ☐ |
| DEMANDE UN ENTRETIEN | ☐ | **URGENT** | ☐ |

Message Madame Fertet devant recevoir une délégation du Koweit ne pourra pas être présente au rendez-vous du jeudi 22 mai à 14 h Demande de reporter ce rendez-vous. Danièle Martin

### 2. COMPLÉTER

*Danièle Martin a reçu une deuxième communication téléphonique.*

**Écoutez (ou lisez) la conversation et remplissez la fiche n° 2 ci-dessous.**

**Entretien 2 : jeudi 15 mars, 14 heures.**

- **Danièle Martin :** Secrétariat de Monsieur Taravant, bonjour.
- **Patrice Moison :** Bonjour, Patrice Moison à l'appareil. Je voudrais parler à Monsieur Taravant.
- **Danièle Martin :** Monsieur Taravant est actuellement en réunion. Je ne peux pas le déranger. Pouvez-vous rappeler après 16 heures 30 ?
- **Patrice Moison :** Non, car je dois m'absenter en fin d'après-midi. Mais dites-lui de me rappeler dès demain matin au 22 26 48 54. C'est au sujet de votre dernière facture. Il avait été convenu avec Monsieur Taravant un paiement à 30 jours. Or vous me demandez un paiement au comptant. Je ne comprends pas ce qui s'est passé.
- **Danièle Martin :** Bien, Monsieur. Je transmettrai le message.
- **Patrice Moison :** Dites-lui bien que je tiens au respect des engagements pris.
- **Danièle Martin :** Je n'y manquerai pas. Pouvez-vous me rappeler votre nom ?
- **Patrice Moison :** Patrice Moison. M.O.I.S.O.N. de la société Bordier.
- **Danièle Martin :** Bien, c'est noté. Monsieur Taravant vous rappellera.
- **Patrice Moison :** Merci beaucoup. Au revoir Mademoiselle.
- **Danièle Martin :** Au revoir, Monsieur.

Date : ________ Heure : ________

A l'attention de M. ________

**en votre absence**

Post-it™ Notes 7660

M. ________

Société ________

Téléphone ________

| | | | |
|---|---|---|---|
| A TÉLÉPHONÉ | ☐ | MERCI D'APPELER | ☐ |
| EST PASSÉ VOUS VOIR | ☐ | VOUS RAPPELLERA | ☐ |
| DEMANDE UN ENTRETIEN | ☐ | **URGENT** | ☐ |

Message

# 1. COMPRENDRE LES MESSAGES

*Voici six messages enregistrés sur répondeur (messages d'information) ou répondeur-enregistreur (messages-réponses).*

**Écoutez (ou lisez) chacun d'eux et répondez dans le tableau ci-dessous par une croix.**

**Message 1**

"Le numéro que vous avez demandé n'est plus attribué. Veuillez consulter le nouvel annuaire ou votre documentation. Merci"

**Message 2**

"Bonjour. Ici, les magasins Rocher, à La Gacilly
Téléphone : 97 28 35 42.
Notre monte-charge est en panne. Nous désirons qu'il soit réparé le plus tôt possible, car nous attendons d'importantes livraisons. Nous comptons sur la rapidité de votre intervention."

**Message 3**

"Bonjour, vous êtes bien chez Christian Pineau. Je ne suis pas là pour l'instant ; mais surtout ne raccrochez pas. Laissez-moi votre message et je vous rappellerai dès mon retour. Je vous remercie beaucoup de votre appel. À tout à l'heure."

**Message 4**

"Société Haut-Brane, bonjour. Vous êtes actuellement en communication avec un répondeur automatique. Ne raccrochez pas. Donnez-nous très clairement l'objet de votre appel, votre nom et votre numéro de téléphone qui nous permettra de vous rappeler. Attention au top sonore, parlez."

**Message 5**

"Vous avez deviné, vous êtes branché sur un répondeur-enregistreur interrogeable à distance. N'ayez pas peur, ça ne mord pas. Parlez en toute confiance, il me transmettra. À bientôt."

**Message 6**

"Bonjour, vous êtes bien en communication avec la société Gipa. Nos bureaux sont momentanément fermés. Toutefois vous pouvez laisser un message. N'oubliez pas, s'il vous plaît, de préciser vos coordonnées : votre nom et votre numéro de téléphone afin que nous puissions donner suite à votre appel. Après le signal sonore vous pouvez parler. Merci et à bientôt."

JE SUIS UN RÉPONDEUR TÉLÉPHONIQUE
... JE SUIS ABSENTE
Kull

| | | Messages | | | | | |
|---|---|---|---|---|---|---|---|
| | | 1 | 2 | 3 | 4 | 5 | 6 |
| 1. C'est un message | a - de celui qui est appelé. | ........ | ........ | ........ | ........ | ........ | ........ |
| | b - de celui qui appelle. | ........ | ........ | ........ | ........ | ........ | ........ |
| 2. L'auteur du message est | a - un particulier. | ........ | ........ | ........ | ........ | ........ | ........ |
| | b - un professionnel. | ........ | ........ | ........ | ........ | ........ | ........ |
| 3. L'auteur du message | a - donne son nom (ou celui de son entreprise). | ........ | ........ | ........ | ........ | ........ | ........ |
| | b - dit qu'il est absent. | ........ | ........ | ........ | ........ | ........ | ........ |
| | c - donne l'objet de son appel. | ........ | ........ | ........ | ........ | ........ | ........ |
| 4. L'auteur du message | a - demande de consulter l'annuaire. | ........ | ........ | ........ | ........ | ........ | ........ |
| | b - demande de laisser les coordonnées. | ........ | ........ | ........ | ........ | ........ | ........ |
| | c - demande de laisser un message. | ........ | ........ | ........ | ........ | ........ | ........ |
| | d - donne les instructions pour l'enregistrement. | ........ | ........ | ........ | ........ | ........ | ........ |
| | e - promet de rappeler. | ........ | ........ | ........ | ........ | ........ | ........ |
| 5. L'auteur du message | a - remercie le correspondant. | ........ | ........ | ........ | ........ | ........ | ........ |
| | b - le salue. | ........ | ........ | ........ | ........ | ........ | ........ |

## 2. PRODUIRE DES MESSAGES

**Préparez les messages suivants à laisser sur répondeur téléphonique et enregistrez-les sur un magnétophone.**

**1.** Vous travaillez au secrétariat de la société Bertin à Vannes. En arrivant au bureau le 18 juin au matin, vous trouvez la note ci-dessous de votre directeur.
Aussitôt après en avoir pris connaissance, vous téléphonez à Xirox. Mais les bureaux de cette société n'étant pas encore ouverts, vous laissez votre message sur le répondeur-enregistreur.

**Bertin et Cie**

Le 17 juin
18 h 30

Le copieur vient de tomber en panne. Adressez d'urgence un message au service de maintenance de XIROX pour la remise en état.

Il nous faut absolument les copies du projet Mentor pour la réunion du 19 à 10 h.

Faites le nécessaire en priorité.

G. Rigoux

**2.** Vous êtes employé(e) au service administratif des Établissements G.T.P. Le 29 septembre, le responsable de ce service vous demande de rédiger un message d'information qui sera enregistré sur le répondeur-enregistreur de la société pour annoncer les modifications apportées aux horaires de travail à la suite d'une réorganisation : désormais tout le personnel travaillera de 8 heures à 12 heures et de 13 heures à 17 heures 30 les lundi, mardi, mercredi, jeudi et de 8 heures à 13 heures le vendredi. En revanche, les bureaux seront fermés le vendredi après-midi. Ces modifications entreront en vigueur le 1er octobre.

**3.** Un samedi, en consultant le catalogue d'une société de vente par correspondance, vous trouvez une offre intéressante pour un répondeur-enregistreur. Vous décidez de le commander immédiatement par téléphone. En dehors des heures d'ouverture des bureaux, les commandes sont enregistrées sur un répondeur-enregistreur. Laissez votre message avec les caractéristiques de l'objet.

Le répondeur/enregistreur/téléphone
990F
D
Existe en blanc
D LE REPONDEUR/ENREGISTREUR/TELEPHONE MODULOPHONE MP 9109 RP
Fonction téléphone : numérotation décimale. Touche pour rappel du dernier numéro composé ou possibilité d'effacement. Touche secret. Le support du téléphone est amovible (permet de coupler ou d'utiliser séparément le combiné du répondeur).
Fonction répondeur : monocassette. Enregistrement de l'annonce numérique, la cassette n'étant utilisée que pour les messages des correspondants. Temps d'annonce 16 secondes maxi. Durée maxi des messages 4 mn. Filtrage des appels.
Livré avec une cassette 2 x 30 mn et 1 pile 9 V. L/H/P : 30 x 24 x 7 cm. Garantie 1 an. S.A.V. antenne CAMIF.
Blanc Réf. 2670 738 M Prix : 990 F
Anthracite Réf. 2670 739 J Prix : 990 F

**4. Laissez un message sur répondeur. Vous devez :**

**a.** annuler le rendez-vous que vous avez avec votre correspondant,
**b.** annoncer à votre correspondant l'annulation de son vol et lui proposer un autre vol,
**c.** annoncer à votre client que sa voiture ne sera pas prête comme prévu. Prévoir au moins 24 heures de retard,
**d.** annoncer à votre banque la perte de votre chéquier et lui demander de faire opposition.

## 3. APPRÉCIER

**Êtes-vous pour ou contre l'utilisation des répondeurs téléphoniques ? Justifiez votre réponse.**

**CATHY LA POISSE**

PAR CATHY GUISEWITE

SALUT, M'MAN, JE RÉPÉTAIS CE QUE JE VAIS DIRE AU RÉPONDEUR D'IRVING.
ET SI IRVING RÉPOND LUI-MÊME?

OH, SI IRVING RÉPOND JE RACCROCHE.
TU RACCROCHES SI TU AS LA PERSONNE QUE TU DEMANDES? JE CROYAIS QUE C'ÉTAIT LE RÉPONDEUR QUI TE BLOQUAIT.

NON, J'AI DÉCOUVERT QUE C'ÉTAIT PLUS FACILE DE PARLER À SON RÉPONDEUR!

BÉNI SOIT DIEU DE M'AVOIR FAIT VIVRE L'AUTRE GÉNÉRATION.

# 1. LES VOIES DE LA VOIX

## 1. LE TÉLÉPHONE D'HIER

*Le téléphone a beaucoup évolué. Hier encore c'était un appareil tout simple. Il se composait d'un **poste** avec un **cadran** à lettres et à chiffres et d'un **combiné** avec l'**écouteur** et le **microphone**, le poste et le combiné étant reliés par un **cordon**.*

**Indiquez sur le dessin ci-contre le terme technique correspondant à chaque élément du téléphone.**

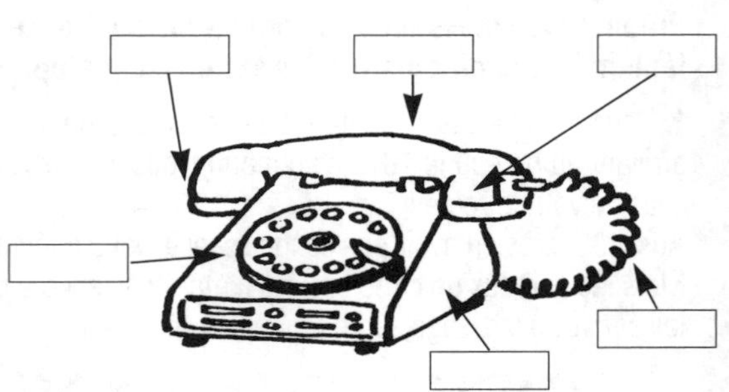

## 2. LE TÉLÉPHONE D'AUJOURD'HUI

### Les fonctions du poste téléphonique ALCATEL 2520

Alcatel 2520, c'est le nom d'un téléphone tout nouveau ; c'est l'un des plus doués de sa génération.

Mettez-vous au clavier, effleurez ses touches et jouez du téléphone. Vous serez surpris car Fidélio est un virtuose.

Il sait tout faire ; il mémorise, il compose tout seul, il rappelle si vous le lui demandez, il garde même le secret. Il possède aussi un amplificateur ; alors, calez-vous dans votre fauteuil, discutez les mains libres et à distance ; ou alors profitez-en pour discuter en faisant autre chose.

Alcatel 2520 sonne harmonieusement ; à vous de choisir la sonnerie que vous préférez ; faites sonner en aigu ou en grave, modulez selon votre humeur. Il y a quatre mélodies au choix.

**Lisez le texte de présentation de cet appareil, et dites si cet appareil vous permet :**

1 - d'enregistrer dans sa mémoire plusieurs numéros de téléphone ; ☐

2 - de choisir le timbre de la sonnerie ; ☐

3 - d'interrompre votre conversation pour, par exemple, prendre conseil ou parler avec d'autres personnes, sans être entendu de votre correspondant ; ☐

4 - de rappeler automatiquement le numéro d'un correspondant occupé ou absent sans avoir à recomposer le numéro ; ☐

5 - de jouer de la musique avec les touches du clavier ; ☐

6 - d'écouter et de parler en gardant les mains libres ; ☐

7 - de varier le niveau sonore de l'écoute ; ☐

8 - de voir votre correspondant sur un écran ; ☐

9 - de composer le numéro du correspondant sans avoir à décrocher le combiné ; ☐

10 - de faire participer à la conversation les personnes autour de vous, grâce à son haut-parleur ; ☐

11 - de se déplacer dans le bureau tout en continuant à converser. ☐

## 3 - LE TÉLÉPHONE DE DEMAIN

**Lisez le document "c'est déjà demain" et complétez le tableau :**

| À quelle heure ? | Qui communique ? | Avec qui ? | Dans quel but ? | Par quel moyen ? |
|---|---|---|---|---|
| | | | | |
| | | | | |
| | | | | |
| | | | | |

### *C'est déjà demain*

Cadre supérieur au sein de la filiale française d'un groupe européen, Michel M. se rend ce jeudi à Stuttgart pour une réunion marketing. A 8 h, sur le trajet de l'aéroport, il appelle son domicile depuis son véhicule pour souhaiter une bonne journée aux enfants qu'il n'a pu embrasser. 10 h, en vol, il consulte une dernière fois ses dossiers et appelle son secrétariat, depuis le publiphone de l'Airbus A 320, pour demander l'envoi par télécopie au siège de Stuttgart d'un document complémentaire. 15 h, au cours de la réunion un message s'affiche sur son Alphapage : contrat enfin signé avec la centrale d'achats, rappeler la D.G. pour dispositions à prendre. 20 h 15, le vol AF 920 s'est posé avec du retard à Roissy. De son téléphone de poche, Michel M. en informe sa famille, sans attendre de regagner par navette son véhicule au parking.

Allons, ... la journée a été chargée, mais fructueuse. Sur la plaine picarde, il y a un très beau coucher de soleil ce jeudi 20 mars 1992.

3
UNITÉ

## 2. COMMUNIQUER AVEC LES PERSONNES EN DÉPLACEMENT

### LE BI-BOP, C'EST MAGIQUE !

"Allô, je t'appelle pour te dire que j'aurai un léger retard pour notre réunion de 16 heures". *D'où appelles-tu ?* "Du parc des expositions de la porte de Versailles, en plein salon" *Ah bon ! Tu es dans une cabine ?* "Non. J'ai bien mieux. J'ai mon *Bi-bop*. Tu sais, le petit téléphone de poche sans fil de France Télécom. Il ne pèse pas plus de 150 grammes. Il suffit d'appuyer sur un bouton pour avoir la tonalité. On numérote, on attend quelques secondes et on discute tranquillement sur place. Et c'est aussi bien qu'avec un téléphone normal. C'est magique."

### LE TÉLÉPHONE DE VOITURE

**La machine à optimiser le temps tempss**

Combien de temps passez-vous chaque jour dans votre voiture ? Au bout d'un mois, d'un an, cela fait combien d'heures ? Ne calculez pas, vous seriez affolé.

Avec un téléphone de voiture LISA E.G.T. vous continuez de travailler en roulant. Votre secrétaire vous tient au courant du courrier important. Vous prenez des rendez-vous, vous obtenez immédiatement des réponses à vos questions et vous pouvez prendre des décisions vis-à-vis de vos partenaires, vous cessez d'être "l'homme invisible", qui rappelle trois heures après, quand c'est trop tard. Avec LISA E.G.T. vous serez plus performant parce que vous pourrez réagir plus vite et vous renforcerez l'image de dynamisme de votre entreprise... Et les affaires continuent.

D'après France Télécom

### EUROSIGNAL, C'EST GÉNIAL !

Affaire urgente: appelons Tintin.
Je dirais même plus: affaire Tintente appelons urgin
Alors ?
Pas de réponse: il est absent.
DRRING
DRRING
C'est très ennuyeux
Je dirais même plus: c'est ennuyeux !
Mais, au fait, on peut le joindre grâce à EUROSIGNAL.
J'allais le dire !
TINTIN, SUR LA ROUTE, AVEC EUROSIGNAL.
Encore un quart d'heure, et nous serons à Moulinsart...
Voilà, je l'appelle sur EUROSIGNAL.
Ça, ce sont les Dupont : je les rappellerai de chez Haddock.
Tiens, ton EUROSIGNAL sonne !
TUUUT
TUUT
ET À MOULINSART ...
O.K., Dupont, j'agis en conséquence !
EUROSIGNAL c'est génial!

### 1. QUE POUVEZ-VOUS FAIRE ?

**Après avoir lu les trois documents précédents, complétez le tableau.**

| PERFORMANCES | Bi-bop | Téléphone de voiture | Eurosignal |
|---|---|---|---|
| 1. Je peux émettre un message. | ................ | ................ | ................ |
| 2. Je peux recevoir un message. | ................ | ................ | ................ |
| 3. Je peux être contacté de jour comme de nuit. | ................ | ................ | ................ |
| 4. Je reçois un signal sonore et/ou lumineux. | ................ | ................ | ................ |
| 5. Je peux porter mon récepteur dans ma poche ou mon sac à main. | ................ | ................ | ................ |
| 6. Il est possible de me joindre à partir d'un téléphone. | ................ | ................ | ................ |
| 7. Mes correspondants peuvent me joindre n'importe où je suis. | ................ | ................ | ................ |
| 8. Quand un message arrive, j'entends un signal sonore. | ................ | ................ | ................ |
| 9. Je peux communiquer avec n'importe quel abonné au téléphone. | ................ | ................ | ................ |
| 10. Je dois être abonné au réseau pour y avoir accès. | ................ | ................ | ................ |
| 11. La transmission du message est instantanée. | ................ | ................ | ................ |

### 2. QU'EN PENSEZ-VOUS ?

**Ces trois documents sont des publicités. D'après vous, laquelle est la plus convaincante ?**

**Pourquoi ?**

# CONTRÔLE DES CONNAISSANCES

## 1. QUI DIT QUOI ?

**Imaginez que vous êtes en train de téléphoner à une entreprise. Au cours de l'entretien vous dites certaines phrases à la standardiste et à votre correspondant qui, à leur tour, vous répondent.**

**Écoutez (ou lisez) ces phrases et complétez le tableau.**

1. Je regrette, le poste ne répond pas.
2. Pouvez-vous me mettre en communication avec Monsieur Courcier ?
3. Je suis en réunion. Puis-je vous rappeler au début de l'après-midi ?
4. Monsieur Courcier est en communication. Préférez-vous attendre ou rappeler ?
5. C'est de la part de qui, s'il vous plaît ?
6. Pourrais-je laisser un message ?
7. Je vous appelle parce que j'aimerais connaître vos conditions de vente.
8. Pouvez-vous lui demander de me rappeler ?
9. Merci de votre coup de fil. Je m'occupe de votre affaire.

| Phrases que vous dites à : | | Phrases que vous dit : | |
|---|---|---|---|
| la standardiste | votre correspondant | la standardiste | votre correspondant |
| | | | |
| | | | |

## 2. QUELLE SOLUTION ?

**Quelle solution proposeriez-vous à ces personnes qui exposent les cas suivants.**

1. **Le directeur commercial :** "Ce qui serait bien, c'est que nos clients puissent nous appeler à nos frais pour avoir des informations sur notre nouvelle imprimante."
2. **Le vétérinaire en tournée :** "Ah ! si je pouvais savoir qui m'a appelé à mon cabinet pendant mon absence, j'éviterais bien des déplacements inutiles."
3. **Le responsable d'un important service informatique :** "Je suis cloué à côté du téléphone car on doit pouvoir me joindre immédiatement 24 heures sur 24."
4. **Le chef des ventes :** "Si mes clients pouvaient me passer leurs commandes par téléphone en dehors des heures d'ouverture des bureaux, mon chiffre d'affaires augmenterait très sensiblement."
5. **Le représentant :** "Quand je veux appeler d'urgence le siège à partir d'une cabine publique, je n'ai jamais assez de pièces de monnaie."
6. **L'infirmier :** "Ce que je souhaiterais, c'est faire connaître aux clients qui m'appellent pendant les vacances le nom de mon remplaçant."
7. **Le médecin** (*à des amis qui ont le téléphone*) **:**
"J'accepterais bien volontiers votre invitation à déjeuner, mais malheureusement aujourd'hui je suis de permanence."

# COMMENT TÉLÉPHONER

### COMMENT ÉPELER AU TÉLÉPHONE

*Lorsque le correspondant a des difficultés à bien comprendre certains noms propres, il est conseillé de les épeler et d'utiliser l'un des codes suivants :*

| | | | |
|---|---|---|---|
| A... Anatole | H... Henry | O... Oscar | V... Victor |
| B... Berthe | I... Irma | P... Pierre | W... William |
| C... Célestin | J... Joseph | Q... Quintal | X... Xavier |
| D... Désiré | K... Kléber | R... Raoul | Y... Yvonne |
| E... Eugène | L... Louis | S... Suzanne | Z... Zoé |
| F... François | M... Marcel | T... Thérèse | |
| G... Gaston | N... Nicolas | U... Ursule | |

### COMMENT DIRE LES CHIFFRES AU TÉLÉPHONE

| | | |
|---|---|---|
| Un : un tout seul | Cinq : trois et deux | Neuf : cinq et quatre |
| Deux : deux | Six : deux fois trois | Dix : deux fois cinq |
| Trois : deux et un | Sept : quatre et trois | Onze : six et cinq |
| Quatre : deux fois deux | Huit : deux fois quatre | Douze : deux fois six |

### COMMENT TÉLÉPHONER EN FRANCE

La France est divisée en 2 zones d'appel :
- Paris et la région parisienne,
- la province.

***La France appelle la France***
- Paris ou la région parisienne appelle Paris ou la région parisienne, la province appelle la province : *Composer les 8 chiffres du correspondant*
- Paris ou la région parisienne appelle la province : *Composer le 16 + les 8 chiffres*
- La province appelle Paris ou la région parisienne : *Composer le 16 + le 1 + les 8 chiffres*

***La France appelle un autre pays (en automatique)***

*Composer le préfixe d'accès international* + l'indicatif du pays + l'indicatif de la zone + le numéro demandé

Le préfixe d'accès à l'international est le 00 pour la Belgique, le Luxembourg et la Suisse et le 19 pour la France

***Un autre pays appelle la France (en automatique)***
- Ce pays appelle la province. Composer :

*le préfixe d'accès international* + l'indicatif de la France (33) + le numéro à 8 chiffres du correspondant

- Ce pays appelle Paris ou la région parisienne. Composer :

*le préfixe d'accès international* + 33 + 1 + le numéro à 8 chiffres du correspondant

L'indicatif du pays est le 32 pour la Belgique, le 33 pour la France, et le 41 pour la Suisse.

# LA COMMUNICATION INTERNE

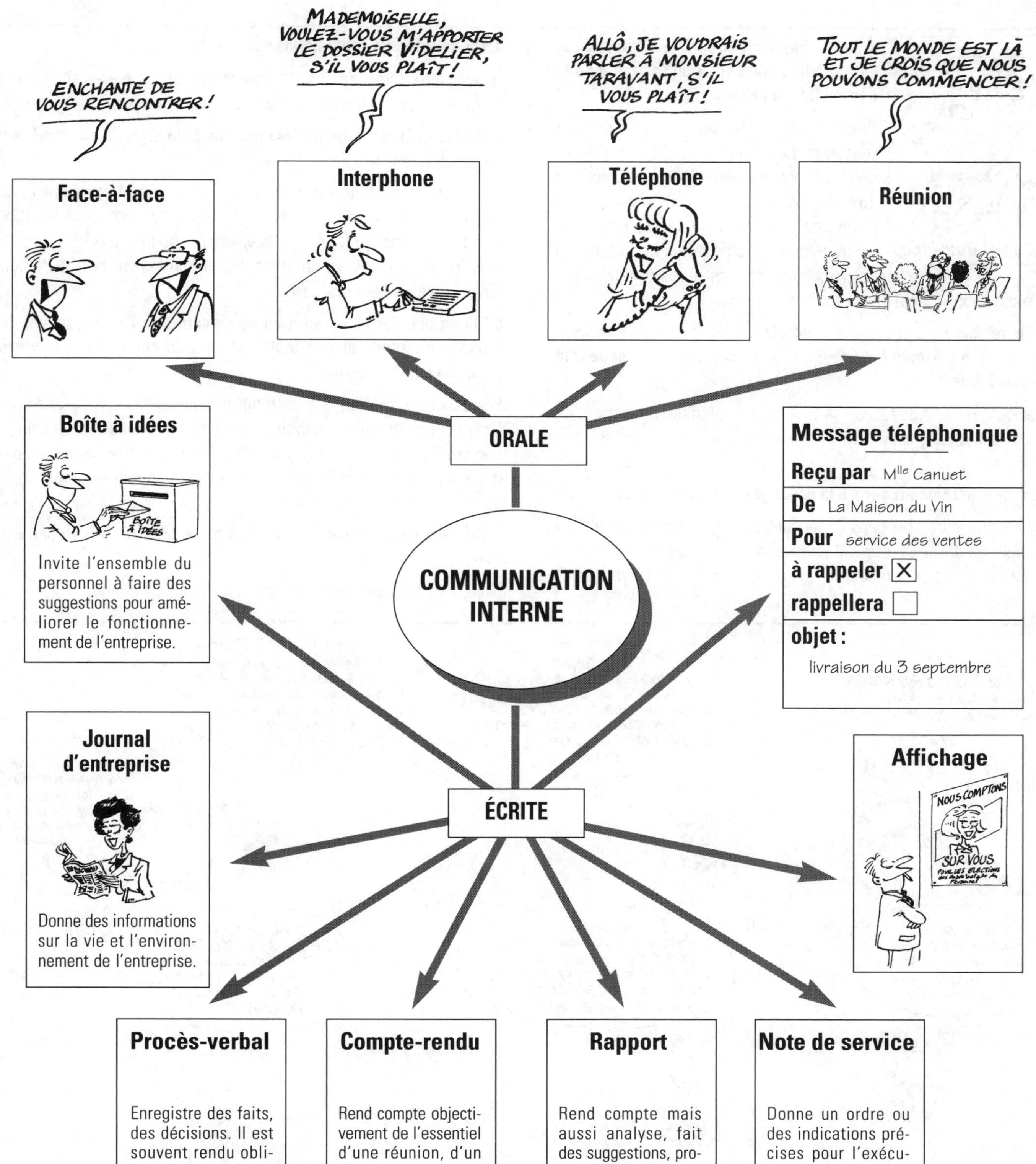

ENCHANTÉ DE VOUS RENCONTRER !
MADEMOISELLE, VOULEZ-VOUS M'APPORTER LE DOSSIER VIDELIER, S'IL VOUS PLAÎT !
ALLÔ, JE VOUDRAIS PARLER À MONSIEUR TARAVANT, S'IL VOUS PLAÎT !
TOUT LE MONDE EST LÀ ET JE CROIS QUE NOUS POUVONS COMMENCER !
Face-à-face
Interphone
Téléphone
Réunion
ORALE
COMMUNICATION INTERNE
ÉCRITE
Boîte à idées
BOÎTE À IDÉES
Invite l'ensemble du personnel à faire des suggestions pour améliorer le fonctionnement de l'entreprise.
Message téléphonique
Reçu par Mlle Canuet
De La Maison du Vin
Pour service des ventes
à rappeler ☒
rappellera ☐
objet :
livraison du 3 septembre
Journal d'entreprise
Donne des informations sur la vie et l'environnement de l'entreprise.
Affichage
NOUS COMPTONS SUR VOUS
Procès-verbal
Enregistre des faits, des décisions. Il est souvent rendu obligatoire par la loi.
Compte-rendu
Rend compte objectivement de l'essentiel d'une réunion, d'un travail.
Rapport
Rend compte mais aussi analyse, fait des suggestions, propose des solutions.
Note de service
Donne un ordre ou des indications précises pour l'exécution d'une tâche.

# 1. PRENDRE L'AVIS D'UN EXPERT

*Une enquête sur la communication dans l'entreprise a été effectuée dans la société Haut-Brane. Un expert en communication, Monsieur Daniel Bouvier, a donné son avis, puis sept personnes ont été interrogées .*

**1. Écoutez (ou lisez) d'abord et résumez en quelques mots chacune de ses réponses.**

**2. Écoutez (ou lisez) les déclarations du personnel de Haut-Brane et indiquez quelle réponse de Daniel Bouvier est illustrée par chacune des déclarations.**

*Exemple* : a7

*Daniel Bouvier*

**1. Est-ce que les entreprises s'intéressent autant à la communication interne qu'à la communication externe ?**

Pas du tout. La "communication externe", tout le monde connaît : publicité, parrainage, etc. En revanche, la "communication interne", celle qui permet l'information du personnel, est souvent laissée de côté parce qu'elle est plus difficile à mettre en place. Très souvent, l'entreprise ne pratique pas le même langage à l'intérieur et à l'extérieur.

**2. Dans les bureaux et ateliers d'autrefois, il était interdit de parler. Aujourd'hui, on discute beaucoup. N'est-ce pas un bon point pour la communication ?**

Les échanges les plus faciles se font au sein d'un même service, ou d'un bureau. Mais c'est un univers fermé. Ces échanges sont souvent stériles.

**3. Comment peut-on arriver à des échanges plus riches, plus variés ?**

Il est important que les gens se rencontrent dans l'entreprise. Il faut aménager les locaux de travail dans ce but, pour que les gens aient des occasions de se rencontrer. Je remarque que c'est rarement le cas.

**4. Est-on suffisamment informé dans les entreprises ?**

On est trop informé et l'excès d'informations paralyse les entreprises. Ce qu'il faut, c'est moins informer mais mieux informer.

**5. Est-ce qu'une meilleure information, cela signifie une meilleure communication ?**

Attention ! Il ne faut pas confondre information et communication. À vrai dire, plus il y a d'informations, moins il y a de communication. Plus les moyens d'information deviennent sophistiqués et puissants, plus les entreprises connaissent des difficultés car ces techniques développées isolent les individus.

**6. On dit que l'écrit est en train de disparaître : l'image, le son, les liaisons informatisées de toute nature seraient déjà dans l'entreprise. Qu'en pensez-vous ?**

En réalité, je crois qu'on va longtemps encore privilégier l'écrit. L'écrit a de nombreux avantages sur l'oral. Il permet de toucher un nombre illimité de personnes. Il sert de preuve. Il fixe l'attention plus que les paroles. Enfin, il ne déforme pas le contenu du message, ce qui n'est pas le cas des paroles.

**7. On parle énormément de communication. N'est-ce pas un peu exagéré ?**

Non. Communiquer, ce n'est pas simple et ça s'apprend.

a.
NOS CADRES ONT ASSISTÉ À PLUSIEURS SÉMINAIRES SUR LA COMMUNICATION !
b.
J'AI UN TRAVAIL CONSIDÉRABLE. POUR ÊTRE INFORMÉ, JE DOIS LIRE AU MOINS 100 PAGES PAR JOUR !
c.
NOUS AVIONS MIS EN PLACE DES TECHNIQUES DE COMMUNICATION AUDIO-VISUELLES. FINALEMENT, NOUS SOMMES REVENUS À LA NOTE DE SERVICE !
d.
SUR LES AFFICHES, POUR LE PUBLIC, NOUS SOMMES TOUTES SOURIANTES. EN FAIT, À L'INTÉRIEUR DE L'ENTREPRISE, ÇA VA MAL. LA DIRECTION NE NOUS RESPECTE PAS DU TOUT !
e.
DEPUIS QU'ILS ONT MIS LE DISTRIBUTEUR DE BOISSONS À LA CAVE, ON N'A MÊME PLUS L'OCCASION DE PRENDRE UN CAFÉ ENTRE COLLÈGUES !
f.
MAINTENANT QUE NOUS SOMMES INFORMATISÉS, CHACUN TRAVAILLE DANS SON COIN SUR SA MACHINE... ON SE CONNAÎT MOINS...
g.
JE NE SAIS PAS CE QUI SE PASSE DANS LES AUTRES SERVICES. JE NE PARLE QU'AVEC LES COLLÈGUES DE MON BUREAU !

4
UNITÉ

# 2. CHOISIR LE BON MOYEN DE COMMUNICATION

## 1. QUEL EST LE PLUS ADAPTÉ ?

*Vous êtes le chef d'une entreprise moyenne (50 salariés) et vous disposez, pour communiquer au sein de l'entreprise, des moyens suivants.*

| MOYENS DE COMMUNICATION INTERNE | |
|---|---|
| **moyens écrits** | **moyens oraux** |
| **A** - Note de service | **H** - Entretien individuel |
| **B** - Rapport | **I** - Interphone |
| **C** - Compte-rendu | **J** - Réunion d'information |
| **D** - Affichage | **K** - Groupe d'études |
| **E** - Journal d'entreprise | **L** - Commentaires de tableaux, diapositives, transparents, films. |
| **F** - Boîte à idées | |
| **G** - Formulaires | |

**Indiquez, par la lettre correspondante, le(s) moyen(s) de communication qui vous semble(nt) le(s) plus adapté(s) aux situations suivantes.**

**Vous voulez :**

1. *Informer le personnel sur les modalités de demandes de formation professionnelle.* [D]
2. Réaliser une enquête sur les motivations du personnel. ☐
3. Accueillir un nouveau cadre. ☐
4. Recueillir les suggestions du personnel. ☐
5. Annoncer à l'un de vos employés que son travail n'est pas satisfaisant. ☐
6. Préciser les nouveaux horaires d'ouverture de la cantine. ☐
7. Faire venir votre secrétaire à votre bureau. ☐
8. Expliquer les modalités d'utilisation de la télécopie. ☐
9. Informer que le port du casque est obligatoire sur les chantiers. ☐
10. Présenter à votre personnel le projet de la nouvelle usine. ☐
11. Faire une analyse et des propositions concernant la montée de l'absentéisme. ☐
12. Étudier avec les cadres les différents aspects d'une question importante. ☐

## 2. LES RECONNAISSEZ-VOUS ?

*Voici des extraits de communication effectués à l'aide de ces moyens.*

**Attribuez chaque communication au moyen correspondant.**

Nous vous rappelons qu'il est interdit de fumer dans les salles de réunion. (1)

J'AI VOULU VOUS RENCONTRER PERSONNELLEMENT POUR QUE NOUS EXAMINIONS ENSEMBLE LES CONDITIONS... (2)

COMME VOUS POUVEZ LE VOIR SUR CE SCHÉMA, NOUS DISPOSERONS DE 3 SALLES DE RÉUNION ! (5)

NADIA, POUVEZ-VOUS VENIR IMMÉDIATEMENT POUR... (8)

Pensez-vous que la communication au sein de notre entreprise soit :
- insuffisante ❑
- bonne ❑
- excellente ❑ (6)

Madame Lévêque a fait remarquer que... (9)

AUJOURD'HUI, NOUS AVONS UN ORDRE DU JOUR TRÈS CHARGÉ, NOUS COMMENCERONS D'ABORD... (3)

Le problème étant posé, voici nos propositions : ... (7)

**FRAPPER AVANT D'ENTRER (10)**

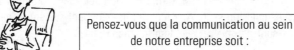

Je suggère de mettre une salle à la disposition des fumeurs. (4)

HAUT-BRANE PASSE UN IMPORTANT CONTRAT AVEC LE MINISTÈRE DE L'INTÉRIEUR. (11)

# 1. ALLONS EN RÉUNION !

*Monsieur Bernard, directeur de l'hypermarché Casseprix, a réuni ses trois chefs de département, Madame Levy, Messieurs Gaillard et Brion. Chaque chef de département a la responsabilité de plusieurs rayons. La secrétaire de Monsieur Bernard, Mademoiselle Levrier, assiste également à la réunion. Elle est chargée d'en faire un compte rendu.*

## 1. PRENDRE DES NOTES

**a. Mettez-vous à la place de Mademoiselle Levrier et en même temps que vous entendez (ou lisez ci-dessous) ce qui se dit à cette réunion, prenez note des informations à retenir. N'hésitez pas à utiliser des abréviations !**

**b. Transcrivez ces notes de façon structurée en distinguant :**

**– d'une part les problèmes qui ont été abordés,**

**– d'autre part les solutions qui ont été retenues pour chacun d'eux.**

## 2. S'EXPRIMER

**Soulignez dans le texte de la réunion :**

**a. en bleu** : les expressions utilisées **pour approuver** ce qu'un autre a dit.
Exemple : c'est vrai. Les clients...

**b. en rouge** : les expressions utilisées **pour donner son opinion** personnelle sur un sujet.
Exemple : il m'a semblé *que* nous...

**c. en noir** : les expressions utilisées **pour faire une proposition** aux membres du groupe.
Exemple : commençons, si vous le voulez, par l'accueil...

M. Bernard

Melle Levrier

Mme Levy

M. Gaillard

M. Brion

**M. Bernard :** Je vous remercie d'être tous venus, à l'exception de Madame Bruneteau, qui s'est excusée. Il m'a semblé que nous devions nous réunir pour parler d'une part de l'accueil de nos clients et, d'autre part, de la tenue du magasin. Commençons, si vous le voulez, par l'accueil. Je crois qu'il est loin d'être parfait.

**Mme Levy :** C'est vrai. Les clients se plaignent beaucoup ces temps-ci.

**M. Gaillard :** Il faut dire tout de même que la plupart d'entre eux repartent satisfaits.

**M. Bernard :** Sans doute, mais ce n'est pas suffisant. D'après moi, tous les clients, sans exception, devraient repartir satisfaits.

**M. Brion :** C'est aussi mon avis. À mon sens, ce sont les caissières qui font l'accueil et j'estime pour ma part qu'elles sont peu aimables, voire impolies.

**Mme Levy :** C'est exact. Je pense qu'il ne faudrait pas négliger ce problème. Dommage que Madame Bruneteau ne soit pas ici avec nous pour nous parler de ses caissières ! Pourquoi ne nous écrirait-elle pas un rapport à ce sujet ?

**M. Bernard :** C'est une proposition intéressante. Je vais lui demander un rapport et nous l'étudierons à la prochaine réunion. Je propose que nous passions au second point de l'ordre du jour : la tenue du magasin. J'ai l'impression qu'il y a un certain laisser-aller depuis quelques semaines.

**M. Brion :** Vous n'avez malheureusement pas tort. Je trouve qu'il y a un mauvais étiquetage. Pour moi, le système actuel est à revoir.

**M. Bernard :** Monsieur Brion, voudriez-vous étudier les différents systèmes d'étiquetage ? Vous pourriez nous faire ensuite des propositions.

**M. Brion :** D'accord. Je peux le faire pour la prochaine réunion.

**Mme Levy :** De mon point de vue, le plus grave, c'est que de nombreux articles ne sont pas suivis. Ce matin, j'ai vu repartir une cliente mécontente parce qu'elle n'avait pas trouvé de vin Haut-Brane.

**M. Brion :** Il faudrait trouver un moyen d'inciter les chefs de rayon à passer leurs commandes correctement.

**M. Gaillard :** Bien sûr, mais comment ? Ce sont tous d'anciens vendeurs et ils négligent systématiquement le côté administratif de leur fonction.

**Mme Levy :** Pourquoi ne pas organiser un stage sur l'approvisionnement des rayonnages ?

**M. Brion :** C'est une excellente idée. De cette façon, ils prendront au moins conscience de l'importance de cette question.

**M. Bernard :** Dans ce cas, je vais demander à notre chef du personnel d'organiser rapidement un stage sur cette question. Nous pourrions nous revoir pour parler de tout cela après le stage. En attendant, je suggère que nous envoyions un compte-rendu de cette réunion à tous les chefs de rayon. Bonne journée !

## 2. QUELLE RÉUNION ?

*Il y a différents types de réunion. En voici quelques-uns présentés dans le tableau suivant avec les objectifs propres à chacun d'eux.*

| TYPES | OBJECTIFS |
|---|---|
| 1- Information | Informer, expliquer. |
| 2- Négociation | Régler un conflit. |
| 3- Coordination | Harmoniser les points de vue. |
| 4- Instructions | Définir des tâches, donner des ordres. |
| 5- Préparation | Organiser, prévoir. |
| 6- Décision | Prendre une décision |
| 7- Sondage | Connaître les opinions et les tendances. |
| 8- Evaluation | Faire le point ou le bilan. |

### 1. QUEL TYPE DE RÉUNION ?

*Voici des situations de réunion tirées de la vie des entreprises.*

**Rattachez chacune d'elles, par le numéro correspondant, au type de réunion qu'elle illustre le mieux.**

**a.** *Les chefs de services techniques et commerciaux se rencontrent afin d'harmoniser les délais de fabrication et les délais de livraison.* [3]

**b.** La direction prend contact régulièrement avec les représentants du personnel. ☐

**c.** Un chef de bureau réunit les employés pour leur donner le travail de la semaine. ☐

**d.** Lors d'une grève, les dirigeants de l'entreprise rencontrent les représentants syndicaux. ☐

**e.** Un conseil d'administration prépare une assemblée générale. ☐

**f.** Le chef du personnel réunit les chefs de service pour leur expliquer l'introduction des horaires variables. ☐

**g.** Les directeurs de différents services se réunissent pour fixer les prix. ☐

**h.** Un directeur analyse avec ses collaborateurs les résultats comptables du semestre. ☐



### 2. QUE DITES-VOUS ?

**Trouvez des situations de réunion qui illustrent les types de réunion du tableau.**

## 3. AVEC QUI ?

### 1. QUELLE SIGNIFICATION ?

*Vous assistez à une réunion sur la réorganisation du secrétariat, au cours de laquelle le chef du personnel développe longuement son point de vue. Pendant son intervention, vous observez le comportement de vos collègues présents :*

**a.** Monsieur Quoy feuillette un gros dossier.
**b.** Martine Ruquet prend des notes.
**c.** Madame Darzens hausse les épaules en soupirant.
**d.** Guillaume Bertier fait un hochement de la tête de haut en bas.
**e.** Marie Simeoni lève le doigt.
**f.** Pierre Le Fort fait des dessins sur son bloc-notes.
**g.** Christine Clément consulte régulièrement sa montre.

**Comment interprétez-vous le comportement de vos sept collègues ?**

### 2. QUI SONT-ILS ?

**a. Retrouvez dans le dessin ci-dessous la personnalité de chaque membre de cette réunion.**

| | | |
|---|---|---|
| 1 : le bavard | 4 : le rusé | 7 : le bagarreur |
| 2 : le rouspéteur | 5 : celui qui sait tout | 8 : le tendre |
| 3 : le sage | 6 : le grand seigneur | 9 : lui, il est contre |

**b. Imaginez la personnalité des animaux suivants :** le perroquet, le lion, l'ours, le chat, le caméléon, le requin.

# 1. DÉCOUVRIR LE RAPPORT

## 1. ANALYSER UN RAPPORT

*À la suite de la réunion du 18 mars (page 44), Madame Bruneteau a rédigé le rapport ci-contre.*

**Lisez-le attentivement et cherchez à découvrir les caractéristiques de ce type d'écrit en relevant dans ce rapport les éléments suivants.**

**a. L'objectif** étant d'aider à la prise de décision, un rapport est le plus souvent transmis à un supérieur hiérarchique.

*Exemple : en effet, le rapport de Madame Bruneteau est transmis à son supérieur, le directeur de l'hypermarché.*

**b. En en-tête** sont indiqués :

1. le nom de la société,
2. l'auteur ou l'émetteur : nom et qualité,
3. le destinataire : nom et qualité,
4. la date de création,
5. le titre "RAPPORT",
6. l'objet du rapport.

**c. L'introduction :**

1. est précédée d'un titre de civilité,
2. rappelle la demande du supérieur,
3. précise l'objet du rapport.

**d. Le développement :**

1. présente les faits,
2. expose les problèmes,
3. propose des solutions.

**e. Le style** est impersonnel pour la relation des faits, mais peut être personnel pour la présentation de la solution.

**f. La présentation** est soignée :

1. un rapport n'est jamais manuscrit,
2. sa lecture est facilitée par des titres de paragraphes et par la mise en relief d'informations importantes.

**g. La signature** est inscrite en bas du rapport.

## 2. RÉDIGER UN RAPPORT

*Supposons que le directeur de l'hypermarché Casseprix ait suivi les propositions de Germaine Bruneteau : les caissières ont été augmentées et toutes ont reçu pendant quatre mois, à raison de 3 heures par semaine, une formation à l'accueil. Trois mois après cette formation, Madame Bruneteau doit rédiger à l'intention du directeur un nouveau rapport. Elle y présente notamment les résultats obtenus et elle y fait de nouvelles propositions.*

**Mettez-vous à la place de Germaine Bruneteau et rédigez ce rapport.**

---

**HYPERMARCHÉ CASSEPRIX**

103, avenue de Maine - 35000 RENNES

| *Émetteur :* | *Destinataire :* |
|---|---|
| Madame BRUNETEAU | Monsieur BERNARD |
| Chef de caisse | Directeur |

Rennes, le 30 mars 19..

**RAPPORT SUR LE TRAVAIL DES CAISSIÈRES**

Monsieur le Directeur,
À la suite de votre demande du 20 mars, je vous présente mes observations sur le travail de la caisse et ses implications sur l'accueil de la clientèle.

**Importance de la fonction**
Le poste est à la fois stratégique et sans qualification. En effet, nos caissières, au nombre de 63 à ce jour, effectuent un travail très simple, mais elles interviennent pour une grande part dans l'opinion que se font les clients sur le magasin.

**Profils**
Dans leur grande majorité, nos caissières sont de jeunes femmes sans qualification. Plus de la moitié sont mères de famille et occupent leur emploi à temps partiel.

**Ancienneté - Salaire**
La rotation du personnel est très importante : 80 % de nos caissières ont été embauchées depuis moins de 2 ans et touchent le SMIC.

**Nature du travail**
Grâce au nouveau système d'encaissement par lecteur optique, les caissières sont plus disponibles avec les clients. L'accueil est ainsi devenu une part importante de leur travail. Pourtant de nombreux clients se plaignent régulièrement de l'accueil qui leur est réservé aux caisses. Des insultes sont même souvent échangées entre clients et caissières.

**Propositions**
Elles sont au nombre de deux.

**Un effort de formation**
Afin de pouvoir remplir efficacement leur nouveau rôle, les caissières doivent améliorer leur comportement et leurs réactions face aux clients. Une formation en ce sens me paraît bénéfique.

**Un meilleur salaire**
Afin de fidéliser les caissières au magasin et de valoriser la fonction, je propose qu'à l'issue de cette formation, leur salaire soit augmenté de l'ordre de 20%.

Je reste à votre disposition, Monsieur le Directeur, pour tout renseignement complémentaire.

Germaine BRUNETEAU

4
UNITÉ

# 2. FAIRE UN COMPTE RENDU

## 1. COMMENT FAIRE ?

*Le tableau ci-dessous vous donne quelques conseils pour rédiger un compte rendu.*

**Prenez-en connaissance et dites si les affirmations qui suivent sont vraies (V) ou fausses (F).**

> **Nom de la société**
> **Compte rendu de la réunion du ...**
>
> - Noter **les présences** : noms et qualités
> - Noter **les absences** : noms et qualités
> - Ne pas inscrire de titre de civilité
> - Savoir que **l'objectif** est de transmettre une information aux absents à la réunion.
> - Relater les faits de **manière résumée :**
>
> – *soit par ordre chronologique*, en reprenant une à une les interventions des participants ;
>
> – *soit par thèmes*, après les avoir regroupés de façon logique.
>
> - Rester **impartial :** pas d'opinion personnelle.
> - Adopter un **ton** neutre, un **style** indirect.
> - Utiliser essentiellement **le présent** de l'indicatif.
> - Soigner **la présentation :** paragraphes, titres...
> - Ne pas mettre de formule de politesse.
> - Ne pas signer.

### Le compte rendu de réunion :

**a.** contient les seuls noms des membres présents à la réunion. ☐

**b.** indique la fonction occupée dans l'entreprise par les membres de la réunion. ☐

**c.** est destiné aux seuls membres de la réunion. ☐

**d.** donne tous les détails sur le déroulement de la réunion. ☐

**e.** peut être présenté de deux manières différentes. ☐

**f.** contient des propositions de la part de celui (celle) qui l'écrit. ☐

**g.** est rédigé surtout au présent. ☐

**h.** ne contient ni formule de politesse ni signature. ☐

## 2. RAPPORT OU COMPTE RENDU ?

### a. Faire la différence

**Finalement, qu'est-ce qui différencie le compte-rendu du rapport ?**

– L'auteur ?
– Le destinataire ?
– L'objectif ?
– Le contenu ?
– La présentation ?
– L'implication de l'auteur ?

### b. Faire un choix

**Indiquez si, dans les situations suivantes, vous remettez plutôt un rapport (R) ou plutôt un compte rendu (CR).**

**Votre patron vous demande :**

1. ***d'analyser*** *les difficultés d'utilisation du matériel informatique.* [R]
2. **de résumer** une série d'articles. ☐
3. **de décrire** le déroulement d'une journée "portes-ouvertes". ☐
4. **d'envisager** la réorganisation d'un service administratif. ☐
5. **de présenter** les points forts d'une manifestation commerciale. ☐
6. **de raconter** votre visite d'entreprise. ☐
7. **d'examiner** les risques d'incendie dans les ateliers. ☐
8. **d'étudier** les possibilités d'investissement sur les marchés étrangers. ☐
9. **de relater** la séance du conseil d'administration. ☐
10. **de témoigner** d'un accident du travail. ☐
11. **de rechercher** les moyens de prévention d'accidents du travail. ☐
12. **d'expertiser** les documents comptables. ☐

## 3. DES NOTES AU COMPTE RENDU

*Mademoiselle Levrier, secrétaire de Monsieur Bernard, est chargée de rédiger le compte rendu de la réunion du 18 mars.*

**À l'aide des notes que vous avez prises (page 44) et des conseils donnés dans le tableau ci-dessus, rédigez ce compte rendu à sa place.**

# 1. CONNAÎTRE LES NOTES DE SERVICE

**Prenez connaissance des trois notes de service ci-dessous, puis indiquez pour chacune d'elles si elles répondent aux caractéristiques qui suivent, en mettant une croix dans la bonne colonne.**

**Note n° 1**

**Société HAUT-BRANE** — Service de la direction

**Note de service** n° 108 — Bordeaux, le 24 novembre 19..

**Objet :** Déjeuner du personnel

À partir du 3 janvier, une cantine fonctionnera entre 12 heures et 14 heures.
Les tickets seront délivrés à la caisse.

Destinataires : ensemble du personnel
Diffusion par affichage

Le Chef du personnel

Géva MANGIN

**Note n° 2**

| Hypermarché Casseprix | Service émetteur : Personnel | | |
|---|---|---|---|
| Destinataires : Mme et MM les chefs de département | Vos réf. | Nos réf. PL/FG | Date 8 avril 19.. |

**Objet :** Congés annuels

Je vous prie de bien vouloir me faire connaître pour le 20 avril au plus tard les vœux du personnel de votre département.

Le Chef du personnel

C. LUCAS

**Note n° 3**

**Entreprise INOXI**
**Service de la sécurité**

Paris, le 15 septembre 19..

Objet : Manipulation de fil d'acier

Destinataires : Chefs d'atelier
Ouvriers des ateliers

Un ouvrier de l'atelier n° 9 s'est blessé récemment en coupant du fil d'acier.

Il est rappelé que pour toute manipulation de fil d'acier, le port de lunettes de protection est obligatoire. Les chefs d'atelier doivent faire respecter scrupuleusement cette prescription.

La présente note sera affichée dans tous les ateliers. Elle sera également diffusée aux chefs d'atelier qui devront la retourner signée au service de la sécurité.

Le Chef de la sécurité

Benoît MAILLARD

| 1. Elle contient : | NOTE 1 | NOTE 2 | NOTE 3 |
|---|---|---|---|
| – le nom de l'entreprise | .... | .... | .... |
| – un objet | .... | .... | .... |
| – un titre de civilité | .... | .... | .... |
| – des références | .... | .... | .... |
| – une conclusion (expression d'un espoir, d'un souhait) | .... | .... | .... |
| – une formule de politesse | .... | .... | .... |
| – un ordre | .... | .... | .... |
| – une demande | .... | .... | .... |
| – une information | .... | .... | .... |
| – le nom du service émetteur | .... | .... | .... |
| – le nom de la personne émettrice | .... | .... | .... |
| – le nom du (ou des) destinataire(s) | .... | .... | .... |
| – la fonction du (ou des) destinataire(s) | .... | .... | .... |

| 2. Elle est : | NOTE 1 | NOTE 2 | NOTE 3 |
|---|---|---|---|
| – numérotée | .... | .... | .... |
| – datée | .... | .... | .... |
| – signée | .... | .... | .... |
| – dactylographiée | .... | .... | .... |
| – affichée | .... | .... | .... |
| – distribuée | .... | .... | .... |
| **3. Elle est rédigée :** | | | |
| – sur un formulaire | .... | .... | .... |
| – à la forme personnelle (je, nous) | .... | .... | .... |
| – au futur | .... | .... | .... |
| – avec des phrases courtes | .... | .... | .... |
| – sur un ton autoritaire | .... | .... | .... |

# 2. RÉDIGER UNE NOTE DE SERVICE

**Écoutez (ou lisez ci-dessous) le message que Monsieur Brion, chef du département alimentation de l'hypermarché Casseprix, a enregistré à l'attention de sa secrétaire, puis répondez aux questions qui suivent.**

Bonjour, Françoise, c'est Brion qui parle.Il est 8 heures. J'ai appris que des marchandises disparaissaient régulièrement des réserves et je viens d'avoir une discussion avec Gontier, le chef manutentionnaire. Il est le seul, avec moi, à avoir la clé des réserves. Il ouvrira maintenant à 8 heures précises et il fermera à 18 heures. C'est lui qui sera responsable des réserves pendant qu'elles sont ouvertes. Ca veut dire qu'il sera en particulier responsable de toutes les disparitions de marchandises. Quand les gars de la manutention trouvent des marchandises en mauvais état, ils doivent mettre ces marchandises, comme ils les ont trouvées, dans le chariot prévu pour ça. En plus, il faut obligatoirement qu'ils notent ça dans un cahier qui se trouve dans le bureau de Gontier. S'il y a de la casse pendant la manutention, il faut aussi le signaler dans le cahier. Tout le monde doit suivre cette procédure. On considèrera ceux qui ne le font pas comme ayant volé la marchandise ou du moins, ils engageront aussi leur responsabilité, comme Gontier. C'est peut-être mieux de l'écrire comme ça. Voilà. J'espère que ce système aura quelques résultats. Il faudrait préparer une note que je signerai en fin d'après-midi pour annoncer tout ça. C'est pour les manutentionnaires. On va l'afficher dans les réserves. À bientôt. Merci.

### 1. QUI ? COMMENT ?

*Vous avez compris que Françoise devait rédiger une note de service.*

**a. Dites quel(s) en sera (seront) :**

– l'émetteur ;
– le(s) destinataire(s) ;
– le moyen de transmission.

**b. Ces indications devront-elles figurer dans la note ?**

### 2. QUE DIT-IL ?

*À l'exception des trois premières, les idées suivantes ne sont pas énumérées dans l'ordre dans lequel Monsieur Brion les énonce dans son message.*

**Retrouvez l'ordre en numérotant les cases.**

Monsieur Brion parle :

**a.** de la disparition des marchandises .............................. [1]

**b.** des clés en possession de Monsieur Gontier .................. [2]

**c.** des horaires d'ouverture des réserves ........................ [3]

**d.** de la procédure à suivre quand des marchandises sont trouvées avariées ou cassées .............................. [ ]

**e.** de la responsabilité de Monsieur Gontier en cas de disparition des marchandises .............................. [ ]

**f.** de la responsabilité de Monsieur Gontier .................... [ ]

**g.** du moment auquel il signera la note ........................ [ ]

**h.** de l'espoir d'obtenir satisfaction .............................. [ ]

**i.** de la responsabilité des manutentionnaires .................. [ ]

### 3. QUE RETENEZ-VOUS ?

**Des idées énoncées par Monsieur Brion, quelles sont celles qui, à votre avis, devront figurer dans la note ?**

### 4. DE QUELLE MANIÈRE ?

**a. Pour faire le plan de votre note, regroupez de façon logique les idées que vous avez retenues. Pour cela, distinguez les idées qui :**

– transmettent des informations,
– donnent des instructions,
– précisent les responsabilités.

**b. Combien de paragraphes aura la note ?**

### 5. AVEC QUELS MOTS ?

*La note devra être rédigée avec un vocabulaire plus soutenu que celui employé par Monsieur Brion dans son message enregistré.*

**Voici une liste de mots plus adaptés à l'écrit. Retrouvez dans le message de Monsieur Brion les mots qui ont (presque) le même sens.**

**a.** leur ouverture
**b.** plus spécifiquement
**c.** agents de manutention
**d.** avariées
**e.** déposer
**f.** en l'état
**g.** à cet effet
**h.** consignent
**i.** du bris
**j.** respecter

### 6. À VOUS MAINTENANT DE RÉDIGER CETTE NOTE À LA PLACE DE FRANÇOISE.

4
UNITÉ



# 1. LES CHIFFRES DE HAUT-BRANE

12/05

*M. Gaston André, directeur commercial de Haut-Brane, sait qu'un bon graphique aide à faire comprendre plus vite et mieux que de longues séries de chiffres. Au cours d'une réunion avec le personnel de son service, il présente les résultats de l'activité commerciale de Haut-Brane en utilisant les trois graphiques suivants.*

**1. Observez bien ces trois graphiques et faites un court commentaire de chacun d'eux, en vous aidant du tableau de la page ci-contre.**

A

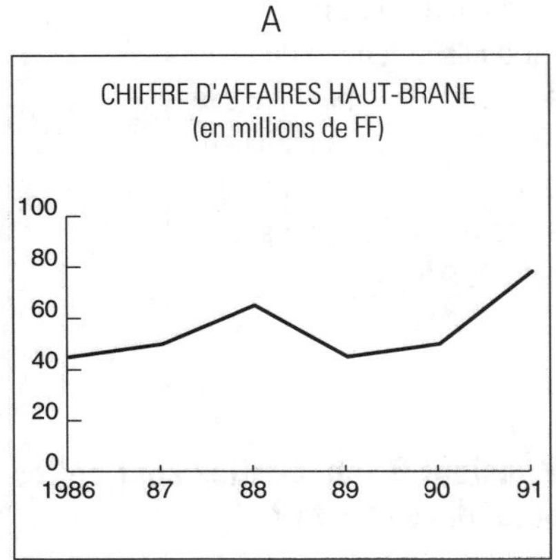
CHIFFRE D'AFFAIRES HAUT-BRANE
(en millions de FF)
100
80
60
40
20
0
1986
87
88
89
90
91

B

CHIFFRE D'AFFAIRES PAR REPRÉSENTANT
pour le 1er trimestre

M. Alouche
Mme Bonneau
M. Chotard
Mme Dalençon
M. Elba

C

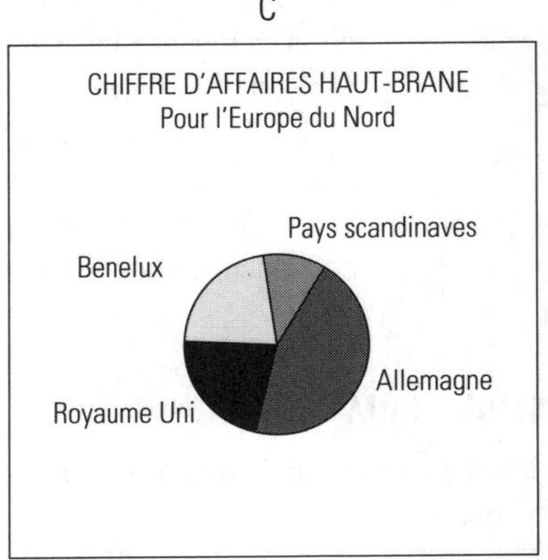
CHIFFRE D'AFFAIRES HAUT-BRANE
Pour l'Europe du Nord
Pays scandinaves
Benelux
Allemagne
Royaume Uni

**2.** *Au cours de sa présentation, Monsieur Gaston André a commenté les trois graphiques. Voici, en désordre dans le tableau ci-contre, les phrases extraites de son commentaire.*

**a. Attribuez chacune de ces phrases au graphique auquel elle correspond.**

**b. Reconstituez les trois commentaires en mettant les phrases dans l'ordre de présentation.**

| Graphique A | | | | | |
|---|---|---|---|---|---|
| Graphique B | | | | | |
| Graphique C | | | | | |

**3.** *La plupart de nos livraisons sont effectuées en moins de quatre jours. Le tiers de nos livraisons l'est même avant trois jours. Dans tous les cas, les délais ne dépassent jamais huit jours..."*

**Le représentant Haut-Brane dit-il la vérité à son client ? Sinon que devrait-il lui dire pour être conforme à la réalité ?**

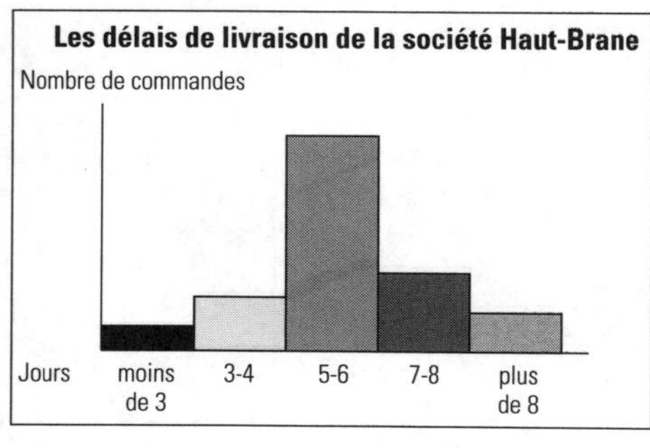
Les délais de livraison de la société Haut-Brane
Nombre de commandes
Jours
moins de 3
3-4
5-6
7-8
plus de 8

| COMMENTAIRES | Graphiques A | B | C |
|---|---|---|---|
| 1. Ce graphique *montre bien que* l'importance de nos ventes est différente dans les pays d'Europe du Nord. | ... | ... | ✓ |
| 2. Il *est* en effet *passé de* 45 MF en 1986 *à* 80 MF en 1991. | ✓ | ... | ... |
| 3. Le chiffre d'affaires *le plus important* à été réalisé par M. Chotard. | ... | ✓ | ... |
| 4. Madame Dalençon, *au 4e rang, obtient un résultat* honorable dans une région où nous sommes encore peu implantés. | ... | ✓ | ... |
| 5. L'Allemagne *arrive au 1er rang* pour le chiffre d'affaires réalisé. | ... | ... | ✓ |
| 6. Notre chiffre d'affaires *est en augmentation* depuis1986. | ✓ | ... | ... |
| 7. Il *a* donc presque *doublé* en cinq ans. | ✓ | ... | ... |
| 8. Enfin, *au dernier rang*, on trouve les Pays scandinaves qui constituent *notre plus petite part* de marché. | ... | ... | ✓ |
| 9. Ce graphique *fait apparaître* la part du chiffre d'affaires réalisée par nos cinq représentants France. | ... | ✓ | ... |
| 10. Puis, *arrive au 2e rang*, Madame Bonneau, qui obtient un score *supérieur à* celui de M. Alouche. | ... | ✓ | ... |
| 11. Les trois pays du Bénélux constituent également un marché intéressant, puisqu'il *représente près de 25 %* de notre chiffre d'affaires. | ... | ... | ✓ |
| 12. La *progression* a été *constante*, à l'exception d'une *baisse* en 1988. | ✓ | ... | ... |
| 13. Le *faible résultat* obtenu par M. Elba s'explique en grande partie par son absence de 3 mois pour raison de maladie. | ... | ✓ | ... |
| 14. Puis vient ensuite le Royaume-Uni qui *représente près du quart* de nos ventes en Europe du Nord. | ... | ... | ✓ |
| 15. *Le recul* enregistré cette année-là est dû à la mauvaise récolte viticole de 1988. | ✓ | ... | ... |

# COMMENT COMMENTER UN GRAPHIQUE

| POUR INTRODUIRE | POUR EXPRIMER UNE VARIATION DE LA QUANTITÉ | POUR COMPARER |
| --- | --- | --- |
| **■ Tout d'abord...**<br>ce graphique / ce tableau / ces chiffres — montre(ent) / indique(ent) / révèle(ent) | **Hausse** ↗<br>• une forte *augmentation*<br>une *croissance* rapide<br>un net *redressement*<br>une *progression* sensible<br>une *reprise* modérée<br>une petite *amélioration*<br>— de l'activité économique.<br><br>• que l'activité économique.<br>• a fortement *augmenté*.<br>• a *connu une croissance* rapide.<br>• s'est nettement *redressée*.<br>• a sensiblement *progressé*.<br>• a *connu une reprise* modérée.<br>• s'est un peu *améliorée*. | **Supériorité** ><br>• une *meilleure* qualification<br>une qualification *plus élevée*<br>— des femmes.<br><br>• que les femmes<br>• sont *plus qualifiées que* les hommes.<br>• ont une qualification *supérieure à* celle des hommes. |
| **■ Puis...**<br>• selon ces statistiques,<br>• d'après ces chiffres,<br>— on (peut) — constate(r) / remarque(r) / observe(r) / note(r) / releve(r) | **Stabilité** →<br>• une *stabilisation*<br>un *maintien*<br>une *stagnation*<br>— de l'activité économique.<br><br>• que l'activité économique.<br>• s'est *stabilisée*.<br>• se *maintient*.<br>• *reste stable*.<br>• *stagne*. | **Égalité** =<br>• une motivation des femmes<br>• *aussi grande que*<br>• *une égale à*<br>• *identique à*<br>• *équivalente à*<br>— celle des hommes<br><br>• que les femmes<br>• sont *aussi* motivées<br>• ont *la même* motivation<br>• ont donc *autant de* mérite<br>— *que* les hommes. |
| **■ Enfin...**<br>• un examen approfondi des données<br>• une analyse détaillée du graphique<br>• une lecture attentive des chiffres<br>— • montre • indique • révèle<br><br>• en examinant attentivement les chiffres<br>• en analysant dans le détail le graphique,<br>— • on s'aperçoit • on se rend compte | **• Diminution** ↘<br>• un *ralentissement*<br>une *diminution* régulière<br>une *baisse* constante<br>un *recul* important<br>une *dégradation*<br>une *chute*<br>un *effondrement*<br>— de l'activité économique.<br><br>• que l'activité économique.<br>• s'est *ralentie*.<br>• a régulièrement *diminué*.<br>• est *en baisse* constante.<br>• s'est *dégradée*.<br>• a *reculé* de manière importante.<br>• a *chuté* .<br>• s'est *effondrée*. | **Infériorité** <<br>• une rémunération *moins importante* des femmes.<br><br>• que les femmes<br>• sont *moins* (*bien*) rémunérées *que* les hommes.<br>• gagnent *moins que* les hommes.<br>• perçoivent un salaire *inférieur à* celui des hommes. |
| **■ En conclusion**<br>on peut (nous pouvons) affirmer → | • que l'activité économique a connu de nombreuses *fluctuations* au cours des années | • que *l'égalité* des sexes n'est pas encore réalisée dans le domaine du travail. |

## 1. QUI ? COMMENT ?

**Indiquez pour chacun des cinq (extraits de) messages ci-contre quel pourrait en être :**

**– l'émetteur ;**

**– le destinataire ;**

**– le canal de communication : écrit ou oral ;**

**– le moyen de communication : affichage, rapport, etc. ?**

**a.** Il ressort de l'exposé des faits que l'accident est dû à une faute grave du chef d'équipe. Je propose donc qu'une sanction…

**b.** À la suite d'une panne d'ordinateur, les salaires seront payés avec cinq jours de retard.

**c.** Nous nous trouvons tous réunis aujourd'hui pour le départ en retraite de notre collègue.

**d.** M. Taravant demande que vous le rappeliez.

**e.** Dites-moi, François, cette fois-ci, n'oubliez pas de vider les corbeilles.

## 2. EN RÉUNION

**Indiquez sous quel numéro du tableau ci-dessous se rapportent les phrases contenues dans les bulles.**

SI VOUS N'Y VOYEZ PAS D'INCONVÉNIENT, JE VOUDRAIS TERMINER. JE DISAIS DONC QUE...
IL N'A JAMAIS ÉTÉ QUESTION DE...
À MON SENS...
NOUS POURRIONS PEUT-ÊTRE REVENIR À CETTE QUESTION PLUS TARD !
BIEN SÛR...
FINALEMENT, IL RÉSULTE DE CE QUE NOUS VENONS DE DIRE QUE...
VOUS N'AVEZ PAS TORT !
JE COMMENCERAIS PAR PRÉSENTER... ENSUITE, NOUS EXAMINERONS... ENFIN, NOUS CHERCHERONS À...
ATTENDEZ, NOUS NE POUVONS PAS TOUS PARLER À LA FOIS !
EN BREF !...
FRAPAR.

| COMMENT S'EXPRIMER EN RÉUNION | | |
|---|---|---|
| **1. Annoncer l'examen de divers points**<br>• Nous sommes ici (aujourd'hui) pour…<br>• Je dois tout d'abord vous expliquer…<br>• Venons-en à présent à l'examen de…<br>**2. Exprimer son point de vue**<br>• À mon avis, ...<br>• Je trouve que ...<br>• Je pense que ...<br>**3. Exprimer son accord**<br>• Je suis (tout à fait) d'accord.<br>• Je suis de votre avis.<br>• Vous avez (absolument) raison.<br>• Excellente idée : nous pourrons ainsi ... | **4. Exprimer son désaccord**<br>• Je ne suis pas de votre avis.<br>• Je ne partage pas votre point de vue.<br>• Ce n'est pas vrai que..<br>**5. Expliquer**<br>• Je tiens à préciser que ...<br>• C'est pourquoi ...<br>• Ça veut dire que ...<br>• Je voudrais ajouter un point qui me paraît important…<br>**6. Demander des explications**<br>• Qu'est-ce que vous voulez dire ?<br>• Que voulez-vous dire par ... ?<br>• Qu'entendez-vous (exactement) par ... ? | **7. Garder la parole**<br>• Laissez-moi continuer.<br>• Vous permettez que je termine.<br>**8. Mettre de l'ordre**<br>• Monsieur IXE, c'est à vous de parler.<br>• Désolé, Monsieur IXE a demandé la parole.<br>• Revenons à notre sujet.<br>**9. Résumer et conclure**<br>• En résumé, on peut dire que...<br>• Donc, si nous résumons ce qui a été dit, ...<br>• En conclusion, nous pouvons dire que…<br>• Je crois que nous avons fait le tour de la question. |

# LE COURRIER DE L'ENTREPRISE

## LA LETTRE

— Bon, m'a dit Papa, prends le crayon et écris.

Je me suis assis au bureau et Papa a commencé la dictée :

— Cher monsieur, virgule, à la ligne... C'est avec joie... Non, efface... Attends... C'est avec plaisir... Oui, c'est ça... C'est avec plaisir que j'ai eu la grande surprise... Non... Mets l'immense surprise... Ou non, tiens, il ne faut rien exagérer... Laisse la grande surprise... La grande surprise de recevoir votre beau cadeau... Non... Là, tu peux mettre votre merveilleux cadeau... Votre merveilleux cadeau qui m'a fait tant plaisir... Ah ! non... On a déjà mis plaisir... Tu effaces plaisir... Et puis tu mets Respectueusement... Ou plutôt, Mes salutations respectueuses... Attends...

Et Papa est allé dans la cuisine, j'ai entendu crier et puis il est revenu tout rouge.

— Bon, il m'a dit, mets : "Avec mes salutations respectueuses", et puis tu signes. Voilà.

Et Papa a pris mon papier pour le lire, il a ouvert des grands yeux, il a regardé le papier de nouveau, il a fait un gros soupir et il a pris un autre papier pour écrire un nouveau brouillon.

*Joachim a des ennuis* de Goscinny © Éd. Denoël

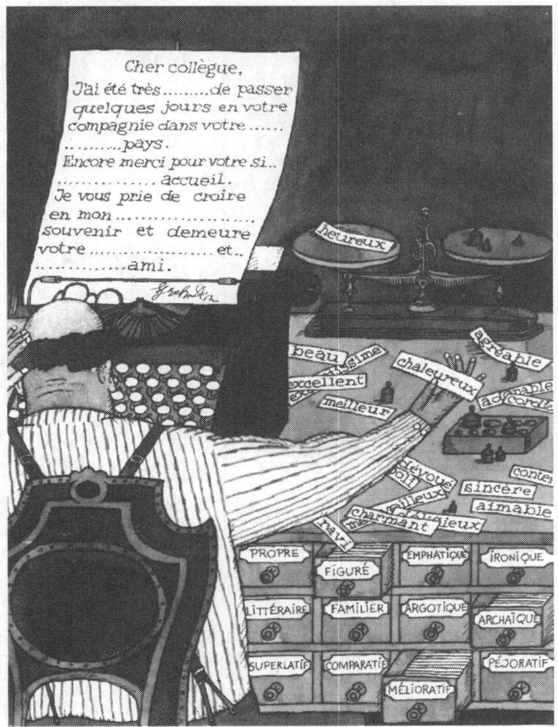
Cher collègue,
J'ai été très .........de passer quelques jours en votre compagnie dans votre ......
..........pays.
Encore merci pour votre si..
............... accueil.
Je vous prie de croire en mon .....................
souvenir et demeure votre ....................et..
..............ami.
heureux
beau
excellent
chaleureux
agréable
meilleur
sincère
aimable
charmant
PROPRE
FIGURÉ
EMPHATIQUE
IRONIQUE
LITTÉRAIRE
FAMILIER
ARGOTIQUE
ARCHAÏQUE
SUPERLATIF
COMPARATIF
PÉJORATIF
MÉLIORATIF

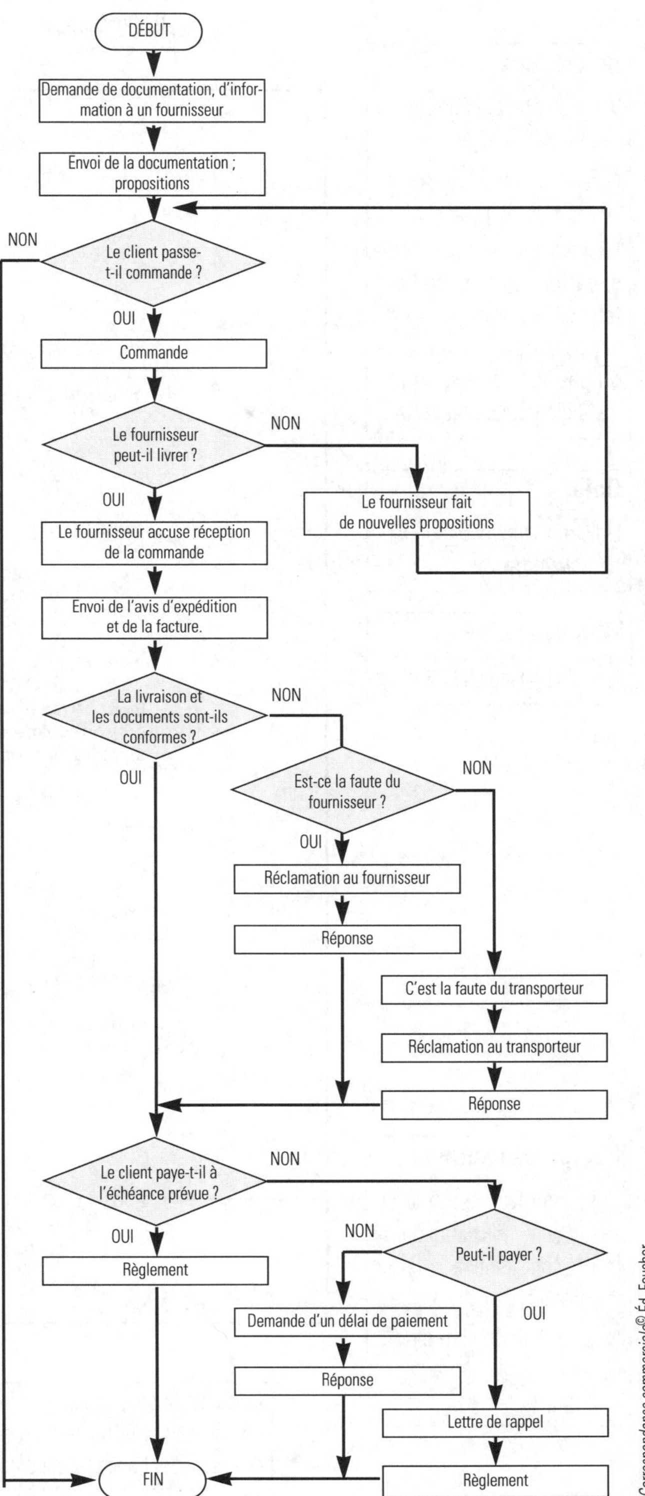
DÉBUT
Demande de documentation, d'information à un fournisseur
Envoi de la documentation ; propositions
Le client passe-t-il commande ?
NON
OUI
Commande
Le fournisseur peut-il livrer ?
NON
OUI
Le fournisseur fait de nouvelles propositions
Le fournisseur accuse réception de la commande
Envoi de l'avis d'expédition et de la facture.
La livraison et les documents sont-ils conformes ?
NON
OUI
Est-ce la faute du fournisseur ?
NON
OUI
Réclamation au fournisseur
Réponse
C'est la faute du transporteur
Réclamation au transporteur
Réponse
Le client paye-t-il à l'échéance prévue ?
NON
OUI
Règlement
Peut-il payer ?
NON
OUI
Demande d'un délai de paiement
Réponse
Lettre de rappel
Règlement
FIN

*Correspondance commerciale*© Éd. Foucher

UNITÉ

# SECTION 1 : PRÉSENTER UNE LETTRE COMMERCIALE

*Pour faciliter la rédaction et la lecture de la lettre commerciale, l'AFNOR (Association française de normalisation) recommande une présentation normalisée de celle-ci (voir modèle). Cette norme (Z11.001) détermine la nature et l'emplacement des mentions à porter sur une lettre. Mais elle n'est pas impérative et la présentation peut varier d'une entreprise à l'autre.*

**L'en-tête**

Nom (ou raison sociale), adresse, numéro de téléphone de l'émetteur (expéditeur).

Pour les sociétés, forme juridique et montant du capital (obligatoire pour les S.A. et les S.A.R.L.).

**Références**

V/Réf. : références de la lettre reçue.

N/Réf. : références de la lettre qu'on écrit.

Elles comportent généralement les initiales de l'auteur de la lettre, suivies de celles du (de la) dactylographe et, parfois, un numéro d'enregistrement.

**Objet**

Indication très brève du motif de la lettre.

**Titre de civilité**

Titre du (des) destinataire(s).

**P.J. (pièces jointes)**

Cette mention est ajoutée lorsqu'un ou plusieurs documents sont joints à la lettre à l'intérieur de l'enveloppe.

Indiquer leur nombre et leur nature.

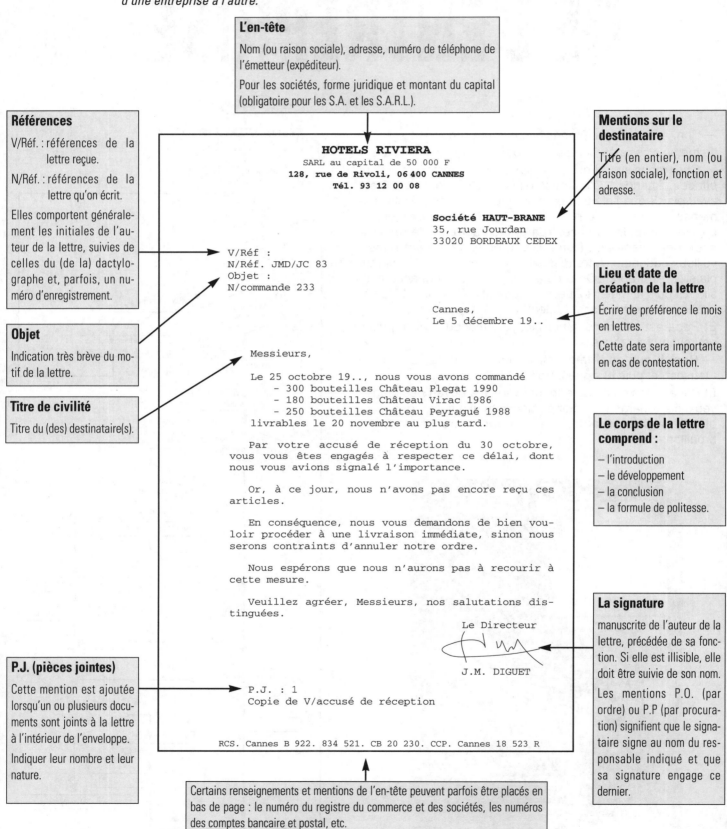

**HOTELS RIVIERA**
SARL au capital de 50 000 F
**128, rue de Rivoli, 06 400 CANNES**
**Tél. 93 12 00 08**

**Société HAUT-BRANE**
35, rue Jourdan
33020 BORDEAUX CEDEX

V/Réf :
N/Réf. JMD/JC 83
Objet :
N/commande 233

Cannes,
Le 5 décembre 19..

Messieurs,

Le 25 octobre 19.., nous vous avons commandé
- 300 bouteilles Château Plegat 1990
- 180 bouteilles Château Virac 1986
- 250 bouteilles Château Peyragué 1988

livrables le 20 novembre au plus tard.

Par votre accusé de réception du 30 octobre, vous vous êtes engagés à respecter ce délai, dont nous vous avions signalé l'importance.

Or, à ce jour, nous n'avons pas encore reçu ces articles.

En conséquence, nous vous demandons de bien vouloir procéder à une livraison immédiate, sinon nous serons contraints d'annuler notre ordre.

Nous espérons que nous n'aurons pas à recourir à cette mesure.

Veuillez agréer, Messieurs, nos salutations distinguées.

Le Directeur

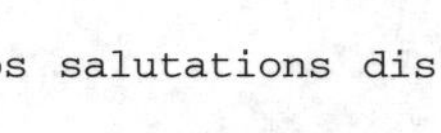

J.M. DIGUET

P.J. : 1
Copie de V/accusé de réception

RCS. Cannes B 922. 834 521. CB 20 230. CCP. Cannes 18 523 R

**Mentions sur le destinataire**

Titre (en entier), nom (ou raison sociale), fonction et adresse.

**Lieu et date de création de la lettre**

Écrire de préférence le mois en lettres.

Cette date sera importante en cas de contestation.

**Le corps de la lettre comprend :**

– l'introduction
– le développement
– la conclusion
– la formule de politesse.

**La signature**

manuscrite de l'auteur de la lettre, précédée de sa fonction. Si elle est illisible, elle doit être suivie de son nom.

Les mentions P.O. (par ordre) ou P.P (par procuration) signifient que le signataire signe au nom du responsable indiqué et que sa signature engage ce dernier.

Certains renseignements et mentions de l'en-tête peuvent parfois être placés en bas de page : le numéro du registre du commerce et des sociétés, les numéros des comptes bancaire et postal, etc.

## 1. RAISON OU TORT ?

*Un de vos amis vous donne des conseils sur la présentation de la lettre commerciale française.*

**Pour écrire une lettre commerciale, c'est facile.**

1. *Il suffit de prendre une feuille de papier blanche de format standard A4 (21 x 29,7 cm)................................ Il a raison*
2. Le nom et l'adresse du destinataire s'inscrivent en haut à gauche, comme pour la correspondance anglaise. ..........
3. Le titre du destinataire ? Tu peux l'écrire en abrégé, comme M. pour Monsieur..........
4. Tu mets bien la mention CEDEX devant le code postal..........
5. Sais-tu que les deux premiers chiffres de ce code postal correspondent au numéro du département de l'expéditeur ? ..........
6. Fais attention, dans l'adresse le nom de la ville doit être écrit entièrement en majuscules..........
7. Ensuite tu indiques les références, celles de ton correspondant et les tiennes, à gauche dans la partie supérieure. ..........
8. N'oublie pas d'écrire la date, qui est toujours celle de la réception de la lettre par le destinataire. ..........
9. Il est préférable d'écrire le mois de cette date en lettres et sans majuscules. ..........
10. Maintenant tu peux commencer le texte de la lettre, après avoir inscrit le titre du destinataire qui est toujours, en français, "Cher Monsieur". ..........
11. N'oublie pas de signer ta lettre, sinon elle serait sans valeur. ..........
12. Si des documents accompagnent ta lettre, tu mets "P.J." qui signifient "Pour justifier"..........
13. Rappelle-toi qu'il est prudent de conserver un double du courrier expédié. ..........

**Indiquez si ses conseils correspondent ou non à la présentation proposée par l'AFNOR (page ci-contre). A-t-il raison ou tort ?**

ECRIVEZ ...
MONSIEUR LE DIRECTEUR
SUITE A UN EMPÊCHEMENT
INDEPENDANT DE MA VOLONTE...

## 2. OBLIGATOIRE OU FACULTATIF ?

**Les mentions suivantes sont-elles obligatoires pour qu'une lettre puisse servir de preuve en cas de contestation ou sont-elles seulement facultatives mais utiles ?**

1. *Les jours et heures d'ouverture des locaux ...................... facultatif*
2. Les moyens d'accès à l'entreprise..........
3. La forme juridique de la société ..........
4. Le montant du capital d'une société anonyme..........
5. Le numéro de téléphone de l'entreprise..........
6. Le numéro d'inscription au registre du commerce et des sociétés (R.C.S.) ..........
7. Le nom et l'adresse du destinataire ..........
8. Le numéro du télécopieur..........
9. Le numéro de compte bancaire ..........
10. Le nom et l'adresse de l'expéditeur ..........
11. La date de création de la lettre ..........
12. L'objet de la lettre..........
13. La signature de l'auteur de la lettre ..........
14. Les références de la lettre reçue du correspondant..........

## 3. TROUVER L'OBJET

*Dans une lettre d'affaires l'objet indique de manière abrégée le fait qui motive la rédaction de cette lettre. Pour exprimer cet objet, on emploie généralement le nom.*

**Indiquez comment vous reformuleriez l'objet pour chacune des situations suivantes :**

1. *Vous devez annoncer que les marchandises n'ont pas été livrées à temps (à la date convenue).*

***Objet :** retard de livraison*

2. Vous devez aviser votre correspondant que vous allez procéder à l'expédition des marchandises. Avis d'expédition
3. Vous annoncez que vous annulez en partie la commande passée précédemment. Annulation partielle de commande
4. Vous écrivez pour demander une documentation. demande de documentation
5. Vous écrivez pour confirmer votre commande. confirmation de commande
6. Vous annoncez que vous retournez des emballages consignés.
7. Vous écrivez pour demander un prix moins élevé. demande de ~~une~~ réduction
8. Vous annoncez que les marchandises livrées sont arrivées en mauvais état. Les ~~[illegible]~~ marchandises en mauvais état
9. Vous annoncez que votre représentant passera voir votre correspondant. votre passage de correspondant
10. Vous écrivez à votre compagnie d'assurance pour déclarer un sinistre. déclaration de sinistre
11. Vous annoncez à votre fournisseur que vous avez reçu trois caisses de confiture au lieu de trois caisses de petits pois. Erreur de livraison

# 1. COMMENCER UNE LETTRE

## 1. DONNER UN TITRE AU CORRESPONDANT

**Indiquez le titre adapté à chacune des situations**

| Situations | Titres |
|---|---|
| Vous écrivez... | |
| **a.** à une personne à laquelle vous présentez l'un de vos nouveaux produits. | • Monsieur le Directeur technique, |
| **b.** à une personne qui travaille avec vous et qui a le même rang hiérarchique. | • Monsieur, |
| **c.** à une personne avec laquelle vous entretenez des rapports de sympathie. | • Cher Collègue, |
| **d.** à une personne que vous ne connaissez pas ou que vous connaissez peu. | • Cher Client, |
| **e.** à une société. | • Cher Monsieur, |
| **f.** à un avocat ou à un notaire. | • Messieurs, |
| **g.** au responsable de la production d'une entreprise industrielle. | • Maître, |

## 2. TROUVER LA FORMULE D'ATTAQUE

**a.** *Trois situations peuvent se présenter quand vous écrivez une lettre.*

**A.** *Vous écrivez pour la première fois : abordez directement le sujet.*

**B.** *Votre lettre fait suite à une lettre, à un message téléphonique ou à un document reçus : faites-y référence.*

**C.** *Un courrier antérieur est resté sans réponse : rappelez-le.*

**Indiquez à laquelle de ces trois situations correspondent les phrases suivantes :**

1. Nous vous rappelons les termes de notre lettre du...
2. J'ai le plaisir de vous faire savoir que notre magasin restera ouvert...
3. Nous accusons réception de votre lettre du... relative à...
4. Nous vous remercions de votre lettre du... par laquelle...
5. Nous vous avons demandé par notre courrier du...
6. Conformément à notre accord téléphonique du...
7. Nous vous serions reconnaissants de nous adresser...
8. Nous avons pris connaissance (bonne note) de votre lettre du... se rapportant à...
9. Nous nous référons à notre lettre du... vous demandant...
10. En réponse (en référence) à votre lettre du...
11. Votre lettre du... a retenu toute notre attention.
12. Nous vous prions de nous faire connaître vos prix pour la fourniture de...

**b. Comment commenceriez-vous votre lettre si vous deviez écrire :**

1. **à votre fournisseur pour annuler une commande passée 7 jours auparavant.**
   a - Nous avons le regret de...
   b - C'est avec le plaisir que...
   c - Nous avons l'honneur de...
   d - Ne nous envoyez pas.
2. **au chef du personnel pour présenter votre candidature.**
   a - Je vous demande d'examiner...
   b - Un poste chez vous serait pour moi...
   c - Je me permets de solliciter...
   d - Je suis celui que vous cherchez...
3. **à des clients pour les informer du lancement d'un nouveau produit.**
   a - Ça y est, il est arrivé.
   b - Je dois vous informer de...
   c - Veuillez trouver...
   d - J'ai le plaisir de vous annoncer...

**c. En imaginant la situation, terminez les phrases que vous avez retenues dans les trois cas ci-dessus.**

**d. Pour chacune des situations suivantes, quelle formule d'introduction choisiriez-vous ?**

| J'écris... | pour... |
|---|---|
| **1.** Je me permets de vous faire connaître.... | **a.** Refuser une offre. |
| **2.** Nous vous adressons, sous ce pli,... | **b.** Commander sur catalogue. |
| **3.** Après avoir examiné votre catalogue, nous vous passons commande... | **c.** Donner une information. |
| **4.** Nous regrettons vivement de ne pas pouvoir donner suite à... | **d.** Confirmer une réduction annoncée par téléphone. |
| **5.** Suite à notre entretien téléphonique du 21 mars, nous avons le plaisir de... | **e.** Adresser un document joint à la lettre. |

**e. Comment commenceriez-vous votre lettre pour :**

1. dire que vous avez bien reçu une facture.
2. répondre à une demande de renseignement.
3. adresser un document joint à une lettre.
4. demander l'envoi de produits.
5. répondre à une offre d'emploi.
6. faire un troisième rappel de règlement
7. remercier pour la documentation reçue.

5
UNITÉ

# 2. TERMINER UNE LETTRE

## 1- TROUVER LA CONCLUSION

| COMMENT CONCLURE | |
|---|---|
| **Conclure, c'est généralement** | **EXEMPLES** |
| **ATTENDRE** | • **En attendant d'**avoir le plaisir de vous rencontrer, ...<br>• **Dans l'attente de** votre prochaine réponse, ...<br>• **Nous comptons sur** une réponse positive.<br>• **Nous restons (demeurons) dans l'attente de** votre éventuelle commande. |
| **ESPÉRER** | • **Nous espérons que** cette solution vous donnera satisfaction et vous prions de...<br>• **Dans (Avec) l'espoir d'**avoir répondu à votre attente, ... |
| **SOUHAITER** | • **En vous souhaitant** bonne réception, ... |
| **REMERCIER** | • **Nous vous remercions d'**avoir bien voulu faire preuve de compréhension.<br>• **En vous remerciant** d'avance (à l'avance, par avance), ...<br>• **Avec nos (vifs) remerciements** (anticipés), ... |
| **REGRETTER** | • **En regrettant de** ne pouvoir vous donner satisfaction.<br>• **Avec le regret de** ne pas pouvoir vous répondre favorablement... |
| **S'EXCUSER** | • Je vous prie d'**excuser** ce retard.<br>• Veuillez nous **excuser** pour cette erreur. |
| **RESTER À LA DISPOSITION** | • **Restant à votre disposition** pour tout renseignement complémentaire, ... |

**À l'aide du tableau précédent, trouvez la conclusion appropriée à chacune des situations suivantes :**

**a.** Vous répondez à une demande d'information.

**b.** Vous demandez un règlement d'urgence.

**c.** Vous répondez négativement à une demande de prolongation du délai de paiement.

**d.** Vous souhaitez l'acceptation de la solution proposée.

**e.** Vous avisez votre client de l'expédition des marchandises.

**f.** Vous répondez à la réclamation d'un client pour retard de livraison.

**g.** Vous adressez une réclamation à votre fournisseur *(vous le tenez pour responsable)*.

**h.** Vous annoncez à un client la visite de votre représentant.

**i.** Vous venez de passer une commande.

**j.** Vous répondez à une offre d'emploi.

**k.** Vous répondez à un correspondant qui vous a rendu service.

## 2 - TROUVER LA FORMULE DE POLITESSE

| COMMENT EXPRIMER LA FORMULE DE POLITESSE | | | |
|---|---|---|---|
| Les formules de politesse de la correspondance sont variées. Voici celles qui sont le plus fréquemment employées dans une lettre d'affaires.<br>N'oubliez pas que vous devez être amical(e) avec un(e) ami(e), dévoué(e) avec un(e) client(e), respectueux(se) avec un supérieur... et quand vous voulez montrer que vous êtes contrarié(e), vous n'êtes" rien du tout" (Agréez, ...*, mes salutations.). | | | |
| Je vous prie de (d')<br>Veuillez | agréer, ...*,<br>recevoir, ...*,<br>accepter, ...*, | (l'assurance de)<br>(l'expression de)<br>mes sentiments<br>mes salutations | respectueux (ses)<br>dévoués (es)<br>distingués (es)<br>les meilleurs(es) |
| | Agréez, ...*,<br>Recevez, ...*, | | |
| Je vous prie de<br>Veuillez | croire, ...*, | à mes sentiments | |
| | Croyez, ...*, | | |
| | | Sincèrement (vôtre)<br>Cordialement (vôtre)<br>Amicalement | |

*Mettre à cette place le titre du correspondant, le même que celui du début de la lettre.

**Pour chacun des correspondants suivants, quelle formule de politesse choisiriez-vous ?**

| | |
|---|---|
| **1.** Je vous prie d'agréer, Monsieur le Directeur, l'expression de nos sentiments respectueux. | **a.** Un client avec lequel on a des relations régulières et chaleureuses. |
| **2.**- Croyez, Cher Monsieur, à nos sentiments cordiaux. | **b.** Un supérieur. |
| **3.** Recevez, Monsieur, nos salutations. | **c.** Une cliente (lettre de vente). |
| **4.** Veuillez agréer, Messieurs, l'expression de nos meilleures salutations. | **d.** Un client qui vient de passer une importante commande. |
| **5.** Je vous prie d'agréer, Monsieur, l'expression de nos sentiments très dévoués. | **e.** Un client qui n'a pas payé sa facture malgré trois rappels. |
| **6.** Bien cordialement. | **f.** Un fournisseur. |

CHER MONSIEUR, AURIEZ-VOUS L'EXTRÊME AMABILITÉ DE M'OFFRIR VOTRE PORTE-FEUILLES... JE VOUS EN SAURAIS GRÉ !!!

## SECTION 3 : DÉCOUVRIR UNE VARIÉTÉ DE LETTRES

1

Monsieur le Maire,

Je vous prie de m'accorder l'autorisation de poser au-dessus de mon magasin une enseigne lumineuse semblable à celle du schéma que vous trouverez ci-joint.

Je vous prie d'agréer, Monsieur le Maire, l'expression de mes sentiments distingués.

2

Messieurs,

Veuillez trouver ci-joint, en retour, la déclaration de la taxe à la valeur ajoutée dûment remplie.

Nous vous prions d'agréer, Messieurs, l'expression de nos sentiments distingués.

3

Cher Monsieur,

C'est avec grand plaisir que nous avons appris votre élection à la Chambre de Commerce de Bordeaux.

Nous vous adressons toutes nos félicitations ainsi que nos meilleurs voeux de réussite pour votre mandat.

Veuillez agréer, cher Monsieur, l'expression de nos sentiments les meilleurs.

4

Madame,

Suite à notre entretien du 24 septembre, nous avons le plaisir de vous confirmer qu'à compter du 1er octobre prochain, votre salaire sera porté à 9 500 F bruts mensuels.

Veuillez agréer, Madame, l'expression de nos salutations les meilleures.

5

Mademoiselle,

Nous avons le regret de vous faire savoir qu'il ne nous est malheureusement pas possible de donner une suite favorable à votre demande de stage pendant les vacances d'été.

En effet, nous ne disposons pas, pendant cette période, du personnel suffisant pour prendre en charge une stagiaire dans des conditions satisfaisantes pour elle comme pour nous.

Nous vous prions de croire, Mademoiselle, à nos salutations les meilleures.

6

Monsieur,

De retour à Bordeaux, je m'empresse de vous remercier pour l'excellent accueil que vous m'avez réservé lors de mon séjour dans votre pays.

J'ai fort apprécié la visite de votre entreprise dont le modernisme est exceptionnel.

En outre, c'est avec grand plaisir que j'ai découvert votre belle ville.

Croyez, Monsieur, à mes sentiments très cordiaux.

7

La Société HAUT-BRANE a le plaisir de vous inviter à la dégustation de ses meilleurs vins le

**3 avril à 15 heures**
**au Parc des expositions de Bordeaux, salle 14**

8

Madame, Monsieur,

Nous avons le plaisir de vous annoncer la naissance de notre dernier-né, le robot XM 3000.

Il hache, il mixe, il tranche, il râpe... il sait tout faire.

Et pour son lancement, grâce au bon ci-joint, vous bénéficiez, jusqu'au 10 mai, d'une remise de 10 % sur son prix normal, dans tous les magasins.

Courtoisement vôtre.

5
UNITÉ

## 1. RECONSTITUTION – pour demain (4/3/03)

**Indiquez à quelle lettre de la page ci-contre appartient chacun des paragraphes suivants. Pour cela, inscrivez le numéro de la lettre correspondante.** *L'exemple a été donné pour le premier paragraphe.*

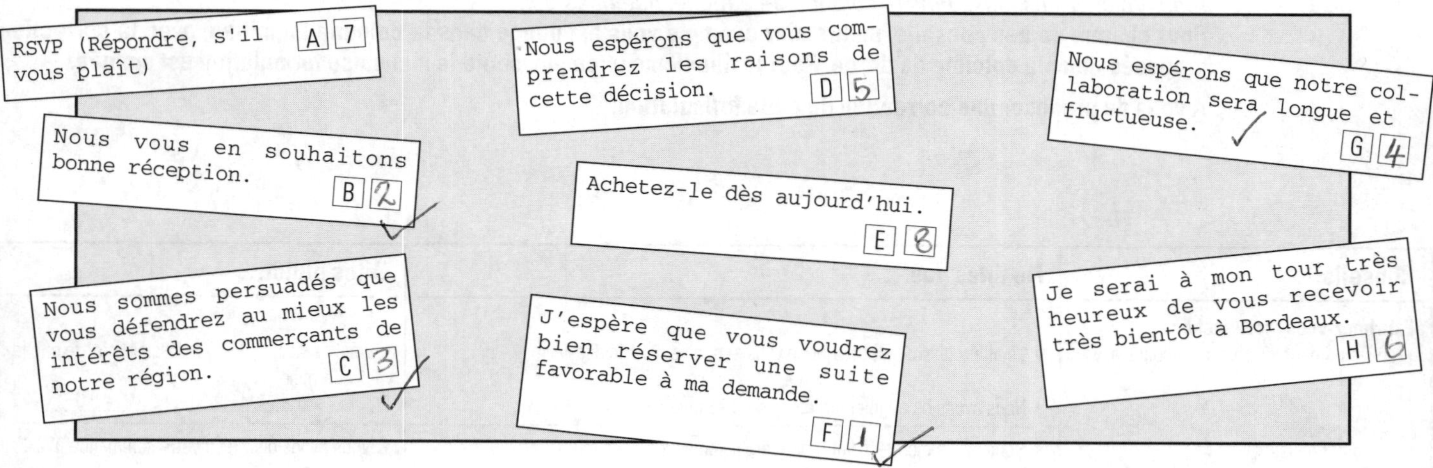
RSVP (Répondre, s'il vous plaît) A 7
Nous espérons que vous comprendrez les raisons de cette décision. D 5
Nous espérons que notre collaboration sera longue et fructueuse. G 4
Nous vous en souhaitons bonne réception. B 2
Achetez-le dès aujourd'hui. E 8
Nous sommes persuadés que vous défendrez au mieux les intérêts des commerçants de notre région. C 3
J'espère que vous voudrez bien réserver une suite favorable à ma demande. F 1
Je serai à mon tour très heureux de vous recevoir très bientôt à Bordeaux. H 6

## 2. COMPRÉHENSION

**Indiquez par qui, à qui et pourquoi est écrite chaque lettre. Pour cela, inscrivez dans les cases du tableau ci-contre le numéro de chacune d'elles.**

| Par qui ? | | À qui ? | | Pourquoi ? | |
|---|---|---|---|---|---|
| Le service du personnel d'une entreprise | 4 | Un partenaire étranger | 6 | Envoyer | 2 |
| Le service du personnel d'une entreprise | 5 | Un demandeur d'emploi | 5 | Confirmer | 4 |
| Le service du marketing d'une entreprise | 8 | Un client potentiel | 7 | Féliciter | 3 |
| Un négociant en vins | 7 | Une employée | 4 | Offrir | 8 |
| Un commerçant contribuable | 2 | L'administration fiscale | 2 | *Demander* | 1 |
| Un chef d'entreprise, après un voyage | 6 | Un commerçant élu | 3 | Remercier | 6 |
| *Un commerçant nouvellement installé* | 1 | *Un maire* | 1 | Inviter | 7 |
| Un syndicat de commerçants | 3 | Un bon client | 8 | Répondre | 5 |

## 3. FORMULATION

**Complétez les phrases suivantes en trouvant dans les lettres ci-contre une formule possible d'attaque.**

1. *Je vous prie* *de nous contacter en appelant le 47.30.22.90*
2. J'ai le plaisir de vs confirmer que je me rendrai à votre aimable invitation.
3. Ns vs adressons tous nos remerciements.
4. Je vs prie de m'envoyer votre dernier catalogue.
5. Veuillez trouver ci-joint une documentation complète de nos produits.
6. Ns espérons que que vous apprécierez la qualité de nos services.
7. J'ai le plaisir de répondre à votre lettre.
8. Je serais très heureux de pouvoir vous rencontrer prochainement.
9. Ns avons le plaisir de vous annoncer l'ouverture de notre magasin.
10. J'ai le regret de vous demander l'annulation de ma commande.

## 4. RÉDACTION

**1. Vous venez de recevoir une lettre de l'un de vos amis français. Il vous demande de lui trouver un stage pour l'été dans une entreprise de votre pays. Vous lui répondez en fonction des recherches que vous avez effectuées.**

**2. Vous venez de passer un mois à Paris, chez l'un de vos correspondants français. De retour dans votre pays, vous lui écrivez une petite lettre de remerciements.**

UNITÉ

# SECTION 4 : AMÉLIORER LE STYLE

*Pour éviter toute erreur d'interprétation, pour soigner l'image de marque de l'entreprise, une lettre doit être bien écrite, avoir un style agréable. Pour atteindre ces objectifs, quelques règles de rédaction doivent être respectées. Voici ci-dessous, dans la colonne de gauche, quelques conseils.*

**Pour chacun de ces conseils, un premier exemple vous est donné dans la colonne du milieu, avec la correction proposée dans la colonne de droite. Pour le deuxième exemple, seule la mauvaise formulation est donnée.**

**À vous de proposer une correction de cette formulation.**

| Conseils… | Ne dites pas… | Dites plutôt… |
|---|---|---|
| **Exprimez-vous clairement :**<br>• en supprimant les phrases ambiguës. | • Veuillez classer la lettre que je vous ai remise dans le dossier.<br>• Nous avons dû augmenter le prix de dix francs. | • Veuillez classer dans le dossier la lettre que je vous ai remise.<br>Ns avons dû augmenter de dix francs le prix |
| • en étant précis. | • Nous avons bien reçu votre dernière commande.<br>• Nous vous livrerons les marchandises prochainement. | • Nous avons bien reçu votre commande n° 215 du 12 juin 19..<br>Ns vs livrerons les marchandises le 8 mars |
| **Adaptez le ton à la situation.**<br>• Évitez le style familier. | • Je suis drôlement content de la dernière livraison.<br>• On vous écrit pour vous dire qu'on a reçu aujourd'hui votre lettre. | • Votre dernière livraison nous a donné entière satisfaction.<br>Ns vs informons que |
| • Faites preuve de mesure,de modération. Pas de débordements affectifs. | • Nous sommes très contrariés car vous n'avez toujours pas payé notre facture.<br>• Nous trouvons inadmissible votre réclamation. | • Nous constatons, à notre grand regret, que vous n'avez toujours pas payé notre facture du 12 mars.<br>Ns avons le regret de vs faire savoir qu'il ne ns est malheureusement pas possible de donner une suite favorable à votre réclamation |
| • Employez des termes positifs. | • Vos calculs semblent faux.<br>• La situation financière de ce fournisseur est mauvaise. | • Vos calculs ne semblent pas exacts.<br>n'est pas idéale |
| **Allégez, simplifiez vos phrases :**<br>• en remplaçant une proposition par un nom. | • Bien que nous vous ayons adressé trois rappels, vous n'avez toujours pas payé notre facture du 26 octobre.<br>• Lorsque nous avons vérifié les colis, nous avons constaté…<br>il faut changer le verbe en nom | • Malgré nos trois rappels, vous n'avez toujours pas payé notre facture du 26 octobre.<br>Après avoir vérifié / après vérification |
| • en remplaçant les relatifs, dès que c'est possible. | • Nous vous tenons responsables du dommage qu'a causé ce retard.<br>• Le curriculum vitae que vous avez joint à votre lettre du … a retenu notre attention. | • Nous vous tenons responsables du dommage dû à ce retard.<br>Le CV ci-joint à votre |
| • en supprimant les répétitions, les pléonasmes. | • Il vous suffit simplement de remplir la carte ci-jointe.<br>• Nous ne pouvions prévoir d'avance qu'il y aurait une grève. | • Il vous suffit de remplir la carte ci-jointe.<br>Ns ne pouvions prévoir la grève |
| **Nuancez, adoucissez vos phrases**<br>• en remplaçant l'impératif. | • Envoyez-moi votre catalogue.<br>• Faites-nous connaître vos conditions de vente. | Je vous prie d(e bien vouloir)<br>• Veuillez m'adresser votre catalogue.<br>Veuillez nous expliquer |
| • en remplaçant l'interrogation directe. | • Quand pourrez-vous nous livrer ?<br>• Avez-vous déjà envoyé les articles ?<br>La date d'envoi / d'expédition | • Veuillez nous indiquer la date de livraison.<br>" " informer la date que vous avez |
| • en utilisant le conditionnel | Pouvez-vous m'indiquer… ?<br>Nous ne voulons pas vous obliger à… | Pourriez-vous m'indiquer…<br>Ns ne voudrions pas vs obliger |
| **Enrichissez les phrases :**<br>• en remplaçant les verbes banals : être, avoir, faire… | • Nous espérons que cette proposition aura un accueil favorable.<br>• Il fait souvent des erreurs.<br>• Ce refus pourrait avoir de graves conséquences. | • Nous espérons que cette proposition recevra un accueil favorable.<br>crée X il commet<br>mener à X entraîner |
| • en liant vos idées avec les mots de liaison (Voir page ci-contre). | • Nous comprenons votre situation actuelle. Nous ne pouvons vous accorder le délai de paiement demandé.<br>• Il avait été convenu que la livraison aurait lieu à la fin du mois de juillet. À ce jour aucune marchandise ne nous est parvenue. Nous vous demandons un envoi par retour du courrier. | • Nous comprenons votre situation actuelle, mais nous ne pouvons vous accorder le délai de paiement demandé.<br>mais… donc |

*Les mots de liaison permettent de montrer le rapport qu'on établit entre deux faits ou deux idées et d'indiquer une suite logique dans le raisonnement.*

## COMMENT RELIER LES IDÉES

| Si vous voulez | Vous pouvez employer | Exemples |
|---|---|---|
| **PRÉSENTER LA SUCCESSION DES FAITS, DES IDÉES**<br>– pour DÉBUTER<br>– pour CONTINUER<br>– pour TERMINER | (Tout) d'abord, en premier lieu, dans un premier temps<br>Puis, ensuite, dans un second temps, par la suite<br>Enfin, en dernier lieu | • *Je tiens **tout d'abord** à vous remercier pour ...*<br>• ***Dans un premier temps**, nous vous enverrons 50 exemplaires.*<br>• ***Ensuite** nous procéderons à l'expédition du solde.*<br>• ***Enfin**, nous vous proposons de vous accorder une remise de 5 %.* |
| **ANNONCER UNE CONCLUSION** | En conclusion, pour conclure, en définitive, finalement | • ***En définitive**, il nous semble souhaitable de ne pas accepter cette proposition.* |
| **AJOUTER** | D'une part... d'autre part, de plus, en outre, aussi, également | • ***D'une part** les délais de livraison sont trop longs, **d'autre part** le coût est trop élevé.*<br>• *Veuillez **également** noter que ...* |
| **DIRE POURQUOI** | Car (peu utilisé en correspondance commerciale)<br><br>En effet *(catégorique)*<br><br>Comme, étant donné que, puisque | • *Nous regrettons de ne pouvoir donner une suite favorable à votrecandidature, **car** le poste sollicité est déjà occupé.*<br><br>• ***En effet**, la vérification de la facture nous a permis de constater...*<br><br>• ***Comme** la livraison n'a pas eu lieu dans les délais convenus, nous sommes contraints...* |
| **PRÉSENTER UNE CONSÉQUENCE** | Donc, en conséquence, par conséquent, dans ces conditions, alors<br><br>Aussi (avec inversion du sujet), c'est pourquoi | • *Nous aimerions **donc** savoir si vous pouvez nous accorder un paiement à 3 mois.*<br>• *Nous vous demandons, **en conséquence**, de bien vouloir rectifier le montant de la facture.*<br>• ***Aussi** espérons-nous que vous serez satisfait.* |
| **EXPRIMER LE BUT RECHERCHÉ** | Afin de/que, pour, dans le but de | • ***Afin de** vous donner satisfaction, nous vous proposons ...* |
| **INDIQUER LA SUITE DONNÉE À UN ÉVÉNEMENT** | Comme suite à, suite à, à la suite de | • ***Suite à** notre entretien téléphonique, nous vous expédions...* |
| **EXPRIMER UNE CONDITION** | Au cas où *(+ conditionnel)*, si | • ***Au cas où** notre proposition vous intéresserait ...* |
| **OPPOSER DES IDÉES, DES FAITS** | • **Opposition forte :** or, mais, en revanche, par contre, au contraire, tandis que, alors que<br><br>• **Opposition faible :** cependant, toutefois, pourtant, néanmoins | • *La livraison aurait dû être effectuée le 6 de ce mois. **Or**, à ce jour, nous n'avons toujours pas reçu ...*<br>• ***En revanche**, nous pouvons vous proposer le remplacement...*<br><br>• ***Toutefois**, nous serions disposés à vous accorder ...*<br>• *Nous comprenons **cependant** parfaitement vos raisons.* |
| **RECTIFIER** | En fait, en réalité, en vérité | • ***En fait**, il n'avait jamais livré la marchandise.* |
| **INTRODUIRE UN EXEMPLE** | Ainsi, par exemple | • ***Ainsi**, notre nouveau modèle comporte un système de fermeture électronique.* |
| **PRÉSENTER UNE ALTERNATIVE** | Soit ... soit...<br>Ou ... ou (bien) ... | • ***Soit** vous payez au comptant avec un escompte de 3 %, **soit** vous réglez par traite à 30 jours.* |
| **RENFORCER L'IDÉE PRÉCÉDENTE EN AJOUTANT** | D'ailleurs,<br>Du reste | • *Il avait **d'ailleurs** été convenu que...*<br>• ***Du reste** l'enquête a révélé que ...* |

**QUE VOUS APPORTE LE TÉLEX ?**
**Trois responsables de Vendôme, entreprise de produits de beauté, répondent à notre question.**

## 1. LES AVANTAGES DU TÉLEX

**1. Lisez d'abord la liste des sept avantages du télex présentés dans le tableau ci-dessous. Puis écoutez (ou lisez) les réponses des trois responsables de Vendôme à la question : "Que vous apporte le télex ?"**

**Complétez ensuite le tableau, en indiquant lequel de ces trois responsables a mentionné chacun des avantages suivants :**

| LES AVANTAGES DU TÉLEX | M. Niel | M. Grand | Mlle Fort |
|---|---|---|---|
| **a.** Il est indispensable pour les relations commerciales. | ... | ... | ... |
| **b.** Il améliore la réputation de l'entreprise. | ... | ... | ... |
| **c.** Le message est transmis très vite. | ... | ... | ... |
| **d.** Il permet de dialoguer en temps réel. | ... | ... | ... |
| **e.** Il allie les avantages du téléphone et de la lettre. | ... | ... | ... |
| **f.** Il est très utilisé. | ... | ... | ... |
| **g.** Il assure le succès de la négociation de certains contrats. | ... | ... | ... |

**2. Les trois responsables de Vendôme citent d'autres avantages du télex. Lesquels ?**

**3. Le télex présente aussi des inconvénients. Lesquels ?**

**M. Niel**
*Directeur administratif:*

**"Si nous devions soudain être privés du télex ?**
**Ce ne serait pas possible !"**

"Le télex n'est pas, bien sûr, le seul moyen de communiquer avec l'extérieur. Il y a aussi le téléphone et le courrier. Mais disons que le télex est rapide comme le téléphone et précis comme le courrier.

Et puis aujourd'hui, le télex fait partie de notre vie quotidienne. D'ailleurs toutes les cartes de visite que nous donnent nos interlocuteurs indiquent leur numéro de télex.

Pour nos relations avec l'extérieur, le télex contribue à la bonne image de notre société.

Et j'y vois un autre avantage : c'est un code qui est admis par tous et qui facilite les relations. Pas de mots compliqués, les formules de politesse deviennent inutiles."

**M. Grand**
*Directeur commercial:*

**"Quand on travaille à l'échelle internationale, le télex, c'est vraiment une obligation."**

"Avec le télex, on traite des affaires, on s'engage, on conclut des accords. C'est un outil de choix pour les relations avec la clientèle.

Puis vous savez, de nos jours, il faut aller vite, très vite, si l'on veut gagner, si l'on ne veut pas être pris de vitesse par la concurrence. Et, en une seule journée, le télex vous permet de mener une négociation. D'ailleurs, sans télex, certains contrats n'aboutiraient pas.

Je demande toujours, pour toute commande passée par téléphone, une confirmation par télex. Un télex laisse une trace écrite et c'est aussi – et cela est très important – un commencement de preuve en cas de contestation."

**Mlle O. Fort**
*Secrétaire du directeur technique:*

**"Le télex ? Je l'utilise, comme tout le monde !"**

"Il faut reconnaître que c'est pratique : je peux communiquer avec nos filiales étrangères à l'autre bout du monde, à toute heure du jour et de la nuit. Si mon correspondant est présent, je peux même avoir avec lui une véritable conversation écrite, en lui posant des questions auxquelles il répondra.

Et puis, si mon correspondant n'est pas là quand je l'appelle, quelle importance ? Mon message est envoyé et il le trouvera dès son retour.

Au début j'avais un peu d'appréhension à utiliser le télex. Mais j'ai appris à télexer comme ça, à l'occasion. Ce n'est pas très compliqué : il suffit de savoir taper à la machine et d'avoir un bon annuaire télex."

# 2. L'ANALYSE DU TÉLEX

## Les mentions du télex

*Madame O. Stabile de la société Lecpari de Turin, qui doit se rendre prochainement à Rennes, adresse un télex à l'hôtel Campanile de cette ville.*

### Télex 1

| | Télex 1 |
|---|---|
| Indicatif et N° de télex du destinataire → | CAMPREN 216 895 F |
| Date (125e jour de l'année) et heure (10 h 22) → | 125 10 22 |
| Début de la taxation → | + |
| Indicatif et N° de télex de l'émetteur → | LECTO 404252 I |
| N° du télex (facultatif) → | TELEX N° 3215 |
| Ville, date d'émission (facultatif) → | TORINO, LE 5 MAI 19.. |
| Texte du message → | PRIERE DE RESERVER UNE CHAMBRE A 1 LIT POUR JEUDI 15 MAI AU NOM DE MADAME O. STABILE, STE LECPARI.<br>CONFIRMER RESERVATION. MERCI. |
| Formule de politesse → | SALUTATIONS DISTINGUEES. |
| Nom du signataire et fin de taxaxtion → | O. STABILE + |
| Rappel des indicatifs et N° télex du destinataire et de l'émetteur → | CAMPREN 216895 F<br>LECTO 404252 I |

### Télex 2

```
PUCLI 431325 F
+
96 15.18
VANCLY 545231 F
LYON, LE 6 AVRIL 19..
A L'ATTENTION DE MICHEL LABAL
BONJOUR,
VEUILLEZ NOUS FAIRE PARVENIR LE PLUS TOT
POSSIBLE DOCUMENTATION COMPLETE RELATIVE
A VOS PRODUITS HYDROFUGES.
MERCI D'AVANCE.
MEILLEURES SALUTATIONS.
ODILE PERRINEAU
+
PUCLI 431325 F
VANCLY 545231 F
```

### Télex 3

```
110 09.23 +
BARDOU 585422 F
RANGER 127841 F
TLX N°B 853
ATTN MICHEL TEXIER
ATTENDONS D'URGENCE ECHANTILLONS COM-
MANDES A V/REPRESENTANT LE 25/03
NS DEVONS ABSOLUMENT EN DISPOSER AVANT
LA FIN AVRIL. NS ATTENDONS V/CONFIRMA-
TION PAR RETOUR.
MERCI. SALUTATIONS
J.P. HOCHARD+
BARDOU 585422 F
RANGER 127841 F
```

**1. Prenez connaissance des télex 2 et 3 et répondez pour chacun d'eux aux questions suivantes :**

**a.** Quel jour le message a-t-il été émis ? ..........

**b.** A quelle heure a-t-il été émis ? ..........

**c.** Quels sont l'indicatif et le numéro télex de l'émetteur ? ..........

**d.** Quels sont l'indicatif et le numéro télex du destinataire ? ..........

**e.** Quel est l'objet de ce message ? ..........

**f.** La ville et la date d'émission sont-elles indiquées ? ..........

**g.** Le message est-il adressé à une personne bien déterminée ? ..........
Si oui, laquelle ? ..........

**h.** Quel est le nom de l'auteur du message ? ..........

**i.** Ce télex comporte-t-il des salutations ..........
- au début du message ? ..........
- à la fin du message ? ..........

**2. Les éléments du télex suivant ont été mis dans le désordre. Remettez-les dans le bon ordre.**

```
A L'ATTENTION DE MADAME NANCY MALETROIT - SA-
FETY 224586 G - BIEN RECU V/COMMANDE N°205 -
SALUTATIONS - MERY GAYE - ROSPAC 251635 F -
TELEX N°237 DU 20 NOVEMBRE 19.. - 325 11.08 -
DELAI DE LIVRAISON : 2 SEMAINES -
```

**3.** *Pour réduire le coût de la transmission d'un message télex on utilise parfois les abréviations.*

**En voici quelques-unes, ainsi que leur signification (en désordre). Faites correspondre chaque abréviation à sa signification.**

| | |
|---|---|
| 1. STE | a. S'il vous plaît |
| 2. ETS | b. Salutations |
| 3. SVP | c. Société |
| 4. N/TLX | d. À l'attention de |
| 5. ATTN | e. Établissements |
| 6. SLTS | f. Notre télex |
| 7. REF | g. Nous |
| 8. OK | h. Référence |
| 9. NS | i. D'accord |

**4. Reportez-vous à la lettre de la page 54 et rédigez-la sous forme de télex.**

# 1. ORDONNER

**Dans la lettre suivante, les phrases ont été mises dans le désordre.**

**1. Retrouvez le bon ordre et faites les paragraphes**

**2. Complétez les pointillés par les mots de liaison suivants :**
*donc, toutefois, en effet, en conséquence, or.*

Monsieur,

... je vous le réexpédie à vos frais et je vous demande de bien vouloir me faire livrer le modèle G 444 avant le 10 juillet. / Grenoble, le 1er juillet 19.../ En espérant obtenir satisfaction dans de brefs délais, / ... celui que vous m'avez fait parvenir est un modèle de dimensions plus réduites et ne comporte que 4 lumières./ J'ai le regret de vous faire savoir que la livraison qui m'a été faite ce jour ne correspond pas à ma commande du 19 juin 19. ./ Je vous prie d'agréer, Monsieur, l'expression de mes meilleurs sentiments./ ..., si vous n'aviez plus cet article en réserve, je vous serais reconnaissant de me rembourser par retour du courrier la somme que je vous ai versée./ ... je désirais recevoir le lustre de 6 lumières, chaînes, laiton poli, diffuseurs verre opale, lustre N° G 444./ Il m'est ... impossible de l'accepter car son rendement lumineux est insuffisant.

# 2. TRANSFORMER

**Voici, mélangées ci-dessous, des phrases extraites de lettres et de télex.**

**Rédigez :**
**– dans le style de la lettre, les phrases extraites de télex,**
**– dans le style du télex, les phrases extraites de lettres.**

**a.** Veuillez agréer, Messieurs, l'expression de nos salutations les meilleures.

**b.** Prière nous faire connaître V/accord pour paiement par traite 60 jours au lieu 30 jours.

**c.** Documentation demandée vous parviendra par chronopost.

**d.** Aimerions savoir si vous accordez réduction de prix pour commande supérieure à 1000 bidons.

**e.** Nous vous prions de bien vouloir nous faire parvenir les articles référencés ci-dessous.

**f.** Nous regrettons vivement de ne pas pouvoir accepter un règlement à 90 jours.

**g.** Nous nous référons à votre lettre du 19 mai et vous informons que nous avons confié le transport des 15 colis à la société Perrin.

**h.** Informons pouvoir assurer délai de livraison demandé.

**i.** Malgré notre vif désir de vous être agréables, nous ne pouvons pas vous livrer les articles commandés aux prix indiqués dans notre tarif n° 122.

**j.** Précisez par télex SVP la date de livraison.

# COMMENT ENVOYER UNE LETTRE PAR LA POSTE

### DIFFÉRENTS TYPES D'EXPÉDITION

L'envoi d'une lettre peut se faire de différentes manières :

***– En lettre ordinaire***

- Elle doit porter la mention "lettre" lorsqu'elle dépasse 20g.
- Elle peut être envoyée en recommandée avec une surtaxe.

***– En exprès***

Ces envois sont distribués par porteur spécial dès réception dans le bureau de poste destinataire. Ce système ne fonctionne que dans les grandes villes.

***– En recommandé***

Grâce au recommandé, vous avez la certitude que votre lettre a été remise à son destinataire (qui doit signer un reçu pour disposer de votre envoi). De plus, en cas de perte ou de détérioration, vous pouvez bénéficier d'une indemnité de remboursement.

***– En recommandé avec accusé de réception***

Ce mode d'expédition vous permet d'obtenir la preuve écrite (date de remise et signature du destinataire) de la distribution de votre lettre.

***– Par chronopost***

Ce service assure le porte à porte, en un temps record (généralement moins de 24h), pour les documents et les marchandises (jusqu'à 25 Kg) dans la plupart des pays du monde.

### COMMENT PRÉSENTER L'ENVELOPPE

Pour faciliter le travail de la poste, il est recommandé de respecter la norme suivante de présentation.

– Le numéro de **code postal** (5 chiffres) doit obligatoirement précéder le nom de la localité (ville), dont il est séparé par un seul espace. Les deux premiers chiffres désignent le département ; les trois autres identifient le bureau de poste distributeur.

– Le **nom de la ville** doit être entièrement écrit en lettres capitales. Pour l'étranger, précisez le pays (en majuscules également).

– La mention **CEDEX** (courrier d'entreprise à distribution exceptionnelle) accélère la remise du courrier au destinataire.

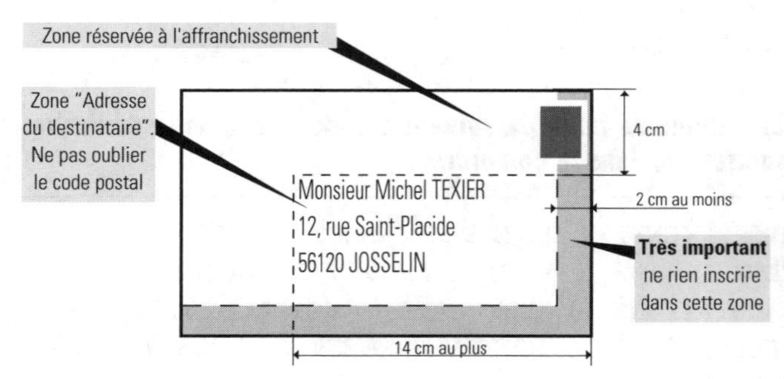
Zone réservée à l'affranchissement
Zone "Adresse du destinataire". Ne pas oublier le code postal
Monsieur Michel TEXIER
12, rue Saint-Placide
56120 JOSSELIN
4 cm
2 cm au moins
Très important ne rien inscrire dans cette zone
14 cm au plus

# L'OFFRE ET LA COMMANDE

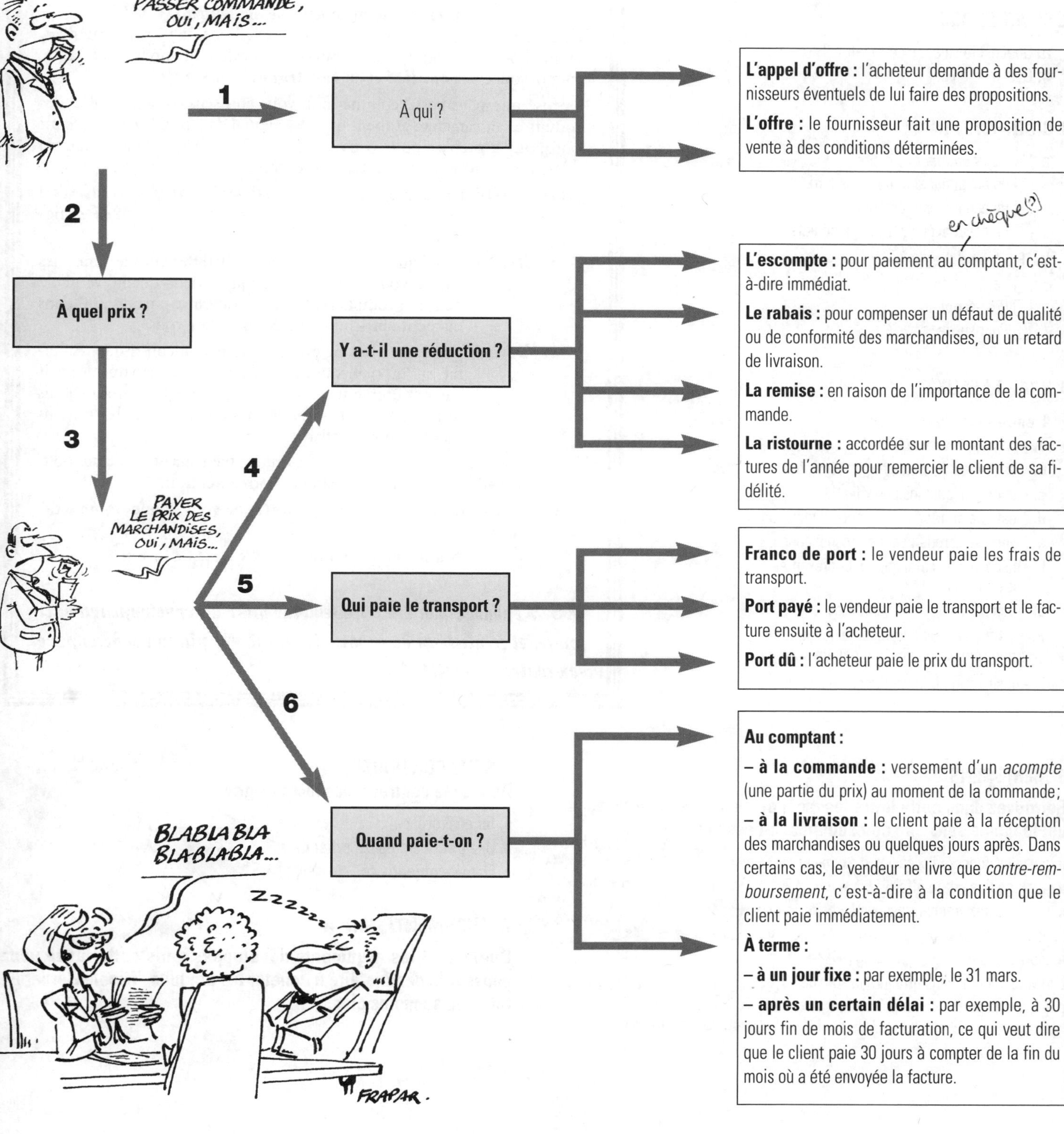
PASSER COMMANDE, OUI, MAIS...
1
À qui ?
L'appel d'offre : l'acheteur demande à des fournisseurs éventuels de lui faire des propositions.
L'offre : le fournisseur fait une proposition de vente à des conditions déterminées.
2
À quel prix ?
3
PAYER LE PRIX DES MARCHANDISES, OUI, MAIS...
4
Y a-t-il une réduction ?
L'escompte : pour paiement au comptant, c'est-à-dire immédiat.
Le rabais : pour compenser un défaut de qualité ou de conformité des marchandises, ou un retard de livraison.
La remise : en raison de l'importance de la commande.
La ristourne : accordée sur le montant des factures de l'année pour remercier le client de sa fidélité.
5
Qui paie le transport ?
Franco de port : le vendeur paie les frais de transport.
Port payé : le vendeur paie le transport et le facture ensuite à l'acheteur.
Port dû : l'acheteur paie le prix du transport.
6
Quand paie-t-on ?
Au comptant :
– à la commande : versement d'un acompte (une partie du prix) au moment de la commande;
– à la livraison : le client paie à la réception des marchandises ou quelques jours après. Dans certains cas, le vendeur ne livre que contre-remboursement, c'est-à-dire à la condition que le client paie immédiatement.
À terme :
– à un jour fixe : par exemple, le 31 mars.
– après un certain délai : par exemple, à 30 jours fin de mois de facturation, ce qui veut dire que le client paie 30 jours à compter de la fin du mois où a été envoyée la facture.
BLABLABLA BLABLABLA...
ZZZZZZ
FRAPAR.

*Une technique, très utilisée de nos jours pour solliciter directement à son domicile un client potentiel, est le publipostage (en anglais «mailing». Elle consiste à lui adresser une lettre de vente et divers documents pour présenter un produit ou un service.*

# 1. ANALYSER UNE LETTRE DE VENTE

### 1. EXPÉDITEUR ET DESTINATAIRE

**a.** Qui est l'auteur de cette lettre ?
**b.** À qui est-elle destinée ?

### 2. SUJET ET OBJET

**a.** Quel est le sujet de cette lettre ?
**b.** Quel est son but ?

### 3. SIGNIFICATION

**a.** Un *achat ultérieur* veut dire :
- ☐ un achat qui aura lieu plus tard.
- ☐ un achat d'un montant très élevé.
- ☐ un achat avec livraison immédiate.

**b.** "P.S." veut dire :
- ☐ Parti socialiste.
- ☐ Post-scriptum.
- ☐ Pour suivre.

### 4. VRAI OU FAUX?

**L'entreprise Nicole Bernard**

**a.** – se trouve dans le Sud-est de la France.
**b.** – est située dans une région pluvieuse.
**c.** – est installée dans une ville.
**d.** – est une entreprise de grande dimension.
**e.** – vend ses produits par correspondance.
**f.** – dispose d'un catalogue pour présenter ses produits.
**g.** – vend des appareils sanitaires.
**h.** – offre un cadeau aux clients qui passent une commande dès la première semaine.
**i.** – désire obtenir la confiance de ses clients.

## Nicole Bernard

*Produits naturels – Produits de santé*

Chère Madame,

Bonjour, Je m'appelle Nicole Bernard.
Ici, en Provence, au milieu de cette merveilleuse nature ensoleillée, j'anime une petite entreprise artisanale de produits naturels et de santé, toute dévouée à la **qualité** et au **bon travail d'autrefois**.

Je pense que vous aussi, comme moi, vous êtes sensible à la qualité des produits et au caractère authentique et artisanal de leur fabrication. C'est pourquoi j'ai préparé pour vous un **Essai-Vérité** qui vous permettra de juger mes produits en toute **objectivité**.

**Essai-Vérité,** parce que j'ai réuni mes **10 meilleures spécialités** à des conditions vraiment exceptionnelles, **99 F** seulement.

**Essai-Vérité,** parce que ces 10 spécialités, très différentes les unes des autres, vous permettront de juger de la qualité véritable de mes produits (vous en découvrirez plus de 300 dans ma petite brochure «La Nature chez vous»).

**Essai-Vérité,** parce que vous ne prenez vraiment aucun risque. En effet, si l'un quelconque de mes produits ne vous donnait pas entièrement satisfaction, je vous le rembourserais immédiatement, sans discussion. Je veux absolument mériter votre confiance.

Voilà, vous en conviendrez, cette offre qui est bien sûr sans aucune obligation d'achat ultérieur, mérite vraiment votre attention.

Répondez-moi dès aujourd'hui, **je garantis** de vous donner toute satisfaction.

Naturellement vôtre *Nicole Bernard*

***P.S. Répondez-moi dès cette semaine grâce à l'enveloppe retour ci-jointe, et je glisserai dans votre bourriche une planche à découper et son couteau. Gratuit !***

### 5. MÊME SENS

**Retrouvez dans cette lettre les mots ou membres de phrases qui ont le même sens que ceux donnés ci-dessous.**

**a.** qui vous donnera l'occasion d'examiner mes produits.
**b.** je dirige une petite affaire
**c.** vous n'aurez vraiment aucune surprise
**d.** vous l'admettrez
**e.** mon nom est
**f.** je vous rendrai sans attendre la somme payée
**g.** à des prix particulièrement avantageux

### 6. SENS CONTRAIRE

**Donnez le contraire des mots en gras.**

**a. Ici** en Provence : ....................
**b.** Une **petite** entreprise **artisanale** ....................
**c.** En toute **objectivité** : ....................

### 7. ARGUMENTATION

**Quels sont les arguments développés dans cette lettre pour pousser le destinataire à acheter les produits "Nicole Bernard". Citez-en au moins cinq.**

6
UNITÉ

## 2. UTILISER LES TECHNIQUES DE VENTE

*Une lettre de vente doit être efficace : chez le lecteur, elle doit attirer l'attention, éveiller l'intérêt, susciter le désir et enfin provoquer l'achat.*

**Dans une lettre de vente,** le message doit être assez puissant pour que le lecteur :
- ouvre l'enveloppe,
- accepte de lire la lettre,
- la lise jusqu'au bout,
- la comprenne,
- soit intéressé par l'offre,
- y réponde immédiatement et positivement.

**1.** *Voici, présentés dans la colonne de gauche du tableau suivant, 13 conseils donnés par un spécialiste du publipostage pour réussir une lettre de vente et, dans la colonne de droite, des extraits de lettres illustrant ces conseils.*

**Dites à quel conseil se rapporte chacun de ces extraits.**

| CONSEILS | EXTRAITS DE LETTRES |
|---|---|
| **1. Valorisez le destinataire.** Parlez-lui de lui, pas de vous. Il se sentira concerné. | **a.** Un publipostage, c'est comme si vous aviez des centaines de représentants qui parcouraient tout le pays en même temps. |
| **2. Vendez de l'exclusivité.** Le "seul", le "meilleur", le "premier" sont des mots vendeurs. | **b.** Actuellement, 2 327 personnes nous ont déjà fait confiance. |
| **3. Rassurez le lecteur** en lui donnant des garanties. | **c.** Ainsi, Madame Haugomat a perdu dix kilos en deux semaines. |
| **4. Soyez positif.** Certains mots incitent à la confiance et provoquent l'action. | **d.** "C'est la revue ou le livre que j'ai toujours cherché en fouinant dans les librairies. Si j'avais pu trouver votre lettre «Communicateurs efficaces» il y a 20 ans j'aurais fait un malheur autour de moi !" J.C.P. 59138 Pont-sur-Sambre |
| **5. Parlez-lui avec des images.** Les idées deviennent plus concrètes. | **e.** La seule méthode qui vous permette de tripler votre chiffre d'affaires en peu de temps. |
| **6. Apportez des témoignages :** ils confirment ce que vous avancez et rendent l'histoire vraie. | **f.** Je vous conseille de ne pas attendre et de vous inscrire aujourd'hui même. Plus tard, il risque d'être trop tard et vous le regretterez. |
| **7. Proposez des solutions.** Le client n'achète pas un produit mais une solution à ses problèmes. | **g.** Grâce à cette méthode, vous pouvez, tranquillement chez vous, développer votre confiance en vous et découvrir comment parler facilement en public. |
| **8. Donnez des exemples, apportez des preuves** pour renforcer une affirmation. | **h.** Ce guide vous permettra une grande économie de temps et d'énergie et vous pourrez rentabiliser votre investissement en moins d'un mois. |
| **9. Répondez par avance à ses objections.** Vous éliminez ainsi ses craintes. | **i.** "J'ai le plaisir de m'adresser à vous aujourd'hui car en tant que professeur d'économie, vous jouez un rôle essentiel dans l'initiation des étudiants à la presse économique." |
| **10. Faites parler les chiffres :** grâce à leur précision technique, ils constituent des faits indiscutables. | **j.** Pour bénéficier de cette opportunité exceptionnellement avantageuse un seul geste suffit : retourner, signée, votre invitation personnelle |
| **11. Faites du prix un avantage.** Les avantages apportés compensent largement la dépense. | **k.** "Si vous faites partie des 2 000 premières personnes à nous répondre, nous aurons le plaisir de vous faire parvenir une magnifique chaînette plaquée or." |
| **12. N'oubliez pas de proposer un cadeau** qui fera oublier le prix à payer. | **l.** Peut-être craignez-vous que cette méthode ne soit difficile à lire. Si vous êtes comme les premiers lecteurs, vous la découvrirez comme un roman. Car chaque mot vous concernera. Chaque idée vous enthousiasmera. |
| **13. Insistez sur l'urgence de la réponse.** En marketing direct "plus tard" veut dire "jamais". | **m.** Si vous n'êtes pas satisfait, renvoyez-le à nos frais, sans la moindre explication. Nous respecterons TOTALEMENT votre décision. |

**2. D'après vous, quel est le type de produit ou de service qui est offert dans les lettres a, c, d, g, h, l ?**

**3. Le conseil n° 4 précise que certains mots incitent à la confiance et provoquent l'action.**
**D'après vous, quels sont ces mots ?**

# 1. FAIRE UNE PROPOSITION

OÙ POURRAIS-JE BIEN TROUVER UN BON PETIT VIN PAS TROP CHER ?
LE PENSEUR
FRAPAR.

*Monsieur Daniel Videlier, gérant dans la banlieue parisienne de trois supérettes à l'enseigne "L'Épicerie Parisienne", a l'intention d'élargir son assortiment en vins. Il désire en particulier présenter à sa clientèle, composée d'employés et de cadres, un bordeaux rouge d'appellation d'origine contrôlée (AOC).*

*À cet effet, il lance un appel d'offre, sous forme de lettre, auprès des principaux négociants en vins de Bordeaux.*

## 1. COMPLÉTER

**Complétez la lettre ci-contre à l'aide des mentions suivantes :** veuillez, agréer, Messieurs, mes, bordeaux AOC, sur, proposition, en vue, échantillons, parvenir, conditions.

## 2. DONNER LA SIGNIFICATION

**Dites quelle partie de la lettre ci-dessous présente :**

- une demande,
- des salutations,
- les motifs de la demande,
- une condition.

## 3. RÉCRIRE

**Reformulez la lettre de Monsieur Videlier en faisant 4 paragraphes commençant par les phrases suivantes :**

- Messieurs,
- J'ai l'intention de...,
- Je vous saurais donc gré...,
- Je ne pourrai toutefois...,
- Veuillez recevoir...

## 4. RESTEZ POLI !

**Classez les phrases suivantes en commençant par la plus polie :**

☐ ☐ ☐ ☐ ☐ ☐ ☐

**a.** Envoyez-moi...

**b.** Je vous prie de...

**c.** Je vous serais obligé de...

**d.** Dites-moi si vous pouvez...

**e.** Vous nous obligeriez en...

**f.** Je vous serais reconnaissant de...

**g.** Merci de m'envoyer...

**L'ÉPICERIE PARISIENNE**
*D. VIDELIER & Cie*
**25, rue Clerc - 92129 Saint-Cloud**

RCS Paris B 206 835 495
Tél. : 49.33.57.75

CCP Paris 269857

Saint-Cloud,
le 2 novembre 199.

Objet : Appel d'offre ..1..

...(2)...

...(3)... d'une éventuelle fourniture de 5 000 bouteilles de VIN BORDEAUX ROUGE à répartir ...(4)... une année, ...(5)... m'adresser des ...(6)... de vos meilleurs vins AOC et m'indiquer vos ...(7)... de prix et de livraison.

Votre ...(8)... devra me ...(9)... avant le 25 novembre pour être prise en considération.

Je vous prie d'...(10)..., ...(2)..., l'expression de ...(11)... sentiments les meilleurs.

*D. Videlier*

# 2. S'INFORMER PAR ÉCRIT

6
UNITÉ

## 1. ASSEMBLER DES MOTS

**Écrivez une lettre d'appel d'offre en utilisant les mots ou les groupes de mots suivants :**

- 10 septembre dernier - visiter votre stand - foire de Bordeaux.
- particulièrement intéressés - vos liqueurs de fruits rouges - vous serions obligés - faire connaître prix et conditions - plus avantageux.
- si offre intéressante - commande importante.
- reconnaissants - adresser - renseignements - meilleurs délais.
- remercier.
- recevoir - salutations distinguées.

.................................................................................

.................................................................................

.................................................................................

.................................................................................

.................................................................................

.................................................................................

## 2. FORMER DES PARAGRAPHES

*Monsieur Videlier est intéressé par une annonce publicitaire publiée dans le "Journal de l'Ordinateur" du 3 septembre. Cette annonce propose aux petites et moyennes entreprises (PME) des outils informatiques de gestion. Il décide d'écrire pour obtenir plus d'informations.*

**Rédigez la lettre de Monsieur Videlier à l'aide du plan suivant :**

- Mentionner la source d'informations
- Donner des renseignements sur l'entreprise de Monsieur Videlier et expliquer que l'informatique améliorerait la gestion.
- Demander le catalogue, les prix et les conditions de vente.
- Solliciter une réponse rapide.
- Remercier et saluer.

.................................................................................

.................................................................................

.................................................................................

.................................................................................

.................................................................................

## 3. RÉPONDRE À UNE ANNONCE

*Vous souhaitez poursuivre votre formation professionnelle en France et vous lisez dans le "Journal de l'Entreprise" du 27 mars l'annonce ci-contre.*

**Écrivez pour obtenir davantage d'informations, en donnant toutes les précisions utiles (niveau d'études, langues pratiquées, motivations...).**

**• FORMATION**

La Chambre de Commerce et d'Industrie de Paris (CCIP) crée un nouvel enseignement :

– **Assistant(e) Bureautique export,** en deux ans après le baccalauréat ou son équivalent.

Cet enseignement prépare des opérateurs trilingues en commerce international, de toutes nationalités, capables d'appliquer les nouvelles techniques de communication administratives et les logiciels export dans les transactions internationales.

**Renseignements**: Centre de Formation CCIP, 89, avenue Trudaine, 75009 PARIS.

# SECTION 3 : SÉLECTIONNER UN FOURNISSEUR

*En réponse à son appel d'offre du 2 novembre (page 68), l'Épicerie Parisienne a reçu les lettres A, B, C ci-dessous.*

## Lettre A (société HAUT-BRANE)

Bordeaux, le 4 novembre 19..

Messieurs,

Nous vous remercions de votre appel d'offre du 2 novembre.

Nous avons le plaisir de vous adresser ci-joint notre liste de prix, franco de port et d'emballage, et de vous envoyer, sous pli séparé, des échantillons de nos meilleurs vins de Bordeaux AOC.

Nous attirons votre attention sur la qualité du CHATEAU MARGAUX 1991, vendu au prix très avantageux de 21,30 F la bouteille.

Après étude de vos besoins, nous vous proposons les conditions suivantes :

- remise de 10 % pour toute commande supérieure à 5 000 F;
- règlement à 30 jours fin de mois de facturation;
- livraison immédiate dès réception de la commande.

Nous espérons que ces conditions vous permettront de nous transmettre votre ordre et nous pouvons vous assurer de nos efforts pour vous donner toute satisfaction.

Veuillez recevoir, Messieurs, nos salutations empressées.

## Lettre B (établissements VINDOR)

Messieurs,

En réponse à votre demande du 2 novembre, nous nous empressons de vous faire connaître nos meilleures conditions de vente pour notre vin de Château SICOGNAC, né 1993, dont vous trouverez dans un envoi séparé un échantillon.

Notre vin est vendu par lot de 10 bouteilles au prix H.T. de 200 F le lot.

Ce prix ne comprend pas le port, compté en sus.

Nos factures sont payables au comptant, dès réception de la marchandise. Le délai de livraison de 3 semaines commence à courir dès l'envoi de l'accusé de réception de la commande.

Nous espérons que nos conditions ainsi que la qualité de notre vin vous inciteront à nous confier votre ordre.

Nous vous prions de croire, Messieurs, à nos salutations dévouées.

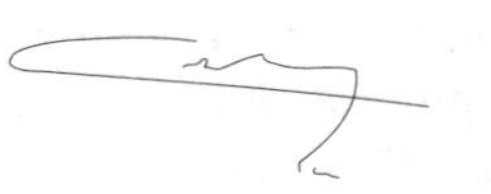

CHEZ NOUS, IL N'YA QU'UN CLIENT SUR MILLE QUI EST MÉCONTENT
...MAIS IL EST GÉNÉRALEMENT TRÈS MÉCONTENT

## Lettre C (société CHEVIGNAC)

Messieurs,

Nous nous référons à votre demande du 2 novembre dont nous vous remercions.

Notre catalogue ci-joint vous indiquera le prix et les caractéristiques de tous les vins de notre production.

Grâce à l'échantillon que nous vous faisons parvenir séparément, vous apprécierez en particulier notre Château JANCOURT, millésime 1992, un vin élégant, vieillissant bien, au prix promotionnel de 25,80 F l'unité.

Pour l'ensemble de nos vins, nos conditions de vente sont les suivantes :

<u>Transport :</u> par route et à notre charge pour toute commande supérieure à 3 000 Francs.

<u>Livraison :</u> 10 décembre, sous réserve de commande par retour.

<u>Règlement :</u> 30 % à la livraison.
70 % à 60 jours fin de mois de livraison.
Escompte de 3 % si règlement au comptant.

Nous espérons être favorisés de vos ordres auxquels nous apporterons tous nos soins.

Nous vous prions de croire, Messieurs, en l'assurance de nos sentiments dévoués.

6
UNITÉ

# 1. LEQUEL CHOISIR ?

*Afin de comparer les offres présentées dans les lettres A, B, C de la page ci-contre, vous compléterez le tableau ci-dessous que Monsieur Videlier, de l'Épicerie Parisienne, a déjà commencé à remplir. En conclusion, vous indiquerez, en vous justifiant, ce qui vous paraît être la meilleure offre.*

| LETTRES | APPELLATIONS ET MILLÉSIMES | QUALITÉS ET CARACTÉRISTIQUES | PRIX BOUTEILLE | PRIX DU TRANSPORT | DÉLAI DE PAIEMENT | DÉLAI DE LIVRAISON | OBSERVATIONS |
|---|---|---|---|---|---|---|---|
| A | Château MARGAUX 1991 | Vin excellent de grande classe, arôme généreux, bouqueté. Vieillissement infini. | | | | | |
| B | Château SICOGNAC 1993 | Parfum puissant, mais vin un peu jeune. Vieillira difficilement. | | | | | |
| C | Château JANCOURT 1992 | Arôme remarquable. A du corps. | | | | | |
| **CONCLUSION** : | | | | | | | |

## 2. COMMENT L'ÉCRIRE ?

**1. Relevez dans chaque lettre la formulation utilisée pour :**

**a.** annoncer les conditions de vente.

– **lettre A :** *Après étude de vos besoins, nous vous proposons les conditions suivantes.*

– **lettre B :** ..............................................................................................

– **lettre C :** ..............................................................................................

**b.** faire référence à l'appel d'offre.

**c.** informer de l'envoi d'échantillons.

**d.** faire connaître le prix du transport.

**2. À partir des informations suivantes, faites une quatrième offre à l'Épicerie Parisienne en écrivant une lettre D.**

tarif joint - échantillon séparé - transport SNCF dû - marchandise immédiatement disponible - paiement : 20 % à la commande, solde à réception de la facture - vin de grande qualité, subtil et distingué - remise de 5 % pour une commande de plus de 3 000 F - emballage à la charge du fournisseur.

## 3. QUELLE RÉDUCTION ?

pour le 18 mars

*L'Épicerie Parisienne se voit souvent accorder par ses fournisseurs des réductions. Mais celles-ci prennent selon les cas des noms différents : escompte, ristourne, rabais, remise* *(voir page 65)**.*

**Indiquez, pour chacun des cas ci-dessous, le nom de la réduction accordée.**

**1.** L'Épicerie Parisienne informe son fournisseur, la Société HAUT-BRANE, qu'elle accepte de conserver les 10 caisses de côtes-du-Rhône reçues au lieu des 10 caisses de bordeaux commandées à condition d'obtenir une réduction.

**2.** En fin d'année, la Société HAUT-BRANE accorde une réduction à l'Épicerie Parisienne sur l'ensemble de ses achats de l'année.

**3.** L'Épicerie Parisienne règle sa facture dès réception.

**4.** L'Épicerie Parisienne accepterait de commander des lots plus importants si la Société HAUT-BRANE lui accordait une réduction.

# 1. ACHETER ET VENDRE

## 1. CHOISIR LE BON MOYEN

*Pour passer commande à la société Haut-Brane, l'Épicerie parisienne dispose des moyens suivants :* ***téléphone, bon de commande, lettre, télex****. Le bon de commande et la lettre peuvent être transmis* ***par la poste*** *ou* ***par télécopie****. Quel moyen choisir ?*

**Complétez le tableau de comparaison de ces différents moyens. Pour cela, indiquez pour chaque caractéristique si le moyen vous paraît excellent (E), bon (B) ou insuffisant (I).**
Rappelez-vous que la commande est envoyée de la région parisienne à Bordeaux (550 kms).

| Caractéristiques | Téléphone | Bon de commande | | Lettre | | Télex |
|---|---|---|---|---|---|---|
| | | Poste | Télécopie | Courrier | Télécopie | |
| Rapidité de préparation | | | | | | |
| Risques d'erreurs ou d'omissions | | | | | | |
| Rapidité de transmission | | | | | | |
| Coûts | | | | | | |
| Moyen de preuve | | | | | | |

## 2. REMPLIR LE BON DE COMMANDE

*L'Épicerie Parisienne passe commande de 30 colis de 12 bouteilles de Château Margaux à la société Haut-Brane.*

**En vous référant à l'offre de cette dernière lettre A (page 70), remplissez le bon de commande (n° 276) ci-contre.**

## 3. ACCUSER RÉCEPTION pour le 24

*La société Haut-Brane écrit aussitôt une lettre accusant réception de la commande qu'elle vient de recevoir de l'Épicerie parisienne.*

**Rédigez cette lettre en complétant les paragraphes ci-dessous.**

Monsieur,

Nous vous remercions de votre lettre ........ concernant la commande de 30 colis de 12 bouteilles de Château Margaux

Conformément à notre offre du 4 novembre, nous vous accordons une remise

Comme convenu, le règlement est à effectuer à 30 jours fin du mois de facturation

Les articles seront.. livrés ... 48 heures ... de port et d'emballage.

Nous vous assurons que les meilleurs soins seront pris à l'exécution de votre commande.

Veuillez agréer Monsieur, nos salutations dévouées

L'ÉPICERIE PARISIENNE
D. VIDELIER et Cie
25, rue Clerc - 92129 Saint-Cloud

RC Paris B 206 835 49

Tél. 49.33.57.75
CCP Paris 26 9857

Notre demande de prix du

Offre fournisseur du

Date
Saint-Cloud, le

| Conditions de paiement | Délai de livraison | Emballage | Port |
|---|---|---|---|
| | | perdu<br>facturé<br>consigné | payé<br>dû<br>franco |

| Quantité | Désignation | Prix unitaire | Observations |
|---|---|---|---|
| | | | |

Signature :

6
UNITÉ

## 2. ÉCOUTER ET ÉCRIRE

*La société Haut-Brane reçoit le 10 novembre un appel téléphonique d'un client, Monsieur Boulet.*

**1. Écoutez (ou lisez) cette conversation téléphonique et dites si les affirmations ci-dessous sont vraies (V) ou fausses (F).**

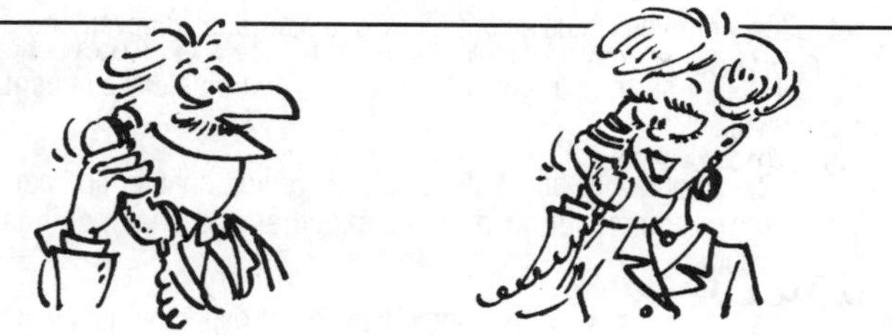

**Bruno BOULET :** Allô !... Je suis Monsieur Boulet, des "Quatre Canards". Pourrais-je parler à Madame Bardot, du service des ventes ?

**Evelyne BARDOT :** C'est elle-même. Que puis-je faire pour vous, Monsieur Boulet ?

**Bruno BOULET :** Je voudrais savoir si vous pourriez me livrer aujourd'hui même 40 bouteilles de votre bordeaux Saint-Émilion 1987 ?

**Evelyne BARDOT :** Celui que nous vous avons livré il y a deux semaines ?

**Bruno BOULET :** Oui, c'est bien cela. Figurez-vous qu'il a eu un succès fou et qu'il ne nous en reste quasiment plus. Des clients nous en ont réclamé pour ce soir, pour un banquet que nous organisons.

**Evelyne BARDOT :** Oui, je vois... restez en ligne... je dois demander au service expédition... *(Quelques instants plus tard)*... Bien, nous pourrions vous livrer aujourd'hui, mais pas avant 20 heures. Est-ce que ça irait ?

**Bruno BOULET :** Oui, oui, c'est très bien.

**Evelyne BARDOT :** Alors, nous disons donc : 40 bouteilles de Saint-Émilion 1987... Pouvez-vous me rappeler la référence exacte ?

**Bruno BOULET :** Référence BSE 87900. La bouteille est au prix de 35,70 F.

**Evelyne BARDOT :** BSE 87 900 - 35,70 F. C'est noté. Je suppose que c'est aux conditions habituelles de paiement ?

**Bruno BOULET :** Absolument. Nous vous payons tous les trois mois par chèque.

**Evelyne BARDOT :** Eh bien, c'est entendu, Monsieur Boulet. Vous pouvez compter sur nous.

**Bruno BOULET :** Je vous confirme tout de suite cette commande par écrit. Merci et au revoir, Madame.

**Evelyne BARDOT :** Au revoir.

**a.** Les Quatre Canards sont une épicerie. ☐

**b.** Monsieur Boulet parle d'abord à la standardiste. ☐

**c.** Monsieur Boulet veut passer une commande urgente. ☐

**d.** Cette commande porte sur une marchandise nouvelle pour Les Quatre Canards. ☐

**e.** Les Quatre Canards paient tous les trimestres. ☐

**f.** Pour savoir si la livraison est possible, Madame Bardot appelle le directeur de la société Haut-Brane. ☐

**g.** Finalement, la livraison est impossible pour aujourd'hui. ☐

**h.** Un courrier de Monsieur Boulet va suivre la communication téléphonique. ☐

**2. Écrivez, à la place de Monsieur Boulet, une lettre de confirmation de sa commande envoyée aussitôt par télécopie.**

## 3. COUPER EN TROIS

*Le texte ci-dessous est un mélange de 3 lettres (A, B, C).*

**Retrouvez ces trois lettres, en identifiant les phrases appartenant à chacune d'elles.**

**A-** Une lettre pour passer commande : 2, 4, 9, 13, 5

**B-** Une lettre pour décliner une offre : 1, 7, 11

**C- À vous de trouver :** ~~4~~, 8, 12, 3, 6, 10
un avertissement du danger de l'incendie

Monsieur,

**1.** Nous accusons réception de votre offre et vous en remercions.

**2.** Suite à votre offre du 25 novembre, nous avons le plaisir de vous passer la commande suivante :

**3.** Peut-être n'avez-vous pas encore pensé à la protection incendie de vos locaux.

**4.** 30 colis de 12 bouteilles de CHÂTEAU MARGAUX, réf. BM 87.

**5.** Les conditions de livraison et de paiement sont celles indiquées dans votre catalogue.

**6.** Aussi nous permettons-nous d'attirer votre attention sur ce problème en vous remettant une documentation sur les extincteurs de première intervention.

**7.** Elle ne correspond malheureusement pas à ce que nous cherchons ,car vos prix sont nettement supérieurs à ceux de la concurrence.

**8.** Nous vous offrons en outre la possibilité d'étudier gratuitement et sans engagement de votre part la protection de vos locaux.

**9.** Nous comptons sur un envoi aussi rapide que possible.

**10.** Pour cela, il suffit de nous retourner le bon ci-dessous, afin que nous prenions contact avec vous.

**11.** Nous regrettons de ne pouvoir donner une suite favorable à votre proposition et vous prions d'agréer, Monsieur, nos meilleures salutations.

**12.** Nous vous prions de croire, Monsieur, en l'assurance de nos sentiments dévoués.

**13.** Dans cette attente, veuillez agréer, Monsieur, l'expression de nos sentiments distingués.

# 1. QUE DEMANDEZ-VOUS ?

*Dans les lettres A, B, C ci-contre, l'Épicerie parisienne modifie ou annule des commandes qu'elle a préalablement passées.*

## 1. COMPLÉTER

**Complétez ces trois lettres avec les mots ou groupes de mots suivants :** or, avec, en référence à, en effet, au lieu de, donc, en confirmation de, en conséquence**.**

*(Certains mots doivent être utilisés plusieurs fois.)*

## 2. DISTINGUER

**a. Indiquez dans quel but a été écrite chacune de ces lettres.**

Lettre ☐ pour modifier la commande.

Lettre ☐ pour annuler partiellement la commande.

Lettre ☐ pour annuler totalement la commande.

**b. Indiquez à laquelle des lettres A, B ou C correspond chacune des affirmations suivantes.**

| | |
|---|---|
| **1.** *Le client veut une quantité moindre* | A |
| **2.** Le client veut un produit différent. | ☐ |
| **3.** Le client ne peut pas payer le prix. | ☐ |
| **4.** Le client ne peut pas écouler la marchandise. | ☐ |
| **5.** C'est la deuxième fois que le client informe le fournisseur de la modification. | ☐ |
| **6.** Le client a déjà reçu une partie de la marchandise commandée. | ☐ |
| **7.** Le client écrit à une personne déterminée. | ☐ |
| **8.** Le client a lui-même perdu un client. | ☐ |
| **9.** Le client n'indique pas le motif de sa demande. | ☐ |

## 3. TRANSFORMER

**Transformez les lettres A, B et C en télex.**

*Exemple : lettre A*

BONJOUR.

POUVEZ-VOUS MODIFIER NOTRE ORDRE DU 3 NOVEMBRE ET EXPEDIER 100 SHAMPOOINGS AU LIEU DES 300 RESTANT A LIVRER ? VENTE DE CES ARTICLES TROP DIFFICILE.

MERCI DE VOTRE COMPREHENSION. SALUTATIONS.

### LETTRE A

Messieurs,

Nous vous avons commandé le 3 novembre 600 shampooings, réf. 3204, dont vous nous avez déjà livré la moitié le 13 novembre.

…**(1)**… il se trouve que cet article se vend plus difficilement que prévu.

…**(2)**… nous vous demandons de bien vouloir annuler une partie de notre commande et de nous expédier 100 shampooings …**(3)**…300.

Nous comptons sur votre compréhension et espérons qu'il vous sera possible d'accéder à notre demande.

Nous vous prions de recevoir, Messieurs, nos salutations les meilleures.

### LETTRE B

Monsieur,

…**(4)**… ma commande du 27 courant et …**(5)**… notre entretien téléphonique de ce jour, je vous prie de bien vouloir m'expédier :

– 8 colis de 12 Château MARGAUX, réf. BM 87, et 15 colis de 12 Château CLIMENS, réf. BC 92

…**(6)**…

– 30 colis de Château MARGAUX

Les conditions de livraison et de règlement restent bien entendu inchangées.

Je vous renouvelle mes excuses.

…**(7)**… mes remerciements, je vous prie de recevoir, Monsieur, mes salutations les meilleures.

### LETTRE C

Messieurs,

Je vous ai adressé le 5 octobre 199. une commande de 25 colis de 12 Château Gonzac 1982 avec paiement au comptant à la réception des marchandises.

…**(8)**…, il ne me sera pas possible de payer votre marchandise comme convenu. Je connais …**(9)**… actuellement des difficultés de trésorerie à la suite de la défection d'un client important.

Je me trouve …**(10)**… dans l'obligation de vous demander d'annuler ma commande dans sa totalité.

J'espère que vous pourrez répondre favorablement à ma demande et vous en remercie d'avance.

Veuillez agréer, Messieurs, l'expression de mes sentiments distingués.

6
UNITÉ

### 4. ORDONNER

*Voici, dans le désordre, les intentions exprimées dans les lettres A, B, C de la page ci-contre.*

**Remettez-les dans l'ordre.**

*Exemple : Lettre A*

| | |
|---|---|
| ***a.*** *Rappeler l'exécution partielle de la commande…* | *2* |
| ***b.*** *Demander l'annulation partielle de la commande…* | *4* |
| ***c.*** *Rappeler la commande…* | *1* |
| ***d.*** *Exprimer un espoir…* | *5* |
| ***e.*** *Motiver la demande d'annulation…* | *3* |

| Lettre B | |
|---|---|
| **a.** Confirmer les conditions de vente | |
| **b.** Remercier | |
| **c.** Rappeler la date de la commande | |
| **d.** Demander la modification de la commande | |
| **e.** Rappeler l'appel téléphonique. | |
| **f.** S'excuser | |

| Lettre C | |
|---|---|
| **a.** Motiver la demande d'annulation | |
| **b.** Exprimer un espoir | |
| **c.** Rappeler la date de la commande | |
| **d.** Demander l'annulation de la commande | |
| **e.** Rappeler les conditions de paiement de la commande | |
| **f.** Remercier | |

### 5. APPLIQUER

*Monsieur Romain, propriétaire du magasin Mucicor, a commandé le 10 mars à la société Flips, qui fabrique du matériel électronique, 80 lecteurs de disques laser.*

*Le 19 mars, la société Atisha, un autre fabricant de matériel électronique, annonce qu'elle va lancer sur le marché un produit similaire, mais coûtant 40 % moins cher.*

*Monsieur Romain craint alors de ne plus pouvoir écouler les 80 lecteurs qu'il a commandés.*

*Que faire ? Peut-il annuler purement et simplement sa commande ? Demander une réduction du prix déjà convenu ? Demander une réduction de la quantité commandée ?*

*Monsieur Romain décide d'écrire une lettre à la société Flips.*

**Choisissez une solution au mieux des intérêts de Monsieur Romain et écrivez une lettre à la Société Flips en faisant sept paragraphes, selon le modèle suivant.**

- Je vous ai passé commande…
- Or, …
- En effet …
- En conséquence, …
- Dans le cas contraire…
- Je reste dans l'attente…
- Veuillez agréer…

## 2. QUE RÉPONDRE ?

### 1. MOTIVER

*Le fournisseur qui reçoit une demande de modification ou d'annulation de commande peut soit accepter soit refuser la demande. Dans les deux cas, il doit motiver sa réponse.*

**Dites si les motifs invoqués ci-dessous annoncent une acceptation (A) ou un refus (R).**

1. *Ces articles ont déjà été remis au transporteur...*
2. Ces articles ayant été fabriqués spécialement sur vos indications...
3. Étant donné la régularité de nos relations...
4. La marchandise est déjà sortie de nos stocks et est en cours d'expédition...
5. Votre commande a exigé un approvisionnement important de matières premières que nous ne pouvons pas stocker...
6. Les articles dont vous demandez le remplacement étant faciles à écouler...
7. En vue de la fabrication de vos articles, nous avons constitué un stock important de pièces détachées...
8. Compte tenu du caractère exceptionnel de votre demande...

### 2. TRANSFORMER

*En réponse à la lettre A de la page ci-contre, l'Épicerie Parisienne reçoit le télex suivant :*

IMPOSSIBLE ACCEPTER VOTRE DEMANDE DU 5 DECEMBRE. AVONS DEJA PASSE COMMANDE FERME A NOTRE FOURNISSEUR. ESPERONS VOUS ETRE UTILE EN UNE AUTRE OCCASION. SALUTATIONS.

**Transformez ce télex en lettre en faisant cinq paragraphes selon le modèle suivant :**

- Nous avons bien reçu… par laquelle…
- Malheureusement, …
- En effet …
- Conclusion
- Formule de politesse

UNITÉ

# CONTRÔLE DES CONNAISSANCES

## 1. TROUVER L'ABRÉVIATION

**En vous aidant du tableau ci-dessous, recopiez la lettre ci-contre en remplaçant les mots soulignés par des abréviations ou des sigles.**

**Société LAMIDOU**
32, boulevard Saint-Jacques, 38059 GRENOBLE - Courrier d'entreprise à distribution exceptionnelle

Compte bancaire Grenoble 688 305
Téléphone 38.85.70.70
Télex 889009 LAM

Vos références : TL/PK
Nos références : HS/FB321

Établissements LAMY et Compagnie
Boîte postale 75
5, square Villemin
38000 GRENOBLE

Pièces jointes : 0

Grenoble, le 13 mars 199.

Messieurs,

Nous avons bien reçu le 10 courant votre documentation concernant votre premier micro-ordinateur professionnel portable.

Nous souhaiterions en faire l'essai dans nos bureaux techniques situés dans le bâtiment B (deuxième étage), au 12, faubourg Sainte-Anne à Grenoble, au jour et à l'heure qui vous conviendraient.

Veuillez agréer, Messieurs, l'expression de nos sentiments distingués.

Le Président-Directeur Général
Henri SANSON

Société anonyme au capital de 250 000 francs
Registre du commerce et des sociétés Grenoble 47 B 4262

## 2. PASSER COMMANDE

**Mettez dans l'ordre les opérations énumérées et dites, pour chacune d'elles, si c'est le client ou le fournisseur qui la réalise.**

- **a.** Établissement d'un devis ............ ☐
- **b.** Commande ............ ☐
- **c.** Recherche d'informations ............ ☐
- **d.** Comparaison des offres reçues ............ ☐
- **e.** Réalisation d'un fichier fournisseurs ............ ☐
- **f.** Accusé de réception de la commande ............ ☐
- **g.** Appel d'offre le plus large possible ............ ☐
- **h.** Sélection du fournisseur ............ ☐

# COMMENT ABRÉGER

### Les sigles

| | |
|---|---|
| Boîte postale | BP |
| Compte bancaire | CB |
| Compte courant postal | CCP |
| Courrier d'entreprise à distribution exceptionnelle | CEDEX |
| Curriculum vitae | CV |
| Président-directeur général | P-DG |
| Pièces jointes | PJ |
| Registre du commerce et des sociétés | RCS |
| Société anonyme | SA |
| Société à responsabilité limitée | SARL |
| Société nationale des chemins de fer français | SNCF |
| S'il vous plaît | SVP |

### Autres abréviations

| | |
|---|---|
| Annexe | ann. |
| Courant | ct |
| Environ | env. |
| Exemple | ex. |
| Notre | N/ |
| Par procuration | p/p |
| Référence | réf. |
| Votre | V/ |

### Noms propres

| | |
|---|---|
| Saint | St- |
| Sainte | Ste- |

### Nombres

| | |
|---|---|
| Premier | $1^{er}$ |
| Première | $1^{re}$ |
| Deuxième | $2^{e}$ |

### Dénominations

| | |
|---|---|
| Compagnie | Cie |
| Établissements | Ets |
| Société | Sté |

### Instruments de communication

| | |
|---|---|
| Téléphone | Tél. |
| Télex | Tlx |

### Titres de civilité

| | |
|---|---|
| Monsieur | M. |
| Messieurs | MM. |
| Madame | Mme |
| Mesdames | Mmes |
| Mademoiselle | Mlle |
| Mesdemoiselles | Mlles |
| Docteur | Dr |
| Professeur | Pr |

### Lieux

| | |
|---|---|
| Allée | All. |
| Avenue | Av. |
| Bâtiment | Bât. |
| Boulevard | Bd |
| Faubourg | Fg |
| Place | Pl. |
| Square | Sq. |

**Attention !**
**Il y a différentes manières d'abréger.**

1. En ne donnant que le début d'un mot, **avec un point abréviatif:** *av.* (pour *avenue*), *chap.* (pour *chapitre*), *M.* (pour *Monsieur*). Dans ce cas, il faut essayer de finir l'abréviation sur une consonne.
2. En donnant le début et la fin, **sans point:** *fg* (pour *faubourg*), *Dr* (pour *docteur*).
3. En donnant les initiales d'un groupe de mots **(sigle)**, **avec ou sans points:** *P.J.* *(pour Pièce(s) jointe(s)), PME (pour Petite et moyenne entreprise).*

# LIVRAISON, TRANSPORT ASSURANCE

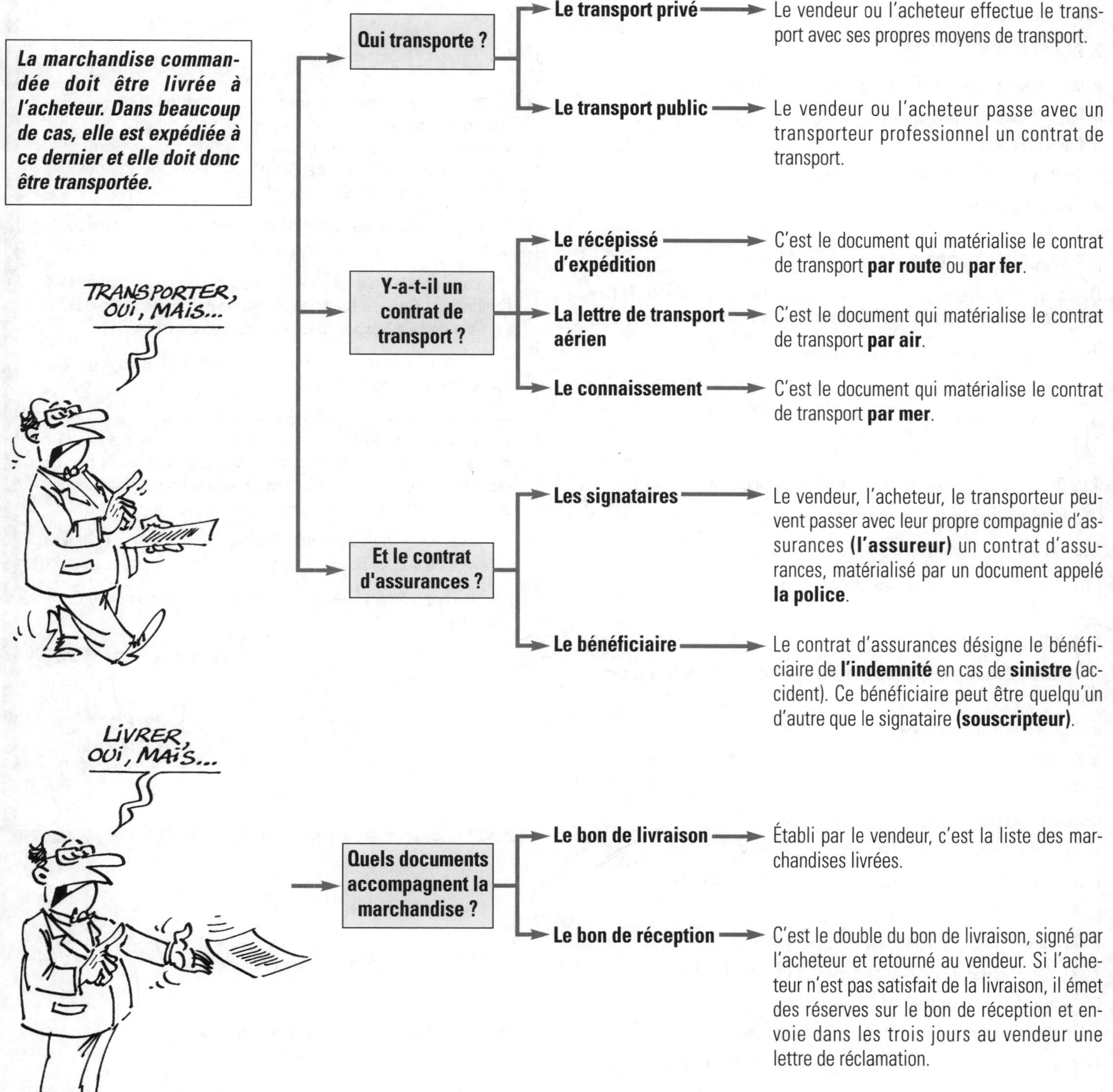
La marchandise commandée doit être livrée à l'acheteur. Dans beaucoup de cas, elle est expédiée à ce dernier et elle doit donc être transportée.
TRANSPORTER, OUI, MAIS...
Qui transporte ?
Le transport privé
Le vendeur ou l'acheteur effectue le transport avec ses propres moyens de transport.
Le transport public
Le vendeur ou l'acheteur passe avec un transporteur professionnel un contrat de transport.
Y-a-t-il un contrat de transport ?
Le récépissé d'expédition
C'est le document qui matérialise le contrat de transport **par route** ou **par fer**.
La lettre de transport aérien
C'est le document qui matérialise le contrat de transport **par air**.
Le connaissement
C'est le document qui matérialise le contrat de transport **par mer**.
Et le contrat d'assurances ?
Les signataires
Le vendeur, l'acheteur, le transporteur peuvent passer avec leur propre compagnie d'assurances **(l'assureur)** un contrat d'assurances, matérialisé par un document appelé **la police**.
Le bénéficiaire
Le contrat d'assurances désigne le bénéficiaire de **l'indemnité** en cas de **sinistre** (accident). Ce bénéficiaire peut être quelqu'un d'autre que le signataire **(souscripteur)**.
LIVRER, OUI, MAIS...
Quels documents accompagnent la marchandise ?
Le bon de livraison
Établi par le vendeur, c'est la liste des marchandises livrées.
Le bon de réception
C'est le double du bon de livraison, signé par l'acheteur et retourné au vendeur. Si l'acheteur n'est pas satisfait de la livraison, il émet des réserves sur le bon de réception et envoie dans les trois jours au vendeur une lettre de réclamation.

# 1. ANNONCER L'EXPÉDITION

**Prenez connaissance de la lettre ci-contre et répondez aux questions.**

**1. QUE DIT LA LETTRE ?**

**Indiquez si l'objectif principal de cette lettre est d'exprimer :**

- ☐ une intention
- ☐ une recommandation
- ☐ une demande
- ☐ un ordre
- ☐ une information
- ☐ une crainte

**2. QUI FAIT QUOI ? QUAND ?**

**a. Qui a commandé les marchandises ? À quelle date ?**

**b. Qui expédie ? À quelle date ?**

**c. Qui transporte ?**

**d. Qui livre ? À quelle date au plus tard ?**

**e. Qui réceptionne ?**

**3. DANS QUEL ORDRE ?**

**Dans quel ordre sont données, dans le corps de la lettre, les informations suivantes ? Numérotez les cases.**

- ☐ Indication du soin apporté à l'emballage.
- ☐ Annonce de la date de livraison des marchandises.
- ☐ Annonce de l'expédition des marchandises.
- ☐ Espoir de nouvelles commandes.
- ☐ Rappel de la prise en charge des frais de transport.
- ☐ Indication des précautions à prendre à la réception des marchandises.
- ☐ Rappel de la commande.
- ☐ Indication des responsabilités pendant le transport.

**4. AVEC QUELS MOTS ?**

**Retrouvez dans la lettre les mots ou groupes de mots qui signifient :**

**a.** Si vous remarquez.

**b.** Contrôler tous les paquets.

**c.** Réclamer un dédommagement.

**d.** Nous avons confié.

**e.** Vous sauvegarderez.

**f.** Nous vous recommandons.

**g.** Vous remarquerez.

**h.** Un article qui est détérioré.

**i.** Les marchandises relatives à votre ordre.

**j.** Le transport est à nos frais.

**k.** Vous êtes responsable des marchandises transportées.

**l.** Un article qui fait défaut.

---

**Société HAUT-BRANE**
35, rue Jourdan
33020 BORDEAUX CEDEX

L'ÉPICERIE PARISIENNE
25, rue Clerc
92120 SAINT-CLOUD

N/Réf. : TR/FH
Objet : V/Commande du 27 novembre

Bordeaux, le 6 décembre 199...

Messieurs,

Nous avons remis ce jour au transporteur Les Routiers Réunis les articles faisant l'objet de votre commande du 27 novembre, soit 8 colis de 12 bouteilles de vin de Bordeaux, Château Margaux référencé BM 87, et 15 colis de 12 bouteilles de Château Climens référencé BC 92.

Ces articles vous seront livrés sous 48 heures, franco de port.

Vous noterez que la plus grande attention a été apportée à l'emballage. Chaque bouteille est isolée par une alvéole de carton, afin de lui éviter tout choc au cours du transport.

Nous vous rappelons que la marchandise voyage aux risques et périls du destinataire.

Nous vous conseillons donc de vérifier tous les colis lors de la livraison. Dans le cas où vous constateriez une avarie ou un manquant, n'hésitez pas à formuler vos réserves sur le bon de réception. Vous préserverez ainsi vos droits pour demander des dommages-intérêts au transporteur.

Nous vous souhaitons bonne réception et espérons recevoir la faveur de vos futures commandes.

Veuillez agréer, Messieurs, l'expression de nos sentiments dévoués.

Service des expéditions

T. Rousseau
Thierry Rousseau

## 2. ÉTABLIR LE BON DE LIVRAISON

*La Société Haut-Brane doit établir le bon de livraison qui accompagne la marchandise commandée par l'Épicerie Parisienne et qu'elle remettra au transporteur les Routiers Réunis.*

**Pouvez-vous le faire à sa place ?** Vous trouverez pour cela toutes les informations dans la lettre de la page 78.

*Société HAUT-BRANE*
*31, rue Jourdan*
*33020 BORDEAUX CEDEX*

*V/commande du*

**BON DE LIVRAISON**

**n°** *420*

*Expédié:*
*le:*
*par:*

*Livré à*

*Nombre de colis*

| *Réf.* | *Désignation* | *Quantité (bouteilles)* |
|---|---|---|
| | | |

***Exemplaire destiné au client***

**BON DE RÉCEPTION**

**n°** *420*

*Livré à*

| | *Quantité (bouteilles)* |
|---|---|
| | |

| Date de réception : .............. Observations :.................... .................................... | **Signature du réceptionnaire** |
|---|---|

***Exemplaire à faire signer par le client et à retourner au fournisseur***

## 3. LIVRER SOI-MÊME

*La société Haut-Brane utilise parfois ses propres camions pour transporter sa marchandise. Avant l'expédition, elle adresse au client la lettre ci-contre.*

**Complétez cette lettre en choisissant parmi les termes ci-dessous celui qui convient.**

**(1)** envoyée, reçue, parvenue, réceptionnée, acceptée

**(2)** l'agrément, le plaisir, la chance, le regret

**(3)** vous, lui, nous, leur

**(4)** pas, à partir, en plus, franco, payé

**(5)** une période, un délai, un retard, un espace, une date

**(6)** règles, dispositions, conventions, normes, conditions

**(7)** passer, exécuter, réaliser, remplir, enregistrer

**(8)** donner, laisser, obtenir, confier, confirmer

**(9)** sincères, loyaux, véritables, dévoués, aimables

**Société HAUT-BRANE**
35, rue Jourdan
33020 BORDEAUX CEDEX

LA MAISON DU VIN
30, rue Danton
35000 RENNES

Bordeaux, le 28 novembre 199.

Messieurs,

Votre commande n° 403 du 25 novembre nous est bien ...(1)... et nous vous en remercions.

Nous avons ...(2)... de vous confirmer que la marchandise ...(3)... sera livrée par l'un de nos camionneurs, ...(4)... de port, dans ...(5)... de 10 jours.

Le règlement se fera aux ...(6)... habituelles.

Nous restons à votre entière disposition pour ...(7)... les commandes que vous voudrez bien nous ...(8)...

Veuillez agréer, Messieurs, l'expression de nos sentiments ...(9)....

Service des expéditions

*T. Rousseau*

Thierry Rousseau

# SECTION 2 : PRÉPARER UNE RÉCLAMATION

*Lorsque la marchandise arrive chez le client, certaines situations peuvent donner lieu à réclamation. Ces situations sont décrites dans le tableau ci-dessous.*

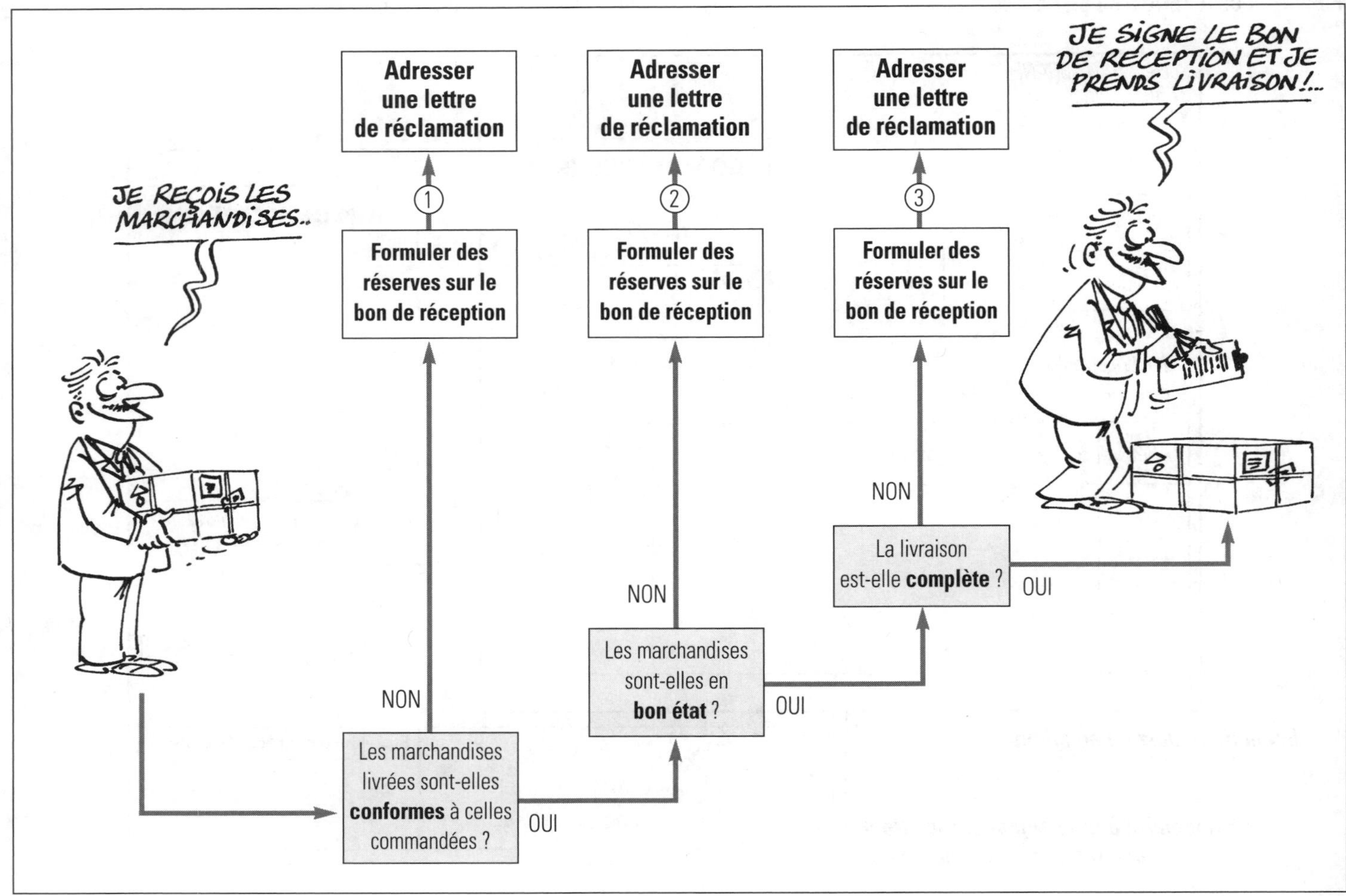
JE REÇOIS LES MARCHANDISES..
Adresser une lettre de réclamation
①
Formuler des réserves sur le bon de réception
NON
Les marchandises livrées sont-elles **conformes** à celles commandées ?
OUI
Adresser une lettre de réclamation
②
Formuler des réserves sur le bon de réception
NON
Les marchandises sont-elles en **bon état** ?
OUI
Adresser une lettre de réclamation
③
Formuler des réserves sur le bon de réception
NON
La livraison est-elle **complète** ?
OUI
JE SIGNE LE BON DE RÉCEPTION ET JE PRENDS LIVRAISON !..

## 1. MARCHANDISE NON CONFORME

*Il vous est livré une marchandise que vous n'avez pas commandée. Or vous êtes commerçant et vous savez qu'il vous sera très difficile d'écouler (vendre) cette marchandise. Que faites-vous ?*

### 1. PRENDRE UNE DÉCISION

**Parmi les solutions suivantes, soulignez celle qui vous paraît la plus acceptable.**

**a.** Je ne signale rien au fournisseur.

**b.** Je renvoie la marchandise au fournisseur en port dû.

**c.** Je tiens la marchandise à la disposition du fournisseur ; je lui signalerai l'erreur à la prochaine occasion.

**d.** J'accepte de conserver la marchandise à condition d'obtenir une réduction du fournisseur.

**e.** Je demande des instructions pour le retour de la marchandise.

### 2. TROUVER UNE JUSTIFICATION

**Expliquez *par écrit* pourquoi vous avez retenu telle solution et pourquoi vous avez éliminé les autres.**

Vous pouvez vous aider du tableau suivant :

<table>
<tr><th colspan="4">COMMENT EXPRIMER LA CAUSE</th></tr>
<tr><td rowspan="2">J'ai retenu cette proposition</td><td>en raison de<br>à cause de<br>du fait de</td><td>ses nombreux avantages.</td><td rowspan="3">X</td></tr>
<tr><td>parce qu'<br>car</td><td rowspan="2">elle présente de nombreux avantages.</td></tr>
<tr><td>J'ai retenu cette proposition.</td><td>En effet,</td></tr>
<tr><td rowspan="2">X</td><td>Étant donné<br>En raison de<br>À cause de<br>Du fait de</td><td>ses nombreux avantages,</td><td rowspan="2">j'ai retenu cette proposition.</td></tr>
<tr><td>Comme<br>Étant donné qu'</td><td>elle présente de nombreux avantages,</td></tr>
</table>

le 31 mars



# 2. MARCHANDISE EN MAUVAIS ÉTAT

## 1. CLASSER LES MOTS

*Des marchandises vous sont livrées en mauvais état. Comment le dites-vous au fournisseur ?*

**Selon la marchandise ou la matière à laquelle les mots suivants se rapportent, reportez-les dans le tableau ci-dessous, (à l'aide d'un dictionnaire, en cas de besoin).**

Certains peuvent se rapporter à plus d'une marchandise ou matière.

| | | | |
|---|---|---|---|
| bruyant | pourri | cassé | déréglé |
| déchiré | décoloré | cabossé | avarié |
| rayé | brisé | dangereux | rouillé |
| froissé | immangeable | en panne | taché |

| Appareillage | Verre | Métal | Tissu | Aliment |
|---|---|---|---|---|
| bruyant<br>cassé<br>dangereux<br>en panne<br>déréglé | rayé<br>brisé<br>cassé | rayé<br>cabossé<br>rouillé | déchiré<br>froissé<br>décoloré<br>taché | pourri<br>immangeable<br>avarié - dépassés la date de consommation |

## 2. TROUVER LE MOT JUSTE

**Complétez les phrases suivantes en choisissant, parmi les mots que vous avez classés dans le tableau ci-dessus, celui qui est le plus approprié. N'écrivez qu'un seul mot, même si plusieurs sont parfois possibles.**

**a.** En raison d'un mauvais emballage et d'une manipulation brutale pendant le transport, les casseroles sont arrivées ...(1)... cabossés, les ampoules ...(2)... brisés, les horloges ...(3) déréglés

**b.** Un liquide rougeâtre s'étant répandu à l'intérieur des cartons, de nombreuses chemises étaient ...(4)... tachées

**c.** Pour être restées trop longtemps dans l'humidité, les serrures étaient ...(5)... rouillées

**d.** Nous avons été surpris de constater que les robes, qui n'avaient même pas été pliées, étaient toutes ...(6)... froissés

**e.** Les fruits n'ont pas résisté à la durée du transport et sont arrivés ...(7) pourri avarié

**f.** Nous avons découvert que le dispositif de sécurité était ...(8)... en panne / déréglé, que la machine était donc extrêmement ...(9)... dangereuse

**g.** Les vitres ayant été en contact avec du sable sont arrivées ...(10)... rayés

# 3. MARCHANDISE MANQUANTE

*La livraison a été effectuée. Mais il manque des marchandises. Comment le dire à votre fournisseur ?*

**Dans le tableau ci-dessous, faites correspondre les deux colonnes en inscrivant les numéros appropriés dans les cases.**

À titre d'exemple, la première phrase a déjà été reconstituée.

| A | | B |
|---|---|---|
| **a.** *Nous sommes à court* | 3 | **1.** insuffisante |
| **b.** Les bouteilles sont arrivées | 7 | **2.** manquent |
| **c.** Il nous manque | 6 | **3.** *de vin* |
| **d.** Les colis ont été | 8 | **4.** incomplète |
| **e.** La quantité reçue est | 1 | **5.** fait défaut |
| **f.** La collection d'échantillons est | 4 | **6.** deux caisses |
| **g.** Ces produits lui | 2 | **7.** vides |
| **h.** Cet article nous | 5 | **8.** perdus |

JE DIS D'ABORD QUE J'AI BIEN REÇU LA MARCHANDISE !

1- Accuser réception

MAINTENANT, JE LEUR EXPLIQUE CE QUI NE VA PAS !

2- Expliquer le problème

J'AI BIEN UNE SOLUTION À SUGGÉRER...

3- Proposer une solution

J'ESPÈRE QUE MA RÉCLAMATION SERA ACCEPTÉE...

4- Conclure

... DANS TOUS LES CAS, JE RESTE POLI !

5- Donner une formule de politesse

# 1. ÉCRIRE UNE LETTRE DE RÉCLAMATION

*Une réclamation doit toujours être faite ou du moins confirmée par écrit.*

**1. RECONSTITUER**

*Le texte ci-dessous contient deux lettres de réclamation dont les paragraphes ont été mélangés.*

**Reconstituez ces deux lettres, en sachant que deux de ces paragraphes sont communs aux deux lettres et doivent donc être utilisés deux fois.**

| | | | | | | |
|---|---|---|---|---|---|---|
| **1.** Marchandise manquante | | | | | | |
| **2.** Marchandise non conforme | | | | | | |

**a.** Dans le désir de vous être agréable et de vous dispenser des frais de retour, nous acceptons de conserver les articles, à condition que vous nous accordiez un rabais de 10 %.

**b.** Nous espérons que, dans notre intérêt commun, vous reconnaîtrez le bien-fondé de notre réclamation.

**c.** Toutefois, lors du déballage, nous avons constaté avec surprise que les 10 colis contenaient au total 80 bouteilles de Pomerol au lieu des 120 bouteilles que nous avions commandées.

**d.** Nous avons bien reçu les articles faisant l'objet de notre commande n°... du ...

**e.** En effet, vous nous avez livré 60 bouteilles de Pomerol au lieu des 60 bouteilles de Médoc que nous avions commandées.

**f.** Or, comme les articles manquants ont déjà été facturés, nous comptons sur une livraison immédiate.

**g.** Nous vous prions de recevoir, Monsieur, nos salutations distinguées.

**h.** Toutefois, en procédant au déballage, nous avons constaté que les marchandises n'étaient pas conformes à notre ordre.

**i.** Nous restons dans l'attente de votre réponse.

**2. RÉDIGER**

***Vous avez reçu le micro-ordinateur portable A ci-dessous. Or, vous aviez commandé le micro-ordinateur B.***

**Écrivez à La Mifca (54, avenue de l'Europe - 31527 Toulouse Cedex) pour l'informer de cette erreur et lui demander ce que vous devez faire pour recevoir le micro-ordinateur B.**

A
T6400C
The T4500 Series
A new departure in mobility
TOSHIBA
More Performance, More Colour, More Mobility

DESCRIPTIF

T3 600 CT
Processeur Intel 486 DX 2 à 50 MHz,
250 Mo de disque dur
Mémoire vive de 8 Mo extensible à 24 Mo.

**B**

# 2. RÉPONDRE À UNE LETTRE DE RÉCLAMATION

*Le fournisseur répond à une lettre de réclamation, soit en acceptant soit en refusant de reconnaître le bien-fondé de cette réclamation.*

## 1. COMPLÉTER

**Complétez les deux lettres avec les mentions indiquées ci-après.**

**a. Mentions manquantes :** *apparaître, réception, incident, les articles, effectués, commandés, En conséquence, sentiments, reconnaître, justifiée, destinés, sur, reçu, En effet.*

Messieurs,

Nous accusons ...(1)... de votre lettre du 8 novembre par laquelle nous apprenons que ...(2)... que nous vous avons livrés ne correspondent pas à ceux que vous nous avez ...(3)...

Nous devons ...(4)... que votre réclamation est parfaitement ...(5)... .

...(6)..., les contrôles que nous avons ...(7)... auprès de notre service d'expédition font ...(8)... qu'il y a eu une erreur. Vous avez ...(9)... des vins qui étaient ...(10)... à un autre client.

...(11)... et conformément à votre proposition, nous vous accordons un rabais de 10 % ...(12)... cette marchandise.

Nous vous prions d'accepter nos excuses pour cet ...(13)... et vous prions d'agréer, Messieurs, l'expression de nos ...(14)... dévoués.

M. Breton

Le Chef des ventes

**b. Mentions manquantes :** *satisfaction, Toutefois, remis, faites savoir, acquis, perte, d'expédition, recevoir, espérons, conseillons, livraison, En effet.*

Messieurs,

Nous venons de ...(1)... votre lettre du 8 novembre par laquelle vous nous ...(2)... qu'il manque à notre ...(3)... 40 bouteilles de Pomerol.

...(4)... nous ne saurions être tenus responsables de la ...(5)... des bouteilles manquantes.

...(6)..., après enquête auprès de notre service ...(7)..., nous avons ...(8)... la certitude que nos colis étaient complets lorsque nous les avons ...(9)... au transporteur, la société Transroute.

Nous vous ...(10)... donc d'adresser votre réclamation dans les meilleurs délais au transporteur.

Nous ...(11)... que cet incident se règlera à votre entière ...(12)...

Veuillez agréer, Messieurs, nos sentiments dévoués.

M. Breton

Le Chef des ventes

## 2. ORDONNER

**Retrouvez le plan de chacune des deux lettres ci-dessus, en indiquant l'idée contenue dans chaque paragraphe.**

Exemple pour le premier paragraphe des deux lettres : *Accuser réception de la lettre de réclamation.*

## 3. RÉDIGER

*Vous recevez une lettre, datée du 25 novembre, d'un client qui se plaint du mauvais état de la marchandise que vous lui avez envoyée. Il vous propose de la conserver à condition que vous lui accordiez un rabais de 30 %.*

*Or, le 5 novembre, c'est-à-dire plusieurs jours avant l'expédition, vous lui aviez adressé le télex ci-contre.*

**Prenez connaissance de ce télex et répondez à la lettre de réclamation.**

OBJET : V/COMMANDE DU 20 OCTOBRE

EXPEDITION DES MARCHANDISES FOB* MARSEILLE LE 10 NOVEMBRE. SUIVONS VOS INSTRUCTIONS POUR EMBALLAGE ET CHARGEMENT. VOUS RECOMMANDONS DE CONTRACTER ASSURANCE POUR TRANSPORT MARITIME. SALUTATIONS.

* Le contrat FOB *(Free on Board)* stipule que le vendeur s'engage à prendre en charge les frais de transport et d'assurance jusqu'au port d'embarquement, les autres frais restant à la charge de l'acheteur.

# 1. LE PLUS TÔT SERA LE MIEUX

## 1. S'EXPLIQUER AU TÉLÉPHONE

*Monsieur Daniel Videlier, de l'Épicerie Parisienne, n'a pas reçu à temps ses marchandises. Il téléphone au fournisseur, la société Haut-Brane, pour l'informer de ce retard.*

**Écoutez (ou lisez) la conversation téléphonique et répondez aux questions.**

**Daniel Videlier :** Allô, Monsieur Videlier, de L'Épicerie Parisienne. Pouvez-vous me passer Monsieur Rousseau, du service des expéditions, s'il vous plaît ?

**Standard :** Je vous le passe tout de suite, Monsieur.

**Thierry Rousseau :** Allô, c'est Monsieur Rousseau à l'appareil. Bonjour, Monsieur Videlier. En quoi puis-je vous être utile ?

**Daniel Videlier :** Voilà, c'est au sujet de ma commande du 27 novembre. Vous m'avez envoyé le 6 décembre une lettre disant que vous alliez expédier la marchandise le jour même.

**Thierry Rousseau :** Oui, c'est exact. C'est moi-même qui vous ai adressé cette lettre. Les marchandises ont été confiées à notre transporteur Les Routiers Réunis. Ils devaient vous livrer sous 48 heures et vous devez déjà les avoir reçues. Est-ce qu'il y a un problème ?

**Daniel Videlier :** Eh bien, précisément, nous sommes le 9 décembre et je n'ai toujours rien reçu. Ça fait déjà 24 heures de retard.

**Thierry Rousseau :** Tiens, c'est très étonnant.

**Daniel Videlier :** Pas vraiment. C'est la troisième fois que les délais ne sont pas respectés. Cette fois-ci, avec l'approche des fêtes de Noël, c'est plus grave. Nous avons un besoin urgent de ces articles. Comment pouvons-nous satisfaire notre clientèle dans ces conditions ?

**Thierry Rousseau :** Écoutez, Monsieur Videlier, je vais intervenir auprès du transporteur pour que vous soyez livré immédiatement. Vous pouvez compter sur moi.

**Daniel Videlier :** Dans ce cas, au revoir, Monsieur.

**Thierry Rousseau :** Au revoir, Monsieur.

**a.** Qui est le client ? Le fournisseur ? Le transporteur ?

**b.** À quelle date les marchandises ont-elles été remises au transporteur ? Par quel moyen s'effectue le transport ?

**c.** De combien de jours est le retard de livraison ? Y a t-il eu d'autres retards auparavant ?

**d.** Ce retard est-il, pour Monsieur Videlier, une affaire sérieuse ? Pour quelle raison ?

**e.** Que va faire Monsieur Rousseau ?

## 2. S'EXPLIQUER PAR LETTRE

MIEUX VAUT QUE JE CONFIRME TOUT DE SUITE MA RÉCLAMATION PAR ÉCRIT !

MIEUX VAUT QUE JE RÉPONDE TOUT DE SUITE À CE COUP DE FIL !

*Aussitôt après cet entretien téléphonique, deux lettres sont écrites :*

*– l'une par Monsieur Videlier pour Monsieur Rousseau,*

*– l'autre par Monsieur Rousseau pour Monsieur Videlier.*

**Écrivez ces deux lettres à partir des paragraphes ci-dessous qui ont été mis dans le désordre.**

| Lettre de Daniel Videlier | Lettre de Thierry Rousseau |
|---|---|
| ☐☐☐☐☐ | ☐☐☐☐☐ |

**a.** Nous vous demandons donc de contacter le transporteur afin que les marchandises nous soient livrées dans les plus brefs délais.

**b.** Nous vous assurons de tous nos efforts pour vous donner satisfaction.

**c.** Nous sommes surpris d'apprendre par votre appel téléphonique de ce jour que les marchandises faisant l'objet de votre commande du 27 novembre ne vous sont pas encore parvenues.

**d.** Par votre avis d'expédition du 6 décembre, vous nous annonciez l'envoi des articles faisant l'objet de notre commande du 27 novembre. Ces articles, remis le même jour au transporteur Les Routiers Réunis, devaient nous être livrés sous 48 heures.

**e.** En effet, les vins commandés ont bien été remis le 6 décembre aux Routiers réunis, la livraison devant être effectuée sous 48 heures. Vous trouverez ci-joint copie du récépissé d'expédition.

**f.** Or, à ce jour, ces articles ne nous sont pas encore parvenus.

**g.** Nous entreprenons donc dès aujourd'hui des recherches auprès du transporteur pour connaître la cause de ce retard.

**h.** En effet, le moindre retard supplémentaire nous causerait une gêne sérieuse en raison des engagements que nous avons pris envers notre clientèle.

**i.** Nous vous prions de croire, Monsieur, à nos sentiments dévoués.

**j.** Nous vous prions de croire, Monsieur, à nos sentiments distingués.

## 2. IL ÉTAIT TEMPS !

*L'Épicerie Parisienne a finalement reçu la marchandise, mais avec un sérieux retard. Afin d'exprimer son mécontentement, Monsieur Videlier envoie à la société Haut-Brane la lettre ci-dessous.*

**Complétez cette lettre avec les mots de liaison qui conviennent :** d'une part, ainsi, En conséquence, Toutefois, d'autre part, Aussi, En effet.

Objet :
V/livraison du 13 décembre

Saint-Cloud, le 14 décembre 199.

À l'attention de Monsieur Thierry Rousseau,
Chef des expéditions

Messieurs,

Votre envoi du 6 décembre, que vous aviez annoncé par un avis d'expédition du même jour, nous est bien parvenu.

...(1)... la livraison a eu lieu le 13 décembre, soit avec un retard de 6 jours.

C'est ...(2)... la troisième fois en deux mois que les vins dont vous confiez l'expédition aux Routiers Réunis nous parviennent avec retard.

...(3)... nous permettons-nous de vous rappeler que les articles commandés doivent nous être livrés dans les délais convenus.

...(4), il nous importe, ...(5)... de répondre à l'attente de notre clientèle et ...(6)... de ne plus être victime de la négligence de votre transporteur.

...(7)..., nous vous prions de faire le nécessaire auprès du transporteur afin que cessent ces retards.

Nous espérons que vous apporterez une solution à ce problème.

Veuillez agréer, Messieurs, nos salutations distinguées.

Daniel Videlier

HAUT
CIP
BAS
LIVRAISON
CIP
FRAPAR

## 3. ATTENTION AUX DÉLAIS !

*Après avoir lu la lettre ci-dessus, Monsieur Rousseau, de la société Haut-Brane, a aussitôt enregistré à l'attention de sa secrétaire, le message transcrit ci-après.*

**Écoutez (ou lisez) ce message et répondez aux questions suivantes.**

Bon.... comme vous le savez, je dois m'absenter pour la journée. On a encore des problèmes avec les Routiers Réunis. Vous verrez ... Je vous ai laissé une lettre de l'Épicerie Parisienne. Ils ont finalement reçu la marchandise, mais seulement hier. Le 9 décembre, j'avais appelé les Routiers Réunis et ils m'avaient assuré que les vins seraient livrés le jour même, dans la soirée. Eh bien ... il leur a fallu pas moins de 4 jours pour arriver à l'Épicerie Parisienne. J'ai l'impression qu'ils se moquent de nous. Parce que ce n'est pas la première fois. Un jour, ils livrent à la mauvaise adresse. Un autre jour, ils égarent la marchandise. On dirait qu'ils le font exprès. Je vous charge de leur écrire une lettre d'avertissement. Demandez-leur de respecter coûte que coûte les délais de livraison. Parlez-leur de l'Épicerie Parisienne et dites-leur qu'à la prochaine erreur, on se passera de leurs services. Bien... Bon courage et à demain.

**1. Quelle est, pour cette lettre, la meilleure formulation pour l'objet ?**

- ☐ Votre livraison du 13 décembre
- ☐ Vos retards de livraison
- ☐ Réclamation pour livraison tardive
- ☐ Lettre d'avertissement

**2. Quelles idées retenez-vous ?**

**Classez les idées suivantes par ordre de présentation dans la lettre en numérotant la case correspondante.**

- ☐ Souligner l'importance du respect des délais de livraison.
- ☐ Espérer obtenir satisfaction.
- ☐ Rappeler que des retards de livraison ont déjà eu lieu.
- ☐ Mentionner les termes de la lettre de réclamation du 14 décembre de l'Épicerie Parisienne.
- ☐ Menacer de cesser toute relation commerciale.
- ☐ Demander le respect des délais de livraison.
- ☐ Rappeler la conversation du 9 décembre.
- ☐ Donner une formule de politesse.

**À vous maintenant d'écrire la lettre à la place de la secrétaire.**

# 1. AVANT LE SINISTRE

## 1. INFORMER PAR TÉLÉPHONE

*Thierry Rousseau, de la Société Haut-Brane, reçoit un appel téléphonique de François Charleroi, de la Boutique de Montréal, un client canadien.*

**Écoutez (ou lisez) la conversation téléphonique (ci-dessous), puis répondez aux questions suivantes.**

**François Charleroi :** Allô, Monsieur Rousseau ? C'est Monsieur Charleroi à l'appareil, de la Boutique de Montréal.

**Thierry Rousseau :** Bonjour, Monsieur Charleroi. Comment allez-vous ?

**François Charleroi :** Très bien, merci. Hier, je vous ai envoyé un fax vous demandant d'avancer la date de l'expédition. Est-ce que vous l'avez bien reçu ?

**Thierry Rousseau :** Oui, absolument, et je viens d'apprendre que la marchandise sera embarquée au Havre le 18 mai.

**François Charleroi :** C'est une bonne nouvelle. Pouvez-vous m'envoyer dès que possible la police d'assurances ?

**Thierry Rousseau :** Je vous en envoie un exemplaire aujourd'hui. À ce propos, je me permets de vous dire que si vous constatez au port de Montréal une perte ou le moindre dommage, signalez-le au transporteur, la Compagnie de Navigation. Vous devez lui envoyer une lettre recommandée dans les trois jours. C'est pour permettre à notre assureur d'engager plus facilement des poursuites contre le transporteur.

**François Charleroi :** Oui, bien sûr.

**Thierry Rousseau :** Vous verrez aussi, en lisant la police, que vous avez 30 jours à partir du déchargement pour faire établir un constat par l'expert. Son nom est mentionné dans la police. Il est d'ailleurs recommandé par notre assureur, la Mutuelle de Bordeaux, de convoquer le transporteur à l'expertise.

**François Charleroi :** Je n'y manquerai pas, mais j'espère qu'il n'y aura pas de problème.

**Thierry Rousseau :** Oui, moi aussi. Mais on ne sait jamais. Mieux vaut être prudent. D'ailleurs, je vais vous rappeler tout cela par écrit.

**François Charleroi :** Entendu. En tout cas, je compte sur mon vin pour très bientôt. Au revoir, Monsieur.

**Thierry Rousseau :** Je suis sûr que vous serez satisfait de nos produits. Au revoir, Monsieur.

**a. Quel est :**
- le port d'expédition ?
- le port de destination ?

**b. Qui est :**
- l'assuré ? L'assureur ? Le bénéficiaire de l'assurance ? Le transporteur ?

**c. Qui doit :**
- convoquer l'expert ? Convoquer le transporteur à l'expertise ? Établir le constat ?

**d. Dans quel délai :**
- doit être envoyée la lettre de réserves au transporteur ?
- Doit être établi le constat ?

## 2. CONFIRMER PAR ÉCRIT

*Thierry Rousseau envoie à la Boutique de Montréal la lettre suivante confirmant ce qui a été dit au cours de l'entretien téléphonique.*

**Complétez cette lettre en vous référant à cet entretien téléphonique.**

**Société HAUT-BRANE**
35, rue Jourdan
33020 BORDEAUX CEDEX

LA BOUTIQUE DE MONTRÉAL
5062 rue de la Montagne
MONTRÉAL - QUÉBEC

Bordeaux, le 10 mai 199.

Messieurs,

Nous procèderons le (1)... à l'expédition par voie maritime, embarquement au port du (2)..., des marchandises faisant l'objet de votre commande n° 492 du 25 avril.

Nous vous rappelons que la marchandise transportée est (3) as... par nos soins contre tous les risques de navigation et de vol auprès de la (4) M... de B....

En cas de (5) p... ou de dommage, vous devez confirmer par lettre (6) r..., adressée au transporteur, dans les (7)... les (8) r... que vous avez formulées au moment de la livraison. Cette lettre de réserves a pour but de préserver les droits et recours de (9) l'a... contre le transporteur.

Dans ce dernier cas, il vous revient en outre de faire établir un (10) c... par l'expert désigné dans la (11) p... dans un délai de (12)... à compter du déchargement. Nous vous demandons également de mettre le (13) t... en mesure d'assister à (14) l'ex... de façon à ce qu'il ne puisse pas par la suite en nier les conclusions.

Nous espérons que ces (15) rec... vous seront utiles et nous vous prions de croire, Messieurs, à nos sentiments dévoués.

Le Chef des expéditions

T. Rousseau

Thierry Rousseau

## 2. APRÈS LE SINISTRE

*Le voyage s'est mal passé. la Boutique de Montréal, qui a réceptionné la marchandise, envoie deux lettres, l'une au transporteur, la Compagnie de Navigation, l'autre à l'assureur, la Mutuelle de Bordeaux.*

### 1. ÉCRIRE AU TRANSPORTEUR

**Complétez la lettre ci-dessous en accordant, si c'est nécessaire, les verbes donnés ici à l'infinitif.**

**LA BOUTIQUE DE MONTREAL**
5062 rue de la Montagne - MONTREAL

LA COMPAGNIE DE NAVIGATION
3, quai du Bel Air
76610 LE HAVRE

**Recommandée**

Montréal, le 26 mai 199.

Messieurs,

Nous vous (1) *informer* que du bateau le Galérien, il (2) *décharger* pour notre compte 43 colis (3) *contenir* chacun 12 bouteilles de vin de Bordeaux.

En (4) *déballer* les deux premiers colis, nous (5) *constater* qu'il y (6) *manquer* près de la moitié des bouteilles. Nous (7) *arrêter* immédiatement le déballage, d'autant plus que plusieurs colis (8) *porter* des traces d'effraction faisant (9) *présumer* un vol en cours de transport.

Nous vous (10) *demander* donc de bien vouloir venir (11) *vérifier* le contenu des colis non déballés en (12) *se faire* représenter à l'expertise qui (13) *être effectuée* dans l'entrepôt n° 37 du port de Montréal, le 8 juin à 14 heures par Madame Champey.

(14) *vouloir* bien noter également que nous (15) *formuler* dès à présent les réserves les plus expresses pour les dégâts constatés et pour ceux que nous (16) *pouvoir* découvrir lors de votre venue.

(17) *recevoir,* Messieurs, nos meilleures salutations.

Le Gérant

F. Charleroi

François Charleroi

ARMAND, NOUS QUITTONS LA ROUTE
JE M'EN FOUS JE SUIS ASSURÉ
wolinski

### 2. ÉCRIRE À L'ASSUREUR

*Afin de se faire indemniser, la Boutique de Montréal doit déclarer le sinistre par lettre recommandée à la compagnie d'assurances. À cette lettre sont joints cinq documents.*

**LA BOUTIQUE DE MONTREAL**
5062 rue de la Montagne - MONTREAL

LA MUTUELLE DE BORDEAUX
34, rue Victor-Hugo
33100 BORDEAUX

**Recommandée**

Montréal, le 26 mai 199.

Messieurs,

– vous informer - perte 235 bouteilles vin de Bordeaux - suite vol - transport Le Havre-Montréal - COMPAGNIE DE NAVIGATION - semaine du 18 au 25 mai.

– marchandise assurée - votre compagnie - police référencée PX 324.

– trouver ci-joint - pièces suivantes :

1- Le constat établi par l'expert.
2- La facture d'origine des marchandises transportées.
3- Un exemplaire original du connaissement.
4- Une copie de la déclaration pour vol.
5- La copie de la lettre de réserves adressée au transporteur.

– être reconnaissant - faire le nécessaire - règlement du sinistre meilleurs délais.

– agréer expression - sentiments distingués.

Le Gérant

F. Charleroi

François Charleroi

**a. Écrivez cette lettre en faisant des phrases avec les informations données.**

**b. Complétez le tableau ci-dessous en retrouvant l'utilité de chacun des documents joints à la lettre.**

*À titre d'exemple, la solution a déjà été donnée pour le premier cas.*

| | Pour... | il faut... |
|---|---|---|
| **a.** | *déterminer le montant de l'indemnité payée par l'assureur* | *la facture* |
| **b.** | établir la preuve du sinistre | |
| **c.** | déterminer la cause présumée du sinistre | |
| **d.** | permettre à l'assureur de se retourner contre le transporteur | |
| **e.** | établir la preuve du transport des marchandises par la Compagnie de Navigation. | |

## CONTRÔLE DES CONNAISSANCES

### RETROUVER LES ÉTAPES

***Dans le tableau ci-contre sont indiquées dans le désordre les différentes étapes d'une opération de transport.***

**a. Replacez ces différentes étapes dans l'ordre en numérotant les cases.**

**b. Retrouvez dans la liste des documents suivants celui qui est établi à l'occasion de chaque étape :** bon de réception, lettre de déclaration de sinistre, police, récépissé d'expédition (ou récépissé de route), lettre de réclamation, avis de livraison, bon de livraison.

| Étapes | Documents |
|---|---|
| ☐ Notification de l'avarie à l'assureur. ........ | ........ |
| ☐ Remise des marchandises au transporteur. ........ | ........ |
| ☐ Souscription d'une assurance pour les marchandises transportées. ........ | ........ |
| ☐ Notification de l'avarie au fournisseur. ........ | ........ |
| ☐ Réception et vérification des marchandises par le destinataire. ........ | ........ |
| ☐ Annonce au destinataire de l'envoi prochain des marchandises. ........ | ........ |
| ☐ Emballage, étiquetage des colis. ........ | ........ |

## COMMENT EXPRIMER LE TEMPS DANS UNE LETTRE D'AFFAIRES

| J'emploie... | pour indiquer... | Exemples |
|---|---|---|
| • la date. | un **jour** du mois. | • Livraison : *le mardi 25 janvier 199...*<br>• Votre lettre *du 12 juin 199...* |
| • le ... (du)/... + date | un **jour** du mois où l'on écrit. | • Le 25 *de ce mois* / le 25 *courant...* |
| • le ... dernier/écoulé | un **jour** du mois précédent. | • Le 25 *dernier* / *passé* / *écoulé...* |
| • en...<br>• à (au) ... | le **mois**.<br>le **moment**. | • Nous avons signé ce contrat *en juin.*<br>• Nous aimerions avoir un entretien avec vous *au début* juin. |
| • ce jour/aujourd'hui<br>• ce mois-ci<br>• actuellement/en ce moment/ pour le moment | le **moment** où l'on **est**. | • Nous avons bien reçu, *ce jour*, votre lettre relative à ...<br>• *Ce mois-ci* nous enregistrons une baisse des ventes.<br>• Notre stock est *actuellement* épuisé.<br>• Votre candidature ne correspond pas *pour le moment* à nos besoins. |
| • le (la) ... dernier(ère)<br>• il y a – 15 jours / – une semaine | un **moment passé** par rapport au moment où l'on écrit. | • *Le trimestre dernier* nous avons enregistré une hausse des ventes.<br>• Nous vous avons écrit à ce sujet, *il y a* environ *trois semaines.* |
| • prochain<br>• dans 8 jours/un mois<br>• prochainement/bientôt | un **moment futur** par rapport au moment où l'on écrit. | • Veuillez nous confirmer votre accord par un *prochain* courrier.<br>• Nous reprendrons la fabrication *dans 3 semaines au plus tard.*<br>• Nous espérons vous compter *prochainement* au nombre de nos clients. |
| • pour...<br>• à l'avenir<br>• à 90 jours/à 2 mois<br>• à l'échéance | un **moment futur** par rapport à un moment donné, passé ou futur. | • Veuillez réserver deux chambres à un lit *pour* les nuits des 4 et 5 juin.<br>• Nous espérons que cet incident ne se reproduira pas *à l'avenir.*<br>• Il nous est impossible { – d'accepter un paiement *à 60 jours.* / – de régler cette traite *à l'échéance du 30 juin.* |
| • d'urgence/de toute urgence<br>• le plus tôt possible<br>• dans – les meilleurs / – plus brefs } délais<br>• dès que possible<br>• par retour du courrier<br>• prompt/immédiat | **l'urgence**. | • Je vous prie de nous faire connaître *d'urgence* votre réponse.<br>• Veuillez procéder à l'expédition { – *le plus tôt possible.* / – *dans les meilleurs délais.* / – *dans les plus brefs délais.* / – *dès que possible.*<br>• Veuillez confirmer votre accord *par retour du courrier.*<br>• En attendant une *prompte* réponse / une livraison *immédiate*, ... |

# LA FACTURATION ET LE RÈGLEMENT

*La marchandise livrée, le fournisseur fait connaître à l'acheteur le montant dû en lui adressant une **facture** : c'est la **facturation**.*

*L'acheteur paie alors la somme due : c'est le **règlement** (ou **paiement**).*

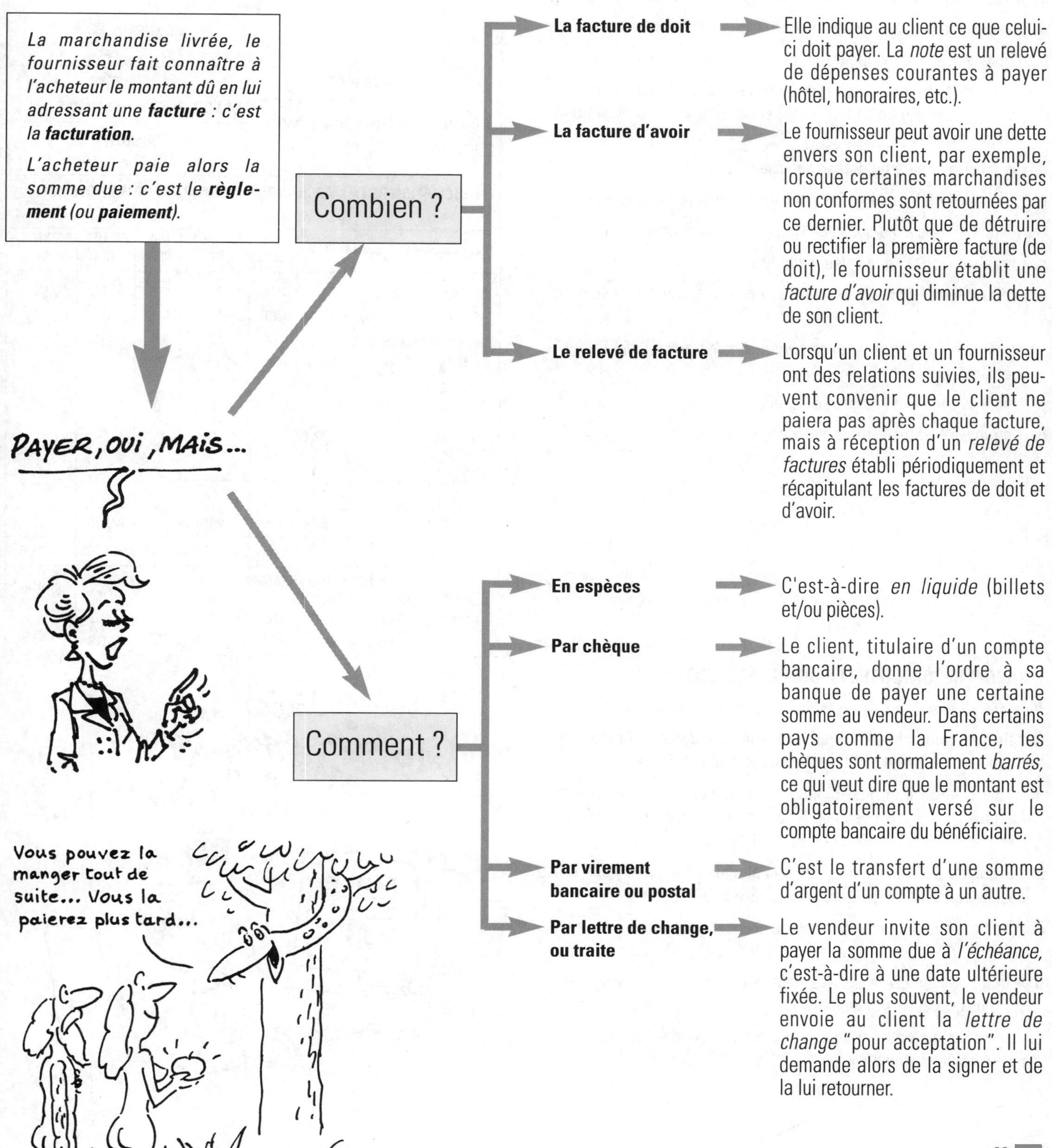
PAYER, OUI, MAIS...
Vous pouvez la manger tout de suite... Vous la paierez plus tard...

## Combien ?

**La facture de doit** → Elle indique au client ce que celui-ci doit payer. La *note* est un relevé de dépenses courantes à payer (hôtel, honoraires, etc.).

**La facture d'avoir** → Le fournisseur peut avoir une dette envers son client, par exemple, lorsque certaines marchandises non conformes sont retournées par ce dernier. Plutôt que de détruire ou rectifier la première facture (de doit), le fournisseur établit une *facture d'avoir* qui diminue la dette de son client.

**Le relevé de facture** → Lorsqu'un client et un fournisseur ont des relations suivies, ils peuvent convenir que le client ne paiera pas après chaque facture, mais à réception d'un *relevé de factures* établi périodiquement et récapitulant les factures de doit et d'avoir.

## Comment ?

**En espèces** → C'est-à-dire *en liquide* (billets et/ou pièces).

**Par chèque** → Le client, titulaire d'un compte bancaire, donne l'ordre à sa banque de payer une certaine somme au vendeur. Dans certains pays comme la France, les chèques sont normalement *barrés,* ce qui veut dire que le montant est obligatoirement versé sur le compte bancaire du bénéficiaire.

**Par virement bancaire ou postal** → C'est le transfert d'une somme d'argent d'un compte à un autre.

**Par lettre de change, ou traite** → Le vendeur invite son client à payer la somme due à *l'échéance,* c'est-à-dire à une date ultérieure fixée. Le plus souvent, le vendeur envoie au client la *lettre de change* "pour acceptation". Il lui demande alors de la signer et de la lui retourner.

# 1. DÉCOUVRIR UNE FACTURE

## 1. SAVOIR DÉCHIFFRER UNE FACTURE

*Monsieur Grillet, le comptable de la société Haut-Brane, s'apprête à envoyer une facture à son client, La Maison du Vin. Il explique à un stagiaire les différentes mentions qu'il faut y porter.*

**Reportez sur cette facture, en inscrivant la lettre correspondante dans les cercles, les informations qu'il donne.**

**a.** J'indique le *prix* de chaque article.

**b.** C'est ici que sont mentionnés notre *nom* et notre *adresse*.

**c.** On laisse toujours une *zone* libre, *utilisée par le client* pour ajouter les mentions qui lui seront utiles, comme la date d'arrivée de la marchandise.

**d.** Je précise la *nature des marchandises* facturées.

**e.** Je donne la référence de la *commande* à l'origine de la facture.

**f.** Je rappelle les *conditions de livraison et de paiement*.

**g.** Je calcule la *taxe à la valeur ajoutée*.

**h.** Voilà le *net à payer*, c'est-à-dire le prix que doit effectivement payer l'acheteur.

**i.** Il est inscrit le *titre du document* et les mentions l'identifiant : date, numéro.

**j.** J'inscris le nom et l'adresse du *client*.

**k.** La *remise* éventuelle est mentionnée dans cette colonne.

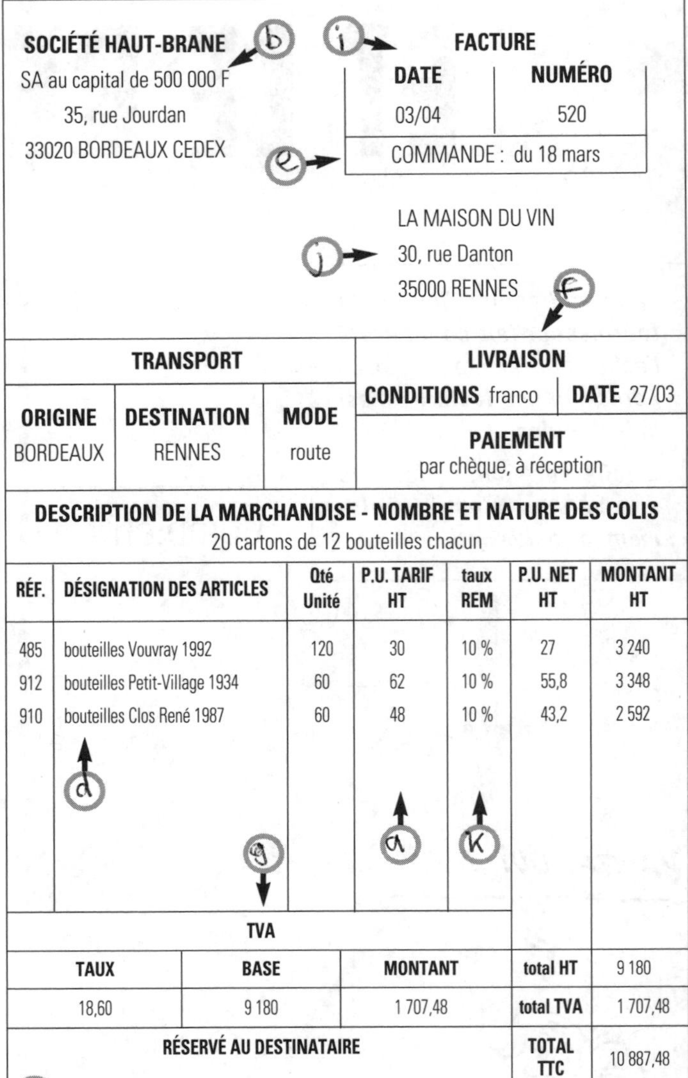

**SOCIÉTÉ HAUT-BRANE** (b)
SA au capital de 500 000 F
35, rue Jourdan
33020 BORDEAUX CEDEX

(i) **FACTURE**

| DATE | NUMÉRO |
|---|---|
| 03/04 | 520 |
| (e) COMMANDE : du 18 mars | |

(j) LA MAISON DU VIN
30, rue Danton
35000 RENNES (f)

| TRANSPORT | | | LIVRAISON | |
|---|---|---|---|---|
| **ORIGINE** | **DESTINATION** | **MODE** | **CONDITIONS** franco | **DATE** 27/03 |
| BORDEAUX | RENNES | route | **PAIEMENT** par chèque, à réception | |

**DESCRIPTION DE LA MARCHANDISE - NOMBRE ET NATURE DES COLIS**
20 cartons de 12 bouteilles chacun

| RÉF. | DÉSIGNATION DES ARTICLES (d) | Qté Unité | P.U. TARIF HT (a) | taux REM (k) | P.U. NET HT | MONTANT HT |
|---|---|---|---|---|---|---|
| 485 | bouteilles Vouvray 1992 | 120 | 30 | 10 % | 27 | 3 240 |
| 912 | bouteilles Petit-Village 1934 | 60 | 62 | 10 % | 55,8 | 3 348 |
| 910 | bouteilles Clos René 1987 | 60 | 48 | 10 % | 43,2 | 2 592 |

(g) **TVA**

| TAUX | BASE | MONTANT | | |
|---|---|---|---|---|
| 18,60 | 9 180 | 1 707,48 | total HT | 9 180 |
| | | | total TVA | 1 707,48 |
| (c) RÉSERVÉ AU DESTINATAIRE | | | TOTAL TTC | 10 887,48 |
| | | (h) | NET À PAYER | 10 887,48 |

## 2. SAVOIR RECONNAÎTRE LA BONNE FACTURE

*Il existe plusieurs types de factures (voir page précédente).*

**Quelle est, pour chacun des cas ci-contre, celle qui sera établie :** facture (facture de doit), facture d'avoir, relevé de factures ?

**a.** En mars, la Société Haut-Brane a reçu du même fournisseur trois factures qu'elle n'a pas encore payées. A la fin du mois, elle reçoit relevé de factures

**b.** La Maison du Vin retourne des emballages vides consignés à la Société Haut-Brane, qui établit en sa faveur facture d'avoir

**c.** Après avoir livré la marchandise, la Société Haut-Brane envoie au client facture de doit

**d.** A la fin de l'année, la Société Haut-Brane accorde une ristourne à ses plus gros clients et leur envoie relevé de factures

**e.** Les clients qui passent des commandes fréquentes et régulières paient habituellement sur relevé de factures

1950F00
4739F00
18,6%
3140F80
9743F00
+ 178F10
210F00 + 359F70 HT
4%
FACTURE
FRAPAR.

# 2. NE PAS OUBLIER LA FACTURE

*La facture est un document important pour les commerçants, vendeurs et acheteurs, ainsi que pour le fisc.*

## 1. A-T-ON BESOIN D'UNE FACTURE ?

**Lisez le texte ci-dessous, extrait d'un manuel de comptabilité, et indiquez si les affirmations qui suivent sont vraies (V) ou fausses (F).**

> *La facture doit être établie à l'occasion de toutes les opérations commerciales effectuées entre commerçants, quel que soit le montant de la vente. Il en faut au moins deux : un original destiné à l'acheteur et une copie conservée par le vendeur.*
>
> *Le vendeur doit établir la facture au moment de la vente et la remettre immédiatement à l'acheteur. Ce dernier doit même la réclamer si nécessaire.*
>
> *À titre de sanction, l'acheteur aussi bien que le vendeur peuvent être poursuivis sur le plan pénal et fiscal.*
>
> *L'un et l'autre doivent classer les factures et copies des factures par ordre chronologique et les conserver pendant au moins trois ans, en prévision notamment d'un contrôle fiscal.*

**a.** La facture est un document établi par l'acheteur et remis au vendeur. ☐

**b.** La facture n'est pas obligatoire pour les petites transactions entre commerçants. ☐

**c.** Le vendeur ne remet une facture à l'acheteur que si celui-ci la réclame. ☐

**d.** Le vendeur envoie toujours la facture à l'acheteur à la fin de l'année. ☐

**e.** Une facture doit toujours être établie en trois exemplaires. ☐

**f.** L'acheteur doit conserver l'original de la facture. ☐

**g.** Le vendeur doit conserver le double de la facture. ☐

**h.** L'administration fiscale garde les factures pendant au moins 3 ans. ☐

**i.** Le vendeur qui n'a pas établi de facture peut être poursuivi en justice. ☐

**j.** L'acheteur qui n'a pas de facture en sa possession peut également être poursuivi en justice. ☐

## 2. POUVEZ-VOUS M'ENVOYER UNE FACTURE ?

**a. Complétez la lettre ci-dessous en utilisant l'un des mots suivants :** nous, vous, notre, votre, nos, **puis répondez aux questions qui suivent.**

> Monsieur,
>
> ...... (1) facture concernant ...... (2) commande du 23 mars ne ...... (3) est pas encore parvenue.
>
> Nous ...... (4) saurions gré de ...... (5) l'envoyer dans les meilleurs délais afin de ...... (6) permettre de tenir à jour ...... (7) comptabilité.
>
> Par avance, nous ...... (8) en remercions.
>
> Nous ...... (9) prions d'agréer, Monsieur, l'expression de ...... (10) sentiments distingués.
>
> M. Breton
>
> Le chef de la comptabilité

**1. Qui est l'expéditeur de la lettre ?**

- ❑ Le fournisseur
- ❑ Le client

**2. Qui en est le destinataire ?**

- ❑ Le fournisseur
- ❑ Le client

**3. Que demande l'expéditeur ?**

- ❑ La confirmation de la commande.
- ❑ L'expédition des marchandises faisant l'objet de la commande.
- ❑ L'envoi de la facture concernant la commande.

**4. Comment formuleriez-vous l'objet ?**

- ❑ Notre commande du 23 mars.
- ❑ Notre facture.
- ❑ Votre facture.

**b. Répondez à cette lettre en annonçant l'envoi ci-joint.**

# 1. CONTRÔLER LA FACTURE

*Le client doit contrôler la facture dès qu'il la reçoit et, en cas de problèmes, il doit adresser une réclamation au fournisseur. Le tableau ci-dessous décrit les différentes situations pouvant donner lieu à l'envoi d'une lettre de réclamation.*

JE REÇOIS LA FACTURE !

Je compare la facture au bon de livraison : la quantité et la nature des marchandises facturées sont-elles conformes à celles qui ont été reçues ?
NON → LETTRE DE RÉCLAMATION 1
OUI →

Je compare la facture au tarif : les prix sont-ils ceux du tarif convenu ? Les calculs sont-ils exacts ?
NON → LETTRE DE RÉCLAMATION 2
OUI →

Je compare la facture au bon de commande, à la fiche fournisseur : les réductions convenues ont-elles bien été prises en compte ?
NON → LETTRE DE RÉCLAMATION 3
OUI →

Je compare la facture au bon de commande, à la fiche fournisseur : les conditions de paiement (moyens, délais,...) convenues sont-elles respectées ?
NON → LETTRE DE RÉCLAMATION 4
OUI → JE PAIE LA FACTURE

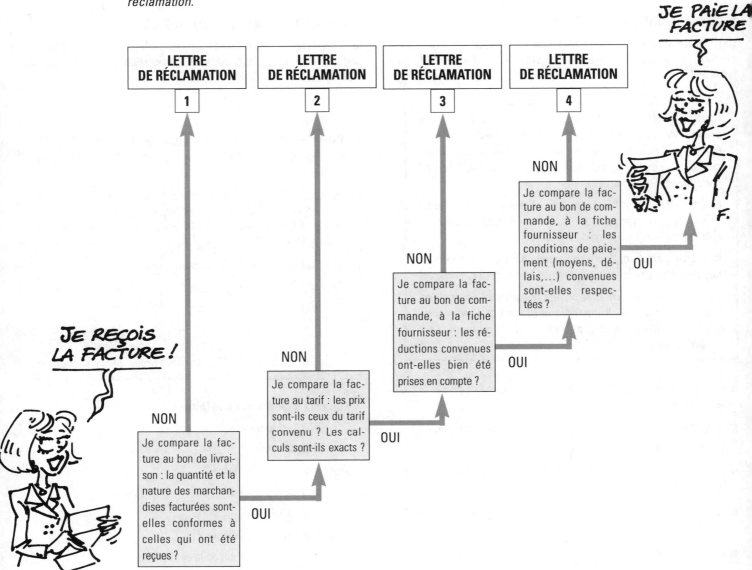

**En vous référant au tableau ci-dessus, indiquez de quelle lettre de réclamation (1, 2, 3 ou 4) est extraite chacune des 10 phrases suivantes.**

*Exemple :*

**a.** *Nous avons relevé une erreur dans le calcul de la TVA* [2]

**b.** Toutefois, cette facture indique "Paiement par chèque", alors que nous vous réglons habituellement par virement. [ ]

**c.** Or les prix facturés ne sont pas ceux que prévoit votre catalogue. [ ]

**d.** Vous nous facturez 15 caisses de vin, alors que nous n'en avons réceptionné que 10. [ ]

**e.** Vous nous demandez de payer au comptant, alors que nous étions convenus d'un règlement à 30 jours fin de mois de facturation. [ ]

**f.** Vous nous facturez un vin de Sauternes 85, alors que nous avons réceptionné un vin de Saint-Émilion 90. [ ]

**g.** La remise figurant sur la facture n'est cependant pas celle que vous nous consentez habituellement. [ ]

**h.** Il s'est glissé une erreur de virgule dans le net à payer. [ ]

**i.** Or le prix unitaire n'est pas exact. [ ]

**j.** Votre facture ne fait pas mention du rabais que vous nous avez accordé à la suite de cette erreur de livraison. [ ]

# 2. TOUT LE MONDE PEUT SE TROMPER

## 1. AVEZ-VOUS BIEN COMPRIS ?

**Après avoir écouté (ou lu) la conversation téléphonique ci-contre, indiquez, en vous justifiant, si les affirmations suivantes sont vraies (V) ou fausses (F).**

- **a.** Madame Leguellec a vérifié la facture dès qu'elle l'a reçue. ☐
- **b.** La facture n° 520 est une facture de doit. ☐
- **c.** La facture ne comporte pas de remise. ☐
- **d.** L'accusé de réception de la commande indique qu'une remise est accordée à ce client. ☐
- **e.** Madame Leguellec s'attendait à bénéficier d'une remise de 15 %. ☐
- **f.** La Société Haut-Brane accordait auparavant une remise de 15 % à La Maison du Vin. ☐
- **g.** Madame Leguellec va envoyer une facture d'avoir à la Société Haut-Brane. ☐
- **h.** L'avoir est de 520 francs. ☐
- **i.** Monsieur Grillet devra annuler la première facture et en envoyer une nouvelle. ☐
- **j.** Madame Leguellec est très contrariée à la suite de l'erreur de la Société Haut-Brane. ☐

**Françoise Leguellec :** Allô, La Société Haut-Brane ?

**La standardiste :** Bonjour, Madame. À qui désirez-vous parler ?

**Françoise Leguellec :** Je voudrais le service facturation, s'il vous plaît.

**La standardiste :** Un instant, je vous le passe.

**Henri Grillet :** Allô, je suis Monsieur Grillet, du service facturation.

**Françoise Leguellec :** Madame Leguellec à l'appareil, de La Maison du Vin. Je viens de recevoir votre facture n° 520 et il y a un chiffre que je ne comprends pas.

**Henri Grillet :** Je vous écoute, Madame.

**Françoise Leguellec :** Voilà. Vous nous accordez normalement une remise de 15 % et cette fois-ci votre remise n'est que de 10 %. Pourriez-vous m'expliquer pourquoi ?

**Henri Grillet :** En effet... C'est étonnant. Attendez... Je vois que votre fiche indique 15 % dans tous les cas. Il s'agit bien de la facture concernant votre commande du 18 mars ?

**Françoise Leguellec :** Oui, c'est bien cela.

**Henri Grillet :** Désolé, je ne comprends pas. De plus, la copie de l'accusé de réception de commande confirme la remise de 15 %. Ce doit être une erreur de notre part.

**Françoise Leguellec :** Dans ce cas, pourriez-vous m'envoyer un avoir rectificatif ? D'après nos calculs, vous nous devez très exactement la somme de 604,86 F.

**Henri Grillet :** Bien sûr, Madame, je vous envoie une facture d'avoir aujourd'hui même... et je vous présente toutes nos excuses.

**Françoise Leguellec :** Tout le monde peut se tromper. Au revoir, Monsieur.

**Henri Grillet :** Au revoir, Madame.

## 2. MIEUX VAUT CONFIRMER PAR ÉCRIT

*Aussitôt après avoir raccroché le téléphone, Madame Leguellec confirme sa réclamation par écrit.*

**Pouvez-vous rédiger la lettre à sa place ?**

## 3. LE VENDEUR RECONNAÎT SON ERREUR... ET SA DETTE.

*Monsieur Grillet vous demande d'établir une facture d'avoir en faveur de La Maison du Vin. Vous devez pour cela vous reporter à la facture n° 520 de la page 90.*

**a. Complétez, en suivant les pointillés, la facture d'avoir ci-contre.**

**b. Rédigez la lettre qui accompagne cette facture d'avoir.**

..............................
..............................
..............................

**FACTURE D'AVOIR**
**n° B73**

..............................
..............................
..............................

Bordeaux, le ..............................

| Réf. | Désignation | Prix unitaire HT | Montant HT |
|---|---|---|---|
| | Rectification de la ......................<br>......................<br>...................... | | |
| | ..............Au crédit de votre compte | | 604,86 |

UNITÉ



# 1. RELANCER LES DÉBITEURS

*Lorsqu'un client ne paie pas sa facture à la date convenue, le fournisseur doit lui rappeler sa dette.*

BORDEAUX, LE 30 OCTOBRE
C'EST CERTAINEMENT UN OUBLI DE VOTRE PART !
BORDEAUX, LE 7 NOVEMBRE
POURRIEZ-VOUS RÉGULARISER VOTRE SITUATION LE PLUS RAPIDEMENT POSSIBLE ?
BORDEAUX, LE 15 NOVEMBRE
VOUS DEVEZ IMPÉRATIVEMENT NOUS RÉGLER SOUS 48 HEURES, SINON...
BORDEAUX, LE 17 NOVEMBRE
NOUS ENGAGEONS DES POURSUITES JUDICIAIRES !!
FRAPAR.

## 1. DISTINGUER LES SITUATIONS

*La Société Haut-Brane a écrit quatre lettres à un client qui n'a pas payé. Dans le tableau ci-dessous sont présentées en désordre les particularités propres à chacune de ces lettres.*

**Indiquez à quelle lettre (1re, 2e, 3e, 4e) ces particularités se rattachent.**

| Quel type de client ? | Que lui dire ? | Que lui demander ? |
|---|---|---|
| Probablement un mauvais payeur. | Constater que malgré deux rappels, le règlement n'a pas été effectué. | Demander un règlement rapide. Fixer un délai. |
| Certainement un mauvais payeur. | Signaler que le règlement n'a pas été effectué. | Annoncer que la procédure de recouvrement est engagée. |
| Probablement un client distrait. | Rappeler que le règlement n'a toujours pas été effectué. | Mettre en demeure de payer dans les 48 heures, sous peine de poursuite. |
| Certainement un client négligent. | Constater que malgré de nombreux rappels, le règlement n'a jamais été effectué. | Demander un règlement rapide. Remercier. |

## 2. ÉCRIRE EN TOUTES LETTRES

**a. Écrivez d'abord, à l'aide des paragraphes ci-dessous, les 1re, 2e et 4e lettres se rapportant à chacune des situations décrites précédemment. Reportez dans le tableau ci-contre les numéros correspondants.**

| | | | |
|---|---|---|---|
| **1re lettre** | | | |
| **2e lettre** | | | |
| **4e lettre** | | | |

**b. Ensuite, sur le même modèle, rédigez les trois paragraphes de la 3e lettre.**

**A1.** Malgré notre rappel du 30 octobre, nous constatons que notre facture référencée ci-dessus est toujours impayée.

**A2.** Malgré nos multiples rappels de règlement, notre facture n° 462 du 18 octobre est restée impayée.

**A3.** Nous nous permettons de vous signaler que notre facture n° 412 du 18 courant d'un montant de 8 000 F n'a pas encore été réglée à ce jour.

**B1.** Nous croyons à un oubli de votre part et nous vous serions reconnaissants de bien vouloir le réparer dès que possible.

**B2.** Comme nous devons nous-mêmes faire face à nos engagements, nous vous serions reconnaissants de nous faire parvenir notre règlement sous huitaine.

**B3.** En conséquence, nous nous voyons dans l'obligation d'entamer une procédure de recouvrement à votre encontre.

**C1.** Agréez, Monsieur, nos salutations.

**C2.** Nous vous prions d'agréer, Monsieur, nos salutations distinguées.

**C3.** Nous vous en remercions et vous prions de recevoir, Monsieur, l'expression de nos sentiments dévoués.

# 2. ACCORDER UN DÉLAI DE PAIEMENT

## 1. PRENDRE CONNAISSANCE DE LA DEMANDE

*Henri Grillet, le comptable de la Société Haut-Brane, doit répondre à deux demandes de délai de paiement, l'une étant formulée au téléphone, l'autre par lettre. Il consulte pour cela les fiches (ci-dessous) des deux clients concernés.*

 **À votre avis, quelle décision devrait-il prendre ? Expliquez et justifiez votre choix.**

**Jean-Noël Bert :** Allô, bonjour. C'est Monsieur Bert à l'appareil, du magasin "Le Jardin des Vignes". Je souhaiterais parler à la personne qui s'occupe de la facturation... Monsieur Grillet, je crois.

**Odile Bernier :** Monsieur Grillet est absent pour le moment. Voulez-vous lui laisser un message ?

**Jean-Noël Bert :** Oui, s'il vous plaît. Je vous appelle au sujet de votre facture que j'ai reçue ce matin. J'ai peur que nous ne puissions pas la régler immédiatement, comme convenu, parce que nous avons eu ce mois-ci quelques petits problèmes de trésorerie. Serait-il possible de vous payer dans un mois seulement ?

**Odile Bernier :** Je poserai la question à Monsieur Grillet dès son retour. Pouvez-vous m'indiquer le numéro et le montant de la facture ?

**Jean-Noël Bert :** Elle est de 12 220 F et c'est la facture n° 254.

**Odile Bernier :** C'est noté, Monsieur Grillet vous contactera dès que possible. Au revoir, Monsieur.

**L'ÉPICERIE PARISIENNE**

25, rue Clerc
92120 SAINT CLOUD

Société HAUT-BRANE
35, rue Jourdan
33020 BORDEAUX CEDEX

N/Réf. : DV/AB
Objet : V/facture n° 242 du 6 juin

Saint-Cloud, le 7 juin 19.

Messieurs,

Votre facture référencée ci-dessus, d'un montant de 14 345 F, payable par chèque à réception, vient de me parvenir.

Des difficultés passagères de trésorerie ne me permettent malheureusement pas d'en assurer immédiatement le paiement.

En effet, la modernisation de notre magasin ne nous a pas permis ce mois-ci de travailler dans des conditions habituelles et le rythme de nos ventes s'est provisoirement ralenti.

En conséquence, je vous serais reconnaissant de bien vouloir m'accorder un délai de paiement d'un mois.

Par avance, je vous remercie de votre compréhension et vous prie de recevoir, Messieurs, mes salutations distinguées.

D. Videlier

**FICHE CLIENT**

LE JARDIN DES VIGNES
42, rue Victor-Hugo 72000 LE MANS
Paiement :
par chèque à réception de la facture

| Commandes | Factures | Montant | Date | Paiement |
|---|---|---|---|---|
| 28/1 | 27 | 4 318 F | 10/2 | 28/4 |
| 23/5 | 254 | 12 220 F | 6/6 | |

Incident : chèque retourné impayé le 10/10.

**FICHE CLIENT**

L'ÉPICERIE PARISIENNE
25, rue Clerc 92120 SAINT-CLOUD
Paiement :
par chèque à réception de la facture

| Commandes | Factures | Montant | Date | Paiement |
|---|---|---|---|---|
| 10/2 | 34 | 8 520 F | 20/2 | 24/2 |
| 2/4 | 118 | 13 222 F | 18/4 | 20/4 |
| 21/5 | 242 | 14 335 F | 6/6 | |

Incident : – néant.

## 2. RÉPONDRE À LA DEMANDE

**Répondez par une lettre à la demande du Jardin des Vignes et à celle de L'Épicerie Parisienne, en vous aidant du plan ci-contre.**

**PLAN**

- Se référer à l'appel téléphonique ou à la lettre.
- Donner son accord ou refuser la demande.
- Motiver l'accord ou le refus.
- Conclure.
- Donner une formule de politesse.

## 1. TIRER UN CHÈQUE

### 1. ACCEPTEZ-VOUS LES CHÈQUES ?

*Henri Grillet, de la société Haut-Brane, est sur le point d'envoyer la lettre ci-contre.*

**a. Lisez cette lettre et indiquez si les affirmations suivantes sont vraies (V) ou fausses (F).**

1. Le Cabinet Lefevre est un client de la Société Haut-Brane. ☐
2. C'est le Cabinet Lefevre qui a établi le chèque. ☐
3. Le bénéficiaire du chèque est la Société Haut-Brane. ☐
4. La Société Haut-Brane a un compte au Crédit Agricole. ☐
5. Le Cabinet Lefevre a obligatoirement un compte au Crédit Agricole. ☐
6. La Société Haut-Brane règle le Cabinet Lefevre. ☐
7. Le Cabinet Lefevre a envoyé sa note à la société Haut-Brane. ☐

**Société HAUT-BRANE**
35, rue Jourdan
33020 BORDEAUX CEDEX

Cabinet Lefevre
Audit Financier et Comptable
29, avenue Marceau
33000 BORDEAUX

Bordeaux, le 3 mars 199..

Messieurs,

Nous vous prions de trouver ci-joint un chèque de 2 320,35 F tiré sur le Crédit Agricole, en règlement de votre note d'honoraires du 30 avril.

Nous vous en souhaitons bonne réception.

Veuillez agréer, Messieurs, nos salutations distinguées.

Le Chef comptable

*H. Grillet*

Henri Grillet

**b. Remplissez le chèque ci-contre à la place de Monsieur Grillet en vous aidant des indications suivantes :**

(1) Écrivez la somme en chiffres...

(2) ... et en lettres.

(3) Écrivez le nom du bénéficiaire.

(4) N'oubliez pas le lieu...

(5)... ni la date.

(6) Signez (toujours de la même façon).

CRÉDIT AGRICOLE
DU BORDELAIS

B.P.F (1)

Payez contre ce chèque NON ENDOSSABLE sauf au profit d'une banque, d'une caisse d'épargne ou d'un établissement assimilé
▸ (2)
Somme en toutes lettres

A (3)

(4) le (5) 19

N° de compte 17964668001 Série 094

Payable
123, rue Jourdan
33020 BORDEAUX CEDEX

SOCIETE HAUT-BRANE
35, rue Jourdan
33020 BORDEAUX CEDEX

(6)

ANNULÉ

▼ Chèque n° Compensable à ▲

⑈2696386 ⑈000008206392⑆ 017964668001⑈

## 2. UN CHÈQUE MAL LIBELLÉ

*Deux jours plus tard, la Société Haut-Brane reçoit du Cabinet Lefevre la lettre ci-contre.*

**a. Complétez cette lettre à l'aide des mentions suivantes :** gré, note, l'expression, aussi, règlement, toutefois, meilleurs, dus, parvenu, complémentaire**.**

**b. Écrivez la lettre qui accompagne le chèque complémentaire que la société Haut-Brane, qui reconnaît son erreur, envoie au Cabinet Lefevre.**

Bordeaux, le 4 mars 199.

Messieurs,

Votre ...... (1) par chèque concernant notre ...... (2) d'honoraires du 30 avril nous est bien ...... (3) et nous vous en remercions.

Vous nous avez ...... (4) adressé un chèque de 2 320,35 F au lieu des 2 820,35 F ...... (5) .

...... (6) vous saurions-nous ...... (7) de nous envoyer dans les ...... (8) délais un chèque ...... (9) de 500 F.

Nous vous prions d'agréer, Messieurs, ...... (10) de nos sentiments distingués.

*J. Dupont*

Jean DUPONT
CABINET LEFEVRE

### 3. CHOISISSEZ LE BON CHÈQUE

*Monsieur Grillet, le comptable de la société Haut-Brane, a rencontré pendant ses années de travail une grande variété de chèques. Bien que vous n'ayez pas son expérience, pouvez-vous distinguer les différentes types de chèques ?*

**Reconstituez les phrases du tableau ci-dessous.**

*Exemple* : *A1 – B6 – C2*

| | A | B | C |
|---|---|---|---|
| 1 | Pour décourager les voleurs, | d'émettre | un chèque au porteur. |
| 2 | Il est défendu | donne droit à | des chèques barrés. |
| 3 | N'inscris pas la somme, | il suffit de remettre | un chèque en blanc. |
| 4 | Le compte courant bancaire | remettez-lui | un carnet de chèques. |
| 5 | Si votre vendeur veut des garanties, | fais-moi | un chèque sans provision. |
| 6 | Inutile d'écrire le nom du bénéficiaire, | les banques émettent | un chèque de banque. |

Avec quoi voulez-vous être réglé ? Carte Bleue ? American Express ? Eurocard ? Diners Club ? Eurochèque ?
Vous n'auriez pas des francs suisses par hasard ?

## 2. EFFECTUER UN VIREMENT

*Afin de régler la consommation d'électricité et de gaz de la Société Haut-Brane, Monsieur Grillet a rempli et remis à sa banque le formulaire ci-contre.*

**Prenez connaissance de ce document et indiquez, en vous justifiant, si les affirmations suivantes sont vraies (V) ou fausses (F).**

1. EDF-GDF signifie Électricité De France-Gaz De France.
2. EDF-GDF a remis à la société Haut-Brane le formulaire en lui demandant de le remplir.
3. C'est la banque qui, pour le compte de la société Haut-Brane, paie EDF-GDF.
4. La banque ne paie pas si le compte de la société Haut-Brane est vide.
5. Le paiement se fait tous les mois.
6. Le paiement se fait en début de mois.
7. Le paiement se fait par chèque.
8. La société Haut-Brane peut à tout moment demander à la banque d'arrêter le paiement.
9. Pour chaque paiement à EDF-GDF, la société Haut-Brane donne une autorisation à la banque.

CRÉDIT AGRICOLE
DU BORDELAIS

EDF-GDF
11, rue Trudaine
33020 BORDEAUX CEDEX

AUTORISATION DE PRÉLÈVEMENT EDF-GDF

AUTORISATION DE MENSUALISATION
DATE DE PRÉLÈVEMENT 28 DU MOIS

J'autorise le Crédit Agricole du Bordelais, teneur de mon compte, à régler directement à partir de ce dernier, si sa position le permet, le montant de mes factures EDF-GDF. En cas de litige sur un règlement, je pourrai en faire suspendre l'exécution par simple demande au Crédit Agricole du Bordelais. Je règlerai le différend directement avec EDF-GDF.

NOM ET ADRESSE DU TITULAIRE DU COMPTE À DÉBITER
Société Haut-Brane
35, rue Jourdan
33020 BORDEAUX CEDEX Tél. : 56.70.10.99

DÉSIGNATION DU COMPTE À DÉBITER (joindre un R.I.B.)

| Établiss. | Guichet | N° du compte | Cie R.I.B. |
|---|---|---|---|
| 8206 | 0179 | 17964668001 | 15 |

ADRESSE DE L'AGENCE
Agence JOURDAN
123, rue Jourdan
33020 BORDEAUX CEDEX

Date: 10.4.199-   Signature: H Grillet

# 1. LIRE UNE LETTRE DE CHANGE

*Il est souvent possible à une entreprise de payer ses factures au moyen d'une lettre de change (appelée aussi traite). Grâce à ce document, elle paye le montant dû à une date ultérieure : un, deux ou trois mois après la réception de la facture.*

**Reportez sur la lettre de change (LC) ci-dessous, en mettant un numéro dans les cercles, les onze informations données.**

1. **Nom et adresse du tiré**, c'est-à-dire de celui qui doit payer.
2. **Montant** de la LC **en chiffres**.
3. **Nom du tireur**, c'est-à-dire de celui qui établit la LC.
4. **Signature du tireur.**
5. **Date d'échéance :** date à laquelle devra être payée la LC.
6. **Relevé d'identité bancaire** du tiré.
7. **Nom du bénéficiaire.**
8. **Lieu et date de la LC.**
9. **Mention** sur la lettre de **change relevé.**
10. **Domiciliation :** le tiré (le débiteur) indique où devra être présentée la LC pour être payée. Il s'agit généralement de sa banque.
11. **Acceptation :** en acceptant la LC (en la signant), le tiré reconnaît sa dette et s'engage à en payer le montant à l'échéance.

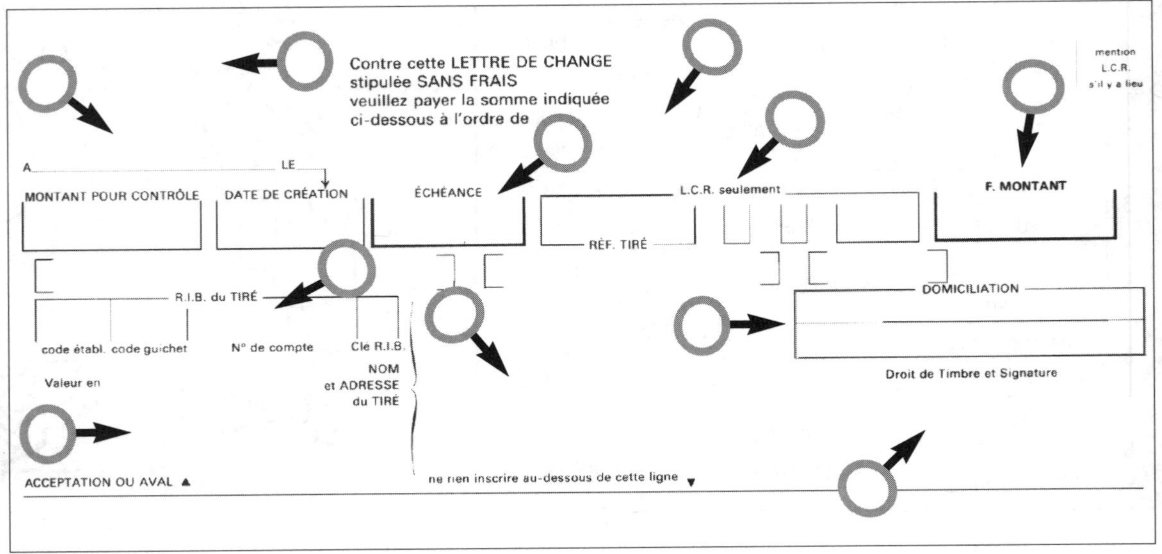
Contre cette LETTRE DE CHANGE
stipulée SANS FRAIS
veuillez payer la somme indiquée
ci-dessous à l'ordre de
mention
L.C.R.
s'il y a lieu
A
LE
MONTANT POUR CONTRÔLE
DATE DE CRÉATION
ÉCHÉANCE
L.C.R. seulement
F. MONTANT
RÉF. TIRÉ
R.I.B. du TIRÉ
DOMICILIATION
code établ. code guichet
N° de compte
Clé R.I.B.
NOM
et ADRESSE
du TIRÉ
Valeur en
Droit de Timbre et Signature
ACCEPTATION OU AVAL
ne rien inscrire au-dessous de cette ligne

# 2. COMPRENDRE L'HISTOIRE D'UNE LETTRE DE CHANGE

## 1. DÉPART DE LA LETTRE DE CHANGE

### a. Lisez la lettre ci-contre et répondez aux questions.

1. Par qui et pourquoi a été établie la lettre de change ?.
2. Qui a transmis la lettre de change ? À qui ? À quelle date ?
3. Par qui et pourquoi doit-elle être signée ? Par qui, à qui et à quelle date doit-elle être retournée ?
4. Quel est le montant de la lettre de change ? Qui doit payer ? À quelle date ? Où sera-t-elle payée ? Qui encaissera le montant ?
5. Est-ce Haut-Brane ou Le Jardin des Vignes qui est le tireur ? le tiré ? le bénéficiaire ? le client ? le fournisseur ? le débiteur ? le créancier ?

**Société HAUT-BRANE**
35, rue Jourdan
33020 BORDEAUX CEDEX

LE JARDIN DES VIGNES
13, rue Victor Hugo
93100 MONTREUIL

Objet :
V/Commande n° 978
du 10 septembre

Bordeaux, le 9 octobre 199.

Messieurs,

Nous vous prions de bien vouloir trouver ci-joint :
- notre facture n° 612 d'un montant de 8 500 F relative à notre livraison de marchandises du 7 octobre.
- une lettre de change n° 234, comme convenu à échéance du 10 novembre, domiciliée à la BNP de Montreuil, que nous vous demandons de nous retourner acceptée.

Nous vous en remercions et vous prions d'agréer, Messieurs, nos salutations distinguées.

Le Service de la Comptabilité

*H. Grillet*

Henri Grillet

### b. Établissez la lettre de change à la place de Henri Grillet, en utilisant le modèle ci-dessus.

## 2. RETOUR À LA CASE DÉPART

*Un mois plus tard, la Société Haut-Brane adresse au Jardin des Vignes la lettre ci-contre.*

**Complétez cette lettre à l'aide des mentions suivantes :** surpris, indiquer, délais, s'agit, tirée, procéder, règlement, accepté.

Bordeaux, le 12 novembre 199.

Messieurs,

Notre banque nous retourne ce jour impayée sans ...... (1) de motif de refus, la lettre de change n° 234 d'un montant de 8500 F que nous avions ...... (2) sur vous le 9 octobre en ...... (3) de notre facture n° 612.

Cet effet ayant été ...... (4) par vous le 13 octobre, nous sommes très ...... (5) de ce non-paiement.

Nous pensons qu'il ...... (6) là d'une erreur et nous vous demandons de ...... (7) à ce règlement dans les meilleurs ...... (8) .

Veuillez agréer, Messieurs, nos salutations distinguées.

Le Service de la Comptabilité

H. Grillet

Henri Grillet

## 3. LA LETTRE DE CHANGE SUIT SON CHEMIN

**Pour bien comprendre quel a été le chemin suivi par la lettre de change n° 234 créée par la Société Haut-Brane, complétez le schéma ci-dessous :**

- **en indiquant les dates et les numéros manquants ;**
- **en fléchant chacune des lignes ;**
- **en numérotant dans les cercles les opérations par ordre d'exécution.**

**Client LE JARDIN DES VIGNES** — **Fournisseur SOCIÉTÉ HAUT-BRANE**

- ○ *Commande n° .................. du ..................*
- ○ *Facture n° .................. du ..................*
- ○ *Envoi de la LC pour acceptation le ............*
- ○ *Retour de la LC acceptée le............*

**SOCIÉTÉ HAUT-BRANE** — **CRÉDIT AGRICOLE**

- *Renvoi de la LC impayée* ○
- ○ *Remise de la LC*

**BNP** — **CRÉDIT AGRICOLE**

- ○ *Présentation de la LC à l'encaissement*
- ○ *Retour de la LC impayée*

## 4. CONNAISSEZ-VOUS LA LETTRE DE CHANGE RELEVÉ ?

*Le plus souvent, Haut-Brane utilise avec ses clients le système de la lettre de change relevé (LCR). Celle-ci est une lettre de change traitée par ordinateur : elle ne circule pas matériellement entre les banques, ce qui permet de diminuer le nombre des opérations à effectuer et donc le coût du traitement.*

**Pour comprendre comment fonctionne le système, mettez dans l'ordre chronologique les différentes étapes suivies par la lettre de change relevé. Aidez-vous pour cela des mots en caractère gras.**

*À titre d'exemple, la quatrième étape a été indiquée.*

a. ***Puis*** *les banques s'échangent entre elles les LCR.* [4]

b. **Finalement,** la banque du client paie par virement la société Haut-Brane. [8]

c. **Tout d'abord,** le client qui désire régler ses factures par LCR adresse à la société Haut-Brane un relevé d'identité bancaire (RIB). [1]

d. **Avant-dernière étape :** le client retourne à sa banque le relevé, après y avoir indiqué les LCR qu'il accepte de payer. [7]

e. **Ensuite,** la société Haut-Brane adresse, **d'une part**, ses factures au client, sans y joindre de LCR. [2]

f. Le Crédit Agricole remet **donc** les LCR à la banque du client. [5]

g. **D'autre part,** la société Haut-Brane remet à sa banque, le Crédit Agricole, les LCR qu'elle a tirées sur son client. [3]

h. **Cette dernière** envoie à son client un relevé de toutes les LCR qui ont été tirées sur lui. [6]

## CONTRÔLE DES CONNAISSANCES

*Une opération d'achat-vente se fait en plusieurs étapes. En voici quelques-unes, présentées ci-dessous dans le désordre.*

**Placez-les dans l'organigramme ci-contre en retrouvant l'ordre chronologique.**

**a.** *Je vérifie la facture.*
**b.** Y a-t-il une irrégularité dans la livraison ?
**c.** Je reçois la facture.
**d.** Je signale l'erreur au vendeur et je lui demande un avoir.
**e.** J'attends le relevé de factures.
**f.** Le règlement se fait-il sur relevé de factures ?
**g.** Je réceptionne les marchandises.
**h.** Je commande les marchandises.
**i.** Y a-t-il une erreur sur la facture ?
**j.** Je signale l'irrégularité.
**k.** Je paye la facture selon le mode convenu : chèque, virement, LC, ...

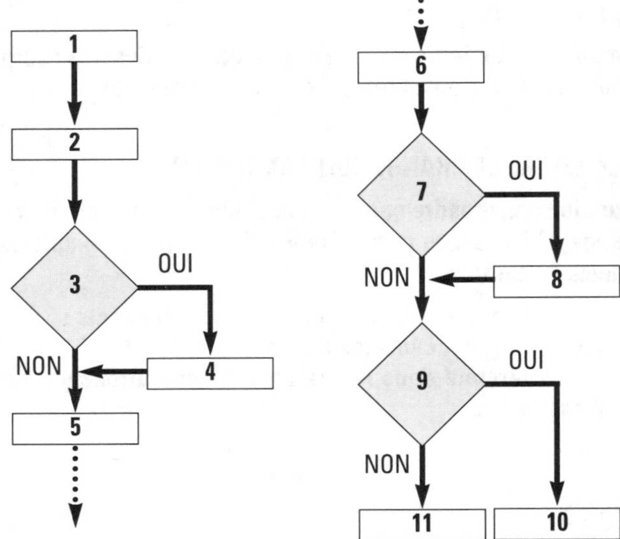
1
2
3
OUI
4
NON
5
6
7
OUI
8
NON
9
OUI
NON
11
10

## COMMENT EXPRIMER LE TEMPS EN CORRESPONDANCE COMMERCIALE (2e PARTIE)

| Marques de temps | Signification | Exemples |
|---|---|---|
| • *De (du)... à (au)*<br>• *Entre... et...*<br>• *En... dans les...*<br>• *Au cours de...* | Indication d'une **durée précisée**. | • Notre magasin sera fermé – **du** 20 **au** 28 janvier. / – **entre** le 20 **et** le 28 janvier.<br>• Cet appareil a été mis au point **en** 3 mois.<br>• Les marchandises seront livrées **au cours de** la semaine. |
| • *Depuis...*<br>• *Il y a... que...*<br>• *À partir de du...*<br>• *Dès...* | Expression de la **durée** avec indication du **point de départ**. | • La fabrication de cet article est arrêtée **depuis** 2 mois.<br>• **Il y a** deux mois **que** la fabrication de cet article est arrêtée.<br>• Nous appliquerons nos nouveaux tarifs – **à partir du**... / – **dès** le 25 mars. |
| • *Jusqu'à (au)...* | Expression de la **durée** avec indication du **point d'arrivée**. | • Cette offre est valable **jusqu'au** 15 septembre. |
| • *Tous (toutes) les...*<br>• *Chaque...*<br>• *(Une) fois par...*<br>• *Sur...* | Indication de la **répétition**, de la **périodicité**. | • Nous pouvons effectuer ce transport – **tous les** 15 jours. / – **chaque** quinzaine. / – 2 **fois par** mois.<br>• Vous pouvez bénéficier d'un paiement étalé **sur** 3 mois. |
| • *Lors de (du)... À (au)...*<br>• *Au cours de (du)...* | Indication de la **simultanéité** de deux événements. | • **Lors du/Au** déballage, nous avons constaté que...<br>• Les dégâts se sont produits **au cours du** déchargement. |
| • *Avant* (+ nom)<br>• *Avant de* (+ infinitif)<br>• *D'abord...*<br>• *À l'avance / Par avance / D'avance*<br>• *Anticipé(e)* | Indication de l'**antériorité** d'un fait par rapport à un autre. | • Veuillez accepter cette traite – **avant** son renvoi. / – **avant de** nous la retourner.<br>• Veuillez **d'abord** nous faire connaître votre décision.<br>• Nous vous remercions **d'avance / à l'avance / par avance**.<br>• Avec nos remerciements **anticipés**. |
| • *Après* (+ nom) / ( + infinitif passé)<br>• *Suite à...*<br>• *Puis / Ensuite...*<br>• *Dès...*<br>• *Suivant...* | Indication de la **postériorité** d'un fait par rapport à un autre. | • Je vous retourne votre traite – **après** acceptation. / – **après** l'avoir acceptée.<br>• **Suite à** notre entretien téléphonique, nous...<br>• **Ensuite** nous vous remettrons la facture acquittée.<br>• Veuillez procéder à la livraison **dès** réception de la commande.<br>• Le paiement sera effectué dans les 15 jours **suivant** la livraison. |

9
UNITÉ

# LA COMMUNICATION AVEC LES PARTENAIRES

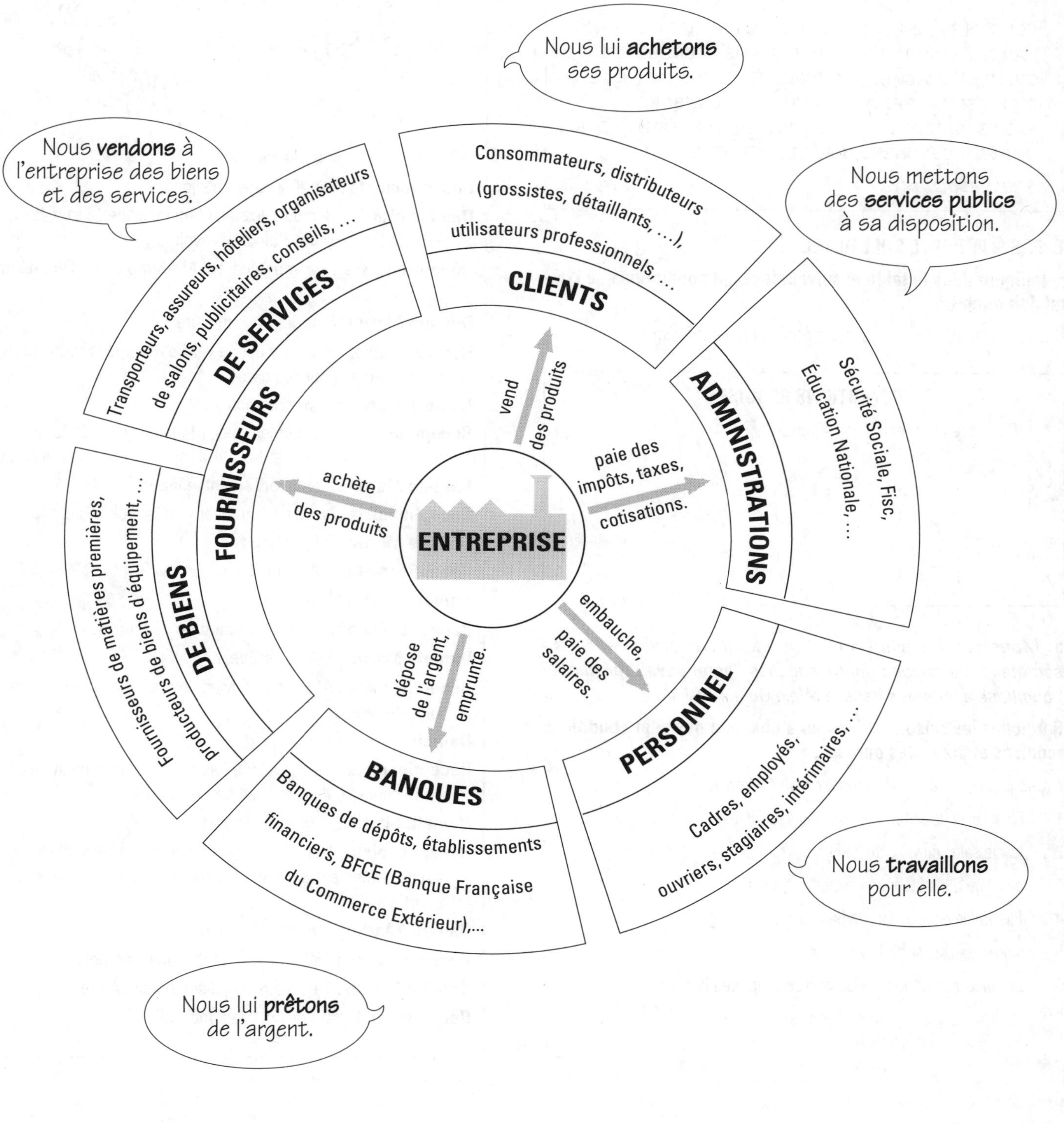

Nous lui **achetons** ses produits.

Nous **vendons** à l'entreprise des biens et des services.

Nous mettons des **services publics** à sa disposition.

**CLIENTS**

Consommateurs, distributeurs (grossistes, détaillants, ...), utilisateurs professionnels, ...

**FOURNISSEURS DE SERVICES**

Transporteurs, assureurs, hôteliers, organisateurs de salons, publicitaires, conseils, ...

**FOURNISSEURS DE BIENS**

Fournisseurs de matières premières, producteurs de biens d'équipement, ...

**ADMINISTRATIONS**

Sécurité Sociale, Fisc, Éducation Nationale, ...

**ENTREPRISE**

vend des produits

achète des produits

paie des impôts, taxes, cotisations.

embauche, paie des salaires.

dépose de l'argent, emprunte.

**PERSONNEL**

Cadres, employés, ouvriers, stagiaires, intérimaires, ...

**BANQUES**

Banques de dépôts, établissements financiers, BFCE (Banque Française du Commerce Extérieur),...

Nous **travaillons** pour elle.

Nous lui **prêtons** de l'argent.

# 1. À LA RECHERCHE D'UN HÔTEL

*Paul Taravant est en voyage d'affaires. Il envoie à sa secrétaire, Danièle Martin, un télex lui demandant de trouver un hôtel à Paris à l'occasion du salon du vin.*

```
A L'ATTENTION DE DANIELE MARTIN

POUR 13, 14 JUIN, TROUVER HOTEL PRES
PARC EXPOSITIONS PORTE DE VERSAILLES.
CHAMBRE CALME. TELEPHONE DIRECT INDIS-
PENSABLE. TELECOPIEUR DISPONIBLE. SOU-
HAITE SALLE DE REUNION. RESTAURANT POUR
PETIT DEJEUNER. MERCI. SALUTATIONS.

PAUL TARAVANT
```

## 1. PAS N'IMPORTE QUEL HÔTEL

**a. Indiquez dans le tableau suivant les sept conditions que l'hôtel doit remplir.**

*À titre d'exemple, la première condition a déjà été indiquée.*

| CONDITIONS REQUISES |
|---|
| 1. Chambre libre les 13 et 14 juin |
| 2. |
| 3. |
| 4. |
| 5. |
| 6. |
| 7. |

**b.** *Monsieur Taravant aurait pu expliquer oralement à sa secrétaire les raisons pour lesquelles l'hôtel devait remplir les conditions exprimées dans le télex. Qu'aurait-il dit ?.*

**Rattachez les raisons suivantes à chacune des sept conditions requises et faites des phrases.**

*Exemple : 1. Je voudrais disposer d'un télécopieur.*

1. ... *En effet*, je devrai envoyer plusieurs documents.
2. ..., *car* le salon du vin dure 2 jours.
3. ... *parce qu*'il me faudra recevoir des clients.
4. Je dors *tellement* mal dans le bruit *que*...
5. *Comme* je déteste sortir le ventre vide...
6. ... *La raison, c'est que* j'aurai plein de coups de fils à passer.
7. Si..., c'est *parce que* je veux aller au salon à pied.

## 2. JUSTE QUELQUES INFORMATIONS

*Danièle Martin téléphone à l'hôtel Socapel pour prendre des informations. Dans le texte ci-dessous, les demandes qu'elle fait sont partiellement effacées.*

 **Lisez (et écoutez) la conversation téléphonique et complétez.**

**Réceptionniste :** Hôtel Socapel, bonjour.

**Danièle Martin :** Bonjour. Je suis Mademoiselle Martin, de la Société Haut-Brane. J'aimerais avoir...

**Réceptionniste :** Je vous écoute, Mademoiselle. Que désirez-vous savoir ?

**Danièle Martin :** Pourriez-vous me dire si...

**Réceptionniste :** Attendez que je vérifie. Oui, nous avons encore des chambres pour ces dates.

**Danièle Martin :** Et vos chambres... ?

**Réceptionniste :** Absolument pas, Mademoiselle. Certaines donnent sur un jardin et les autres sur une rue très tranquille.

**Danièle Martin :** J'aimerais autant le jardin. Quelle ... ?

**Réceptionniste :** Nous nous trouvons au 24, rue Lacretelle.

**Danièle Martin :** Pouvez-vous ... ?

**Réceptionniste :** L-A-C-R-E-T-E-L-L-E

**Danièle Martin :** Est-ce... ?

**Réceptionniste :** À quelques centaines de mètres.

**Danièle Martin :** Est-il possible... ?

**Réceptionniste :** Absolument, Mademoiselle, nous avons une salle de réunion.

**Danièle Martin :** ... ?

**Réceptionniste :** Bien sûr. La télécopie est à la disposition de notre clientèle d'affaires 24 heures sur 24.

**Danièle Martin :** J'aimerais également savoir...

**Réceptionniste :** Oui, où l'on peut prendre son petit déjeuner ; il existe également plusieurs excellents restaurants dans le quartier.

**Danièle Martin :** Dernière question : ... ?

**Réceptionniste :** 460 francs, petit déjeuner compris.

**Danièle Martin :** Très bien. Je vous remercie. Au revoir.

**Réceptionniste :** Au revoir, Mademoiselle.

## 2. À L'HÔTEL SOCAPEL

### 1. RÉSERVATIONS

**a.** *L'hôtel Socapel reçoit le télex ci-contre envoyé par Danièle Martin. Certains mots ont été effacés.*

**Trouvez les mots manquants**

SOCIETE HAUT-BRANE

A HOTEL SOCAPEL

......(1) RESERVER CHAMBRE INDIVIDUELLE AU ......(2) DE PAUL TARAVANT LES 13, 14 JUIN. REGLERA LA ......(3) SUR PLACE. MERCI DE ......(4) SALUTATIONS

DANIELE MARTIN

**b. Rédigez le télex que devra envoyer l'hôtel Socapel à Danièle Martin pour confirmer la réservation.**

*c. L'hôtel Socapel a reçu, en même temps que le télex de Danièle Martin, quatre télex, qui ont été présentés en désordre dans le tableau ci-dessous.*

**Reconstituez ces quatre télex. À votre avis, lequel est-il arrivé par erreur à l'hôtel Socapel ?**

| | | | | |
|---|---|---|---|---|
| **1.** POUVEZ-VOUS RECEVOIR | DE PLACE OMBRAGEE | DONNANT SUR | ET VOITURE EN | 1RE QUINZAINE D'AVRIL |
| **2.** MERCI DE RESERVER | GROUPE DE 30 | POUR CARAVANE | COMPLETE AU | 13 AU 15 JUIN |
| **3.** DEMANDONS RESERVATION | RESERVATION DE CHAMBRE | DOUBLE EN PENSION | PENSION LA | AOUT |
| **4.** DEVONS ANNULER | CHAMBRE AVEC BAIN | PERSONNES EN DEMI | JARDIN DU | MOIS DE JUILLET |

### 2. IMPRESSIONS

*De retour dans son entreprise, après le salon du vin, Paul Taravant donne à Danièle Martin ses impressions sur l'hôtel.*

**Écoutez (ou lisez) la conversation (ci-dessous) et remplissez le questionnaire que Monsieur Taravant a remis à la réception de l'hôtel Socapel à la fin de son séjour.**

**Danièle Martin :** Alors, Monsieur, comment était votre hôtel ?

**Paul Taravant :** Plutôt bien. C'était à deux pas du salon et c'est surtout ça que je voulais. L'accueil était formidable. Des gens souriants et très disponibles, mais je dois dire, pas toujours bien organisés... En tous cas, des fanatiques du ménage. Ma chambre était toujours impeccable. Un petit détail tout de même : il faudrait leur dire pour la prochaine fois de me donner un meilleur matelas.

**Danièle Martin :** Avez-vous pu recevoir tous vos clients ?

**Paul Taravant :** Oui, mais heureusement que nous étions peu nombreux. On était plutôt serrés dans cette salle. Par contre, pour le matériel de bureau, on avait tout ce qu'il fallait. Et figurez-vous que Monsieur Videlier était dans le même hôtel. Nous avons pris tous les jours notre petit déjeuner ensemble. D'ailleurs, il se plaignait toujours que c'était un peu léger. Et il n'avait pas tort. Là aussi, l'hôtel pourrait faire un petit effort.

**Hôtel Socapel**

Cher client,

Notre plus grand souci est de rendre agréable votre séjour dans cet hôtel. C'est pourquoi nous souhaiterions savoir ce que vous pensez de nos services. Nous vous remercions donc de bien vouloir remplir le questionnaire suivant :

**1. Personnel***
- Amabilité ☺ 😐 ☹
- Efficacité ☺ 😐 ☹

**2. Chambre***
- Propreté ☺ 😐 ☹
- Confort ☺ 😐 ☹

**3. Salle de réunion***
- Equipement ☺ 😐 ☹
- Confort ☺ 😐 ☹

**4. Petit déjeuner*** ☺ 😐 ☹

**5. Pourquoi avez-vous choisi l'hôtel Socapel ?**

---------------------------------------------

**6. Quelles sont vos suggestions ?**

---------------------------------------------

---------------------------------------------

Merci et à bientôt.

* Entourez la réponse choisie

# 1. PREMIÈRE LETTRE DE CANDIDATURE

### 1. QU'EST-CE QUE C'EST ?

**Prenez connaissance du document ci-contre et répondez aux questions suivantes. Il y a parfois plusieurs réponses possibles.**

**a.** Ce document est extrait :
- ☐ d'un catalogue
- ☐ d'un journal

**b.** Ce document est :
- ☐ un article de journal
- ☐ une affiche
- ☐ un compte rendu
- ☐ une annonce publicitaire

**c.** Ce document contient :
- ☐ une offre d'emploi
- ☐ un test d'orthographe
- ☐ une offre de documentation
- ☐ une lettre
- ☐ une leçon de grammaire
- ☐ une demande d'emploi

### 2. OÙ SONT LES FAUTES ?

**Cette lettre contient douze fautes. Pouvez-vous les trouver, puis les corriger toutes ?**

### 3. VRAI OU FAUX ?

**Indiquez si les affirmations suivantes sont vraies (V) ou fausses (F). Dans les deux cas, justifiez votre réponse par une phrase tirée du document.**

**a.** La lettre de Jeanne Dupont est une lettre de candidature *spontanée* à un emploi. ☐

**b.** Ne pas faire de faute au test, c'est être *assuré* de trouver un emploi. ☐

**c.** La méthode Ortho-facile demande seulement quelques *années* de travail. ☐

**d.** Cette méthode *est facile* et ne demande pas beaucoup de travail. ☐

**e.** C'est une méthode *d'auto-apprentissage* : pas besoin de professeur ! ☐

**f.** Grâce à cette méthode, on apprend à écrire sans faute, mais aussi à *mieux* écrire. ☐

**g.** Il est possible d'obtenir un *corrigé* du test en s'adressant à Ortho-Facile. ☐

**h.** Cette méthode est envoyée *gratuitement* à celui qui retourne le bon à découper. ☐

**ÊTES-VOUS CAPABLE DE CORRIGER CETTE LETTRE ?**

(Elle contient 12 fautes d'orthographe)

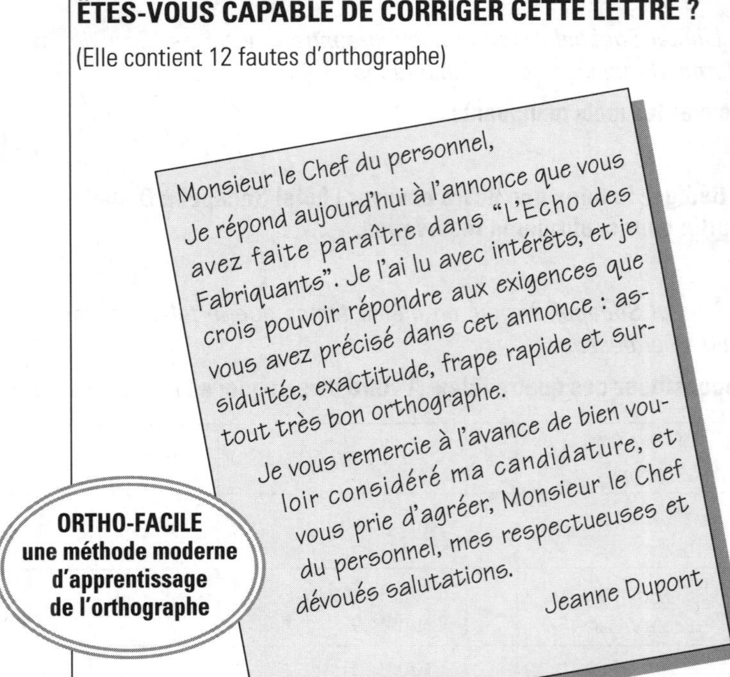

Monsieur le Chef du personnel,

Je répond aujourd'hui à l'annonce que vous avez faite paraître dans "L'Echo des Fabriquants". Je l'ai lu avec intérêts, et je crois pouvoir répondre aux exigences que vous avez précisé dans cet annonce : assiduitée, exactitude, frape rapide et surtout très bon orthographe.

Je vous remercie à l'avance de bien vouloir considéré ma candidature, et vous prie d'agréer, Monsieur le Chef du personnel, mes respectueuses et dévoués salutations.

Jeanne Dupont

**ORTHO-FACILE**
**une méthode moderne d'apprentissage de l'orthographe**

**Ceci n'est pas un jeu : c'est un test.**

Si vous le réussissez, vous pourrez répondre à n'importe quelle offre d'emploi, sans risquer de faire jeter votre lettre au panier.
Si vous ne le réussissez pas, savez-vous qu'il existe aujourd'hui une méthode sûre, simple et facile, qui permet d'acquérir ou de retrouver le sens de l'orthographe en quelques mois de travail personnel.

**Des résultats en trois mois**

Cette méthode moderne ne demande chaque jour qu'un effort minime. Avec cette méthode, on peut contrôler soi-même son travail et ses progrès. Les résultats sont rapides et durables. De plus, l'expression se fait vite plus précise quand on devient sûr de son orthographe. Lettres, notes de service et rapports se rédigent facilement.

**Vous avez droit à une information personnelle et gratuite.**

Il suffit de découper le bon de documentation pour obtenir (en même temps que la correction du test) tous les détails sur la méthode ORTHO-FACILE. Cette information gratuite vous permettra d'améliorer votre situation ou d'envisager un changement de carrière. Votre avenir est en jeu et nous aimerions vous aider.

**Faites vite !**

DOCUMENTATION GRATUITE
Bon à renvoyer à **ORTHO-FACILE**
**33, rue de Picpus – 75011 Paris**

Sans aucun engagement de ma part, je désire recevoir une information complète sur la méthode d'apprentissage de l'orthographe ORTHO-FACILE

NOM.................................... Prénom....................................
N° .................. rue....................................................
Code postal.............................. Ville....................................
J'ai bien noté que vous m'enverriez aussi le corrigé de la lettre-test.
Signature :

## 2. DEUXIÈME LETTRE DE CANDIDATURE

*Une autre lettre de candidature, écrite cette fois par Laurence Hochet, est reproduite ci-contre. Cette seconde lettre, rédigée sans faute d'orthographe, est différente de celle de Jeanne Dupont.*

### 1. CLASSER

**Retrouvez l'ordre des idées que Laurence Hochet a retenues et qui sont mentionnées ci-dessous dans le désordre.**

**a.** Espérer une réponse favorable et remercier.
**b.** Rappeler l'annonce et indiquer l'intérêt qu'on y porte.
**c.** Donner une formule de politesse.
**d.** Susciter une éventuelle rencontre.
**e.** Demander le poste.
**f.** Préciser qu'un CV est joint.
**g.** Insister sur l'adéquation du profil au poste.

### 2. COMPARER

**a. Relevez la formulation utilisée dans les lettres de Jeanne et de Laurence pour exprimer chacune des idées suivantes.**

1. Mentionner l'annonce et l'intérêt qu'elle présente.
   – Première lettre : *Je réponds aujourd'hui à l'annonce que vous avez fait paraître dans "L'Echo des Fabricants".*
   – Deuxième lettre : …
2. Insister sur l'adéquation du profil au poste.
   – Première lettre : …
   – Deuxième lettre : …
3. Solliciter le poste.
   – Première lettre : …
   – Deuxième lettre : …

**b. Indiquez deux idées qui sont contenues dans la lettre de Laurence et qui n'apparaissent pas dans la lettre de Jeanne. Quel intérêt présentent-elles ?**

… MON PROBLÈME, C'EST UNE TROP GRANDE EXPÉRIENCE DE NON-QUALIFIÉ.
PESSIN

Monsieur le Chef du personnel,

Votre annonce parue ce jour dans "L'Echo des Fabricants" a retenu toute mon attention et je me permets de faire acte de candidature pour le poste de secrétaire que vous proposez.

Je pense remplir les conditions requises, en ce qui concerne notamment l'assiduité et l'exactitude au travail. En outre, j'ai particulièrement étudié la dactylographie et l'orthographe.

Je vous adresse ci-joint mon CV qui vous donnera toutes précisions utiles sur ma formation.

Je me tiens à votre disposition pour une convocation éventuelle à vos bureaux au jour et à l'heure qui vous conviendront.

J'espère que vous pourrez donner une suite favorable à ma demande et vous en remercie.

Je vous prie de recevoir, Monsieur le Chef du personnel, mes respectueuses salutations.

Laurence Hochet

### 3. RÉPONDRE

*La réponse que Laurence Hochet recevra à sa lettre sera soit positive soit négative.*

**Rédigez ces deux lettres.**

**Pour cela vous devez d'abord :**

- **distinguer les idées exprimées ci-dessous : sont-elles contenues dans une réponse positive ? dans une réponse négative ? ou dans les deux types de réponse ?**
- **faire le plan de chacune des lettres, en classant les idées.**

**a.** Convoquer pour un entretien
**b.** Expliquer les motifs de la décision
**c.** Accuser réception de la lettre
**d.** Conclure et donner une formule de politesse
**e.** Annoncer que la candidature est intéressante
**f.** Informer que la candidature est rejetée
**g.** Dire que le transport sera à la charge de la société
**h.** Demander confirmation du rendez-vous par téléphone.

# SECTION 3 : TRAITER AVEC UN DISTRIBUTEUR

*La société Haut-Brane décide de commercialiser sous la marque Kipétille un nouveau vin-apéritif, pétillant et rosé.*

*Avant de lancer ce produit dans toute la France, le P-D.G. de la société, Monsieur Taravant,souhaite réaliser un test de vente dans un supermarché. Un contrat est ainsi passé avec le supermarché Vilprix.*

*L'opération, qui doit durer quatre semaines, débute comme prévu. Mais après une semaine de vente, Madame Canuet,une inspectrice de la société Haut-Brane, relève de graves irrégularités lors d'une visite dans le supermarché.*

*Madame Canuet découvre en effet que les bouteilles Kipétille sont placées par terre, où personne ne peut les remarquer, et non pas sur les rayonnages situés à hauteur des yeux, emplacement plus efficace pour la vente. En outre, le matériel publicitaire a disparu. Tout cela est contraire au contrat conclu entre la société Haut-Brane et le supermarché Vilprix.*

*L'inspectrice révèle aussitôt son identité au gérant du supermarché et lui fait part de ses observations. Ce dernier répond que le responsable du rayon est en congé et que son remplaçant n'a pas été informé du test en cours.*

*Monsieur Taravant est immédiatement alerté. Il réunit alors Madame Canuet et son directeur commercial, Monsieur André, pour connaître leur avis sur les mesures à prendre.*

QUE FAISONS-NOUS ?
IL Y A RUPTURE DE CONTRAT ! ABANDONNONS L'EXPÉRIENCE AVEC VILPRIX !
CE N'EST QU'UN MALENTENDU ! REPRENONS L'AFFAIRE AU DÉPART !
PAUL TARAVANT PRÉSIDENT
CHRISTINE CANUET INSPECTRICE
ANDRÉ GASTON DIRECTEUR COMMERCIAL

## 1. PRÉPARER UNE DÉCISION

*Christine Canuet et Gaston André, les deux collaborateurs de Monsieur Taravant, ne sont pas d'accord.*

**a. Reconstituez leur dialogue, en reliant par des flèches les répliques données par Gaston André à chacun des arguments de Christine Canuet comme cela a été fait pour la première réplique.**

**b. Simulez à trois cette réunion regroupant Paul Taravant, Gaston André et Christine Canuet.**

**1.** « Le contrat n'a pas été respecté. Nous avons perdu une semaine et notre plan de financement est totalement désorganisé. Nous sommes en droit de leur demander un dédommagement. » → B

**2.** « Nous pourrions les poursuivre en justice pour obtenir réparation. »

**3.** Le gérant a conclu le contrat sans y attacher la moindre importance. Qui peut lui faire confiance ?

**4.** « Comment faire pour s'assurer que le contrat sera bien respecté ? Je ne vais tout de même pas m'asseoir toute la journée devant les rayonnages. Mieux vaut laisser tomber et chercher un autre point de vente. »

**5.** « Il y a des centaines de supermarchés en France. Une présentation dans cinq ou six points de vente dans plusieurs régions serait plus significative. »

**A.** « Soyons confiants, mais restons prudents. Nous pouvons reprendre le test pour 4 semaines, en surveillant les opérations de très près. »

**B.** « Ils n'accepteront jamais de nous payer une quelconque indemnité. C'est une demande illusoire. »

**C.** « Contrôler autant d'endroits serait trop difficile et trop coûteux. Nous n'en avons pas les moyens. »

**D.** « Les tribunaux sont surchargés. Ce serait long et coûteux et nous n'avons ni argent ni temps à perdre. D'ailleurs, le gérant nous a donné ses raisons. Pourquoi ne pas le croire ? »

**E.** « Mais où et quand allons-nous le trouver ? Nous avons perdu assez de temps comme ça. »

## 2. PRENDRE UNE DÉCISION

*Monsieur Taravant a pris connaissance des opinions de ses deux collaborateurs. Il lui appartient maintenant de prendre une décision au mieux des intérêts de la société Haut-Brane.*

**a. Comment réagiriez-vous à sa place ? Faut-il :**

- Cesser toutes relations commerciales ?
- Arrêter le test ?
- Poursuivre le test ?
- Adopter une autre politique ?

**b.** *Monsieur Taravant décide finalement de poursuivre l'expérience avec Vilprix, mais en prenant cette fois certaines précautions.*

**Comment présente-t-il sa décision à ses deux collaborateurs ?**

**Simulez cette réunion.**

JE VOUS AI DEMANDÉ DE VENIR POUR VOUS FAIRE PART DE MA DÉCISION AU SUJET DE...

## 3. FAIRE CONNAITRE SA DÉCISION

*Sa décision prise, Monsieur Taravant demande à sa secrétaire, Danièle Martin, d'écrire une lettre au supermarché Vilprix.*

**a. Mettez-vous à la place de Danièle Martin et barrez dans la liste ci-dessous les idées que vous ne retenez pas pour votre lettre.**

**b. Indiquez ensuite dans quel ordre vous présentez les idées retenues, en mettant un numéro dans la case correspondante.**

- ☐ Préciser que le test, tel qu'il a été pratiqué, n'a aucune valeur.
- ☐ Menacer de poursuites judiciaires.
- ☐ Rappeler les manquements au contrat.
- ☐ Rappeler les raisons données par le gérant pour justifier les irrégularités commises.
- ☐ Demander des dommages-intérêts.
- ☐ Demander le respect du contrat.
- ☐ Demander un rendez-vous.
- ☐ Demander une prolongation du test.
- ☐ Demander une réponse.
- ☐ Rappeler la visite de l'inspectrice.
- ☐ Donner une formule de politesse.

**c. À vous maintenant de rédiger la lettre.**

# 1. S'INTÉRESSER AU MARCHÉ EXTÉRIEUR

*La société Haut-Brane vient de recevoir la lettre ci-contre des États-Unis.*

## 1. VRAI OU FAUX

**Lisez cette lettre et indiquez si les affirmations suivantes sont vraies (V) ou fausses (F).**

- **a.** Un exportateur américain écrit à une société française. [V]
- **b.** La société Aug Import a découvert les vins Haut-Brane aux États-Unis. [F]
- **c.** Un représentant de Aug Import a voyagé en France dans le but exclusif de goûter les vins Haut-Brane. [F]
- **d.** Les vins Haut-Brane ne sont pas vendus aux États-Unis. [V]
- **e.** Aug Import propose à la société Haut-Brane d'importer ses vins aux États-Unis. [V]
- **f.** Aug Import propose de vendre exclusivement des vins Haut-Brane. [ ]
- **g.** Monsieur Glaser, le président, voyagera en Europe en juin. [V]
- **h.** Aug Import propose de distribuer les vins Haut-Brane uniquement au Texas. [F]
- **i.** Aug Import ne vend qu'aux restaurants et hôtels. [F]

**AUG IMPORT**
1756 Prospect Avenue
Dallas, TX 93702

Société HAUT-BRANE
35, rue Jourdan
30200 BORDEAUX

Dallas, le 9 mai 19..

Messieurs,

**(A)** Lors d'un récent voyage en France, nous avons découvert les vins Haut-Brane et les avons trouvés excellents.

**(B)** Ayant appris que vous n'étiez pas représentés aux États-Unis, nous vous proposons de distribuer votre production en tant qu'agent importateur exclusif dans tout notre pays.

**(C)** Notre société commercialise de nombreux vins et spiritueux depuis plus de 15 ans et s'est bâtie une solide réputation dans ce domaine. Nous fournissons notamment les plus grands restaurants et hôtels du Texas.

**(D)** Nous vous serions reconnaissants de nous confirmer votre intérêt pour notre proposition en acceptant de rencontrer notre directeur commercial qui se rendra en Europe dans le courant du mois de juin. Nous pourrions ainsi examiner les différentes possibilités de collaboration entre nos deux maisons.

**(E)** Nous restons dans l'attente du plaisir de vous lire.

**(F)** Veuillez recevoir, Messieurs, nos salutations les meilleures.

*Th. Glaser*

Thomas GLASER, Président

## 2. AUTREMENT DIT

**a. Retrouvez dans la lettre les mots ou expressions qui pourraient être remplacés par :**

| | |
|---|---|
| – au cours de *lors de* | – dans ce secteur *dans ce domaine* |
| – offrons *proposons* | – nous vous saurions gré *nous serions reconnaissants* |
| – en qualité de *en tant que / comme agent* | – voyagera *se rendra* |
| – entreprise *maison / société* | – au cours du *dans le courant* |
| – a acquis *s'est bâtie* | – étudier *examiner* |

**b. Dites à quel paragraphe de la lettre correspondent les phrases suivantes :**

1. Nous espérons avoir bientôt de vos nouvelles. *E*
2. Nous sommes des gens sérieux. *C*
3. Nous connaissons et apprécions votre vin. *A*
4. Nous vous disons "au revoir". *F*
5. Nous pourrions nous voir et discuter. *D*
6. Nous souhaiterions vendre votre vin aux Etats-Unis. *B*

# 2. RÉALISER UNE AFFAIRE À L'EXPORTATION

## 1. RÉPONSE À UNE PROPOSITION

*Messieurs Taravant et André, de la société Haut-Brane, se rencontrent pour discuter de la proposition américaine.*

**a. Écoutez (ou lisez) deux fois le dialogue suivant, en relevant les expressions qui indiquent que Messieurs Taravant et André sont d'accord l'un avec l'autre.**

*Exemple : je n'y vois pas d'inconvénients*

**Paul Taravant :** Nous avons bien reçu cette lettre d'une société Import-Export américaine.

**Gaston André :** Oui, je sais... C'est intéressant. Qu'en pensez-vous ?

**Paul Taravant :** Nous pourrions toujours les rencontrer.

**Gaston André :** Je n'y vois pas d'inconvénient. Il faudrait d'abord en savoir plus sur cette société. Si elle nous paraît sérieuse, nous pourrions étudier les conditions de l'affaire. Exporter aux Etats-Unis n'est pas simple. Et puis attention, les Américains sont de durs négociateurs.

**Paul Taravant :** C'est vrai... Soyons prudents. Par exemple, pas question de leur donner l'exclusivité de nous représenter.

**Gaston André :** Oui, bien sûr. De plus, je propose que le contrat, si contrat il y a, soit dans un premier temps de courte durée : un ou deux ans au maximum.

**Paul Taravant :** Je suis tout à fait de votre avis. Prévoyons même la possibilité de rompre sans préavis si l'affaire tourne mal. Et la commission ?

**Gaston André :** Habituellement, nous offrons 7 % à nos partenaires européens. Il n'y a pas de raison de changer avec les Américains.

**Paul Taravant :** Bien, je vois que nous sommes d'accord pour parler de tout cela avec eux. Envoyons un courrier pour leur proposer de nous rencontrer en juin, au jour et à l'heure qu'ils veulent.

**Gaston André :** C'est entendu. Inutile de rentrer tout de suite dans les détails de nos conditions, je pense ?

**Paul Taravant :** Absolument... Indiquons-leur simplement les sujets qu'il faudra aborder.

**Gaston André :** Pas de problèmes. Je fais préparer la lettre et je vous la donne à signer.

**b. En réponse à la société américaine, écrivez une lettre telle que la souhaite Monsieur Taravant.**

## 2. PASSER UN CONTRAT

*Comme prévu, Monsieur Taravant, président de la société Haut-Brane, a rencontré en juin le directeur commercial de la société américaine. Ils ont conclu un contrat dont les quatre premiers articles sont reproduits ci-dessous.*

**a. Retrouvez les différences entre les conditions qui avaient été posées par Messieurs Taravant et André dans le dialogue précédent et celles qui ont finalement été retenues dans le contrat.**

**b.** *Dans les contrats et dans le langage du droit, la forme passive est fréquemment utilisée.*

**– Soulignez dans le texte du contrat les verbes employés à la forme passive.**

*Exemple : est chargée*

**– Mettez à la voie active les phrases où sont contenus ces verbes au passif.**

*Exemple : la société Haut-Brane charge la société Aug Import de la commercialisation de ses vins aux États-Unis.*

### CONTRAT DE REPRÉSENTATION

*Entre :*

*– la société Haut-BRANE dont le siège social est 35, rue Jourdan, 30200 BORDEAUX, FRANCE*

*– et la société AUG Import dont le siège social est 1756 Prospect Avenue, DALLAS 93702 TEXAS, USA,*

*il a été convenu ce qui suit :*

**ARTICLE 1 -** La société Aug Import est chargée à compter du 1er août 19.. de la commercialisation aux États-Unis des vins de la Société Haut-Brane.

**ARTICLE 2 -** La zone de représentation comprend tout le territoire des États-Unis. L'exclusivité est garantie pour l'État du Texas.

**ARTICLE 3 -** La société Aug Import recevra une commission de 10 % (dix pour cent) sur le chiffre d'affaires hors taxes qu'elle aura réalisé. Le règlement sera effectué à la fin de chaque trimestre.

**ARTICLE 4 -** Le présent contrat est conclu pour trois ans. Il peut être résilié par l'une des parties avec un préavis minimum de quatre mois. La résiliation sera notifiée par lettre recommandée.

**ARTICLE 5 :** etc.

# SECTION 5 : NÉGOCIER AVEC UN AGENT IMMOBILIER

*L'agence France Immobilier a fait passer l'annonce ci-contre dans le journal Le Figaro du lundi 3 mars.*

*Après lecture de cette annonce, Monsieur Valadier, que la maison intéresse, a pris rendez-vous par téléphone pour le vendredi 7 mars, à 13 heures, dans les bureaux de l'agent immobilier.*

À vendre
En Champagne
15 km d'Épernay
Maison de campagne
Grand terrain
Prix : 330 000 F

**JEU DE RÔLES**

**Deux équipes de deux personnes chacune reçoivent, l'une à l'écart de l'autre, des informations confidentielles. Chaque équipe est chargée de préparer pendant quinze minutes, l'une le rôle de l'acheteur, l'autre celui du vendeur.**

**Le reste du groupe prend connaissance, pendant le temps de préparation, des consignes de l'acheteur et du vendeur et assiste ensuite, en tant qu'observateur, au jeu de rôle.**

**Prenez connaissance des consignes suivantes.**

### Consignes pour l'acheteur

Vous êtes Monsieur et Madame Valadier et vous êtes tous deux âgés de 50 ans. Vous cherchez une maison de campagne où vous pourrez d'abord passer vos week-ends, puis vous installer définitivement quand vous prendrez votre retraite.

Vous vivez à Paris depuis 25 ans, mais vous êtes tous deux originaires de Champagne (région se trouvant à l'est de Paris). Vous êtes restés attachés à votre région d'origine et vous aimeriez y retourner. Vous êtes toutefois tout à fait d'accord pour acheter une maison ailleurs, pourvu que ce ne soit pas à plus de 200 km de Paris. En effet, vous ne voulez pas trop vous éloigner de votre fille unique, qui vient de se marier.

MON MARI ET MOI, NOUS SOMMES DE VRAIS AMOUREUX DE LA CAMPAGNE. QUAND NOUS AURONS NOTRE MAISON, NOUS VIVRONS ENTOURÉS DE TOUTES SORTES D'ANIMAUX : DES CHIENS, DES CHATS, DES CHÈVRES, DES OIES. ET PUIS, J'ESPÈRE QUE NOUS AURONS BIENTÔT DES PETITS-ENFANTS ET COMME LA MAISON SERA TOUT PRÈS DE PARIS, ILS POURRONT VENIR NOUS VOIR TRÈS SOUVENT.

JE DÉTESTE LES BORDS DE MER. CE QUE J'APPRÉCIE, C'EST LA PÊCHE À LA LIGNE. J'ADORE JARDINER ET JE VEUX QUE MA MAISON SOIT ENTOURÉE D'UN GRAND TERRAIN - AU MOINS 5000 M2 OÙ JE FERAI POUSSER TOUTES SORTES DE FRUITS ET LÉGUMES. J'AIME AUSSI BRICOLER ET LES TRAVAUX DANS LA MAISON NE ME FONT PAS PEUR, À CONDITION, BIEN SÛR, QUE CE NE SOIENT PAS DE GROS TRAVAUX.

Vous pouvez payer au maximum 400 000 francs : vous disposez d'un capital de 250 000 francs et vous ne voulez pas emprunter plus de 150 000 francs.

La maison qui fait l'objet de l'annonce du Figaro paraît correspondre à ce que vous recherchez. Mais les informations qui y sont données sont vagues, très vagues. C'est pour être informés dans tous les détails sur cette maison que vous avez pris rendez-vous avec un agent de France Immobilier.

Toutefois, votre mari étant retenu par son travail, vous seule, Madame Valadier, irez au rendez-vous. Vous profiterez de la pause du déjeuner pour vous rendre rapidement à l'agence immobilière, qui n'est pas trop éloignée de votre lieu de travail. Vous disposerez d'un quart d'heure au maximum pour vous entretenir avec l'agent immobilier.

9
UNITÉ

**Consignes pour le vendeur**

Vous êtes Monsieur et Madame Hubert et vous êtes les propriétaires d'une agence immobilière parisienne de bonne réputation. L'un de vous doit recevoir à 13 heures un certain Monsieur Valadier.

AH, J'OUBLIAIS! IL FAUT QUE L'UN DE NOUS DEUX RESTE À L'AGENCE POUR RECEVOIR CE MONSIEUR VALADIER, QUI M'A TÉLÉPHONÉ L'AUTRE JOUR POUR L'ANNONCE DU FIGARO!

FRAPAR.

| | CHAMPAGNE |
|---|---|
| **Situation géographique** | Deux km de Mourmelon, 15 km d''Épernay |
| **Distance de Paris** | 150 km |
| **Descriptif de la maison** | 5 grandes pièces (une de 60 m$^2$), toiture en mauvais état, eau du puits, pas d'électricité |
| **Terrain** | 8 000 m$^2$, bordé d'une rivière |
| **Prix** | 330 000 F |

Les caractéristiques de la maison faisant l'objet de cette annonce sont présentées dans le tableau ci-contre.

Malheureusement, cette maison n'est plus à vendre. Elle a en effet été vendue dans la matinée. Vous devez donc rapidement détourner l'acheteur vers l'une des autres maisons que vous êtes en mesure de lui proposer (voir tableau ci-dessous).

| | NORMANDIE | CHAMPAGNE | BRETAGNE | PAYS DE LA LOIRE |
|---|---|---|---|---|
| **Situation géographique** | Près de Honfleur, en bord de mer | Près d'Épernay, au cœur d'une petite ville, Avize | À Priziac, petit village breton au bord d'un lac, 40 km de Lorient | 3 km de Saint-Ouen, petite ville offrant tous les commerces de base |
| **Distance de Paris** | 200 km | 150 km | 550 km<br>TGV Paris-Lorient en 4 heures | 230 km |
| **Descriptif de la maison** | Petite maison de 4 pièces, bon état | Maison en pierre de taille, excellent état, intérieur aménagé (eau, électricité, sanitaire, etc.) | Maison bretonne en pierre, bon état, quelques aménagements intérieurs à prévoir | Grande maison immense de 10 pièces, dont 5 aménagées |
| **Terrain** | 5 000 m$^2$ | Pas de terrain | 9 500 m$^2$ | 14 000 m$^2$ |
| **Prix** | 390 000 F | 410 000 F<br>(à débattre) | 370 000 F | 495 000 F |

# CONTRÔLE DES CONNAISSANCES

**1. Complétez les phrases ci-contre à l'aide des mots ou groupes de mots suivants :**

*toutefois, si (2 fois), comme, afin de, donc (2 fois), étant donné, au cas où, dans le but de, malgré.*

**2. À partir de ces extraits , cherchez à deviner :**

**a. qui est l'auteur de la lettre ;**
**b. qui est le destinataire.**

**3. Indiquez si ces lettres sont :**

**a. des demandes ;**
**b. des réponses à des demandes.**

**a.** ...... (1) la qualité de vos produits, je suis tout à fait disposé à en assurer la distribution dans mes trois points de vente. Veuillez ...... (2) me faire connaître vos conditions de vente dans les meilleurs délais.

**b.** ...... (3) vous pouviez repousser d'une semaine la date de votre séjour, nous serions en mesure de vous offrir cinq chambres avec vue panoramique sur le lac.

**c.** Votre candidature, ...... (4) des aspects intéressants, ne correspond pas pour le moment à nos besoins. Il ne nous est ...... (5) pas possible de donner une suite favorable à votre demande. ...... (6) ...... , (7) une opportunité se présentait, nous ne manquerions pas de vous le faire savoir.

**d.** ...... (8) le risque incendie est couvert par votre police, nous vous prions d'envoyer d'urgence votre expert ...... (9) procéder à l'évaluation du dommage.

**e.** ...... (10) cette proposition de représentation pour la Suède vous intéresserait, nous vous saurions gré de bien vouloir nous fixer un rendez-vous ...... (11) arrêter les termes de notre accord.

# COMMENT ARGUMENTER

## ARGUMENTER, EN CORRESPONDANCE COMMERCIALE, C'EST :

### • Dire pour quelle raison

| | | |
|---|---|---|
| • **En raison / Par suite d'**une<br>• **Étant donné** la<br>• **Comme** nous connaissons une<br>• **Connaissant** une | diminution sensible de nos ventes, | nous ne serons pas en mesure de vous régler, comme convenu, à l'échéance du 30 mai. |

| | |
|---|---|
| Nous ne sommes pas en mesure de vous régler à l'échéance du 30 mai. | Nous connaissons **en effet** une diminution sensible de nos ventes. |

### • Dire quelle est / sera la conséquence

| | | |
|---|---|---|
| Nous connaissons actuellement des difficultés passagères de trésorerie. | • Il nous sera **donc**<br>• **En conséquence** / **C'est pourquoi** il nous sera<br>• **Aussi** nous sera-t-il | impossible de vous régler à l'échéance du 30 mai. |

### • Marquer l'insistance

| | |
|---|---|
| • Nous **attirons votre attention sur**<br>• Nous nous permettons d'**insister sur**<br>• Nous tenons à **souligner** | le caractère exceptionnel de cette demande. |

### • Exprimer sa certitude

| |
|---|
| Nous sommes **persuadés / convaincus / certains que** vous donnerez une suite favorable à notre demande. |

### • Dire dans quel but

| | | |
|---|---|---|
| • **Afin de / Dans le but de / Dans le souci de**<br>• **Désireux / Souhaitant** | vous aider en cette période difficile, | nous sommes disposés à vous accorder le report d'échéance que vous demandez. |

### • Exprimer l'opposition

| | |
|---|---|
| • **Malgré** nos propres difficultés,<br>• **Bien que** cela ne soit pas dans nos habitudes, | nous vous accordons, à titre exceptionnel, une prorogation de paiement. |
| Il ne nous est pas possible de répondre favorablement à votre demande. | **Toutefois / Cependant** nous vous proposons une solution intermédiaire. |

### • Dire à quelle condition

| | |
|---|---|
| • Cette faveur vous est accordée, | **à condition que** vous respectiez cette nouvelle date de paiement. |

### • Exprimer une hypothèse

| | |
|---|---|
| • **Si** cette nouvelle date de paiement n'était pas respectée,<br>• **Au cas où** vous ne respecteriez pas cette nouvelle date de paiement, | nous nous verrions contraints de vous imputer des intérêts à partir du 30 mai. |

# LES NOUVEAUX OUTILS DE COMMUNICATION

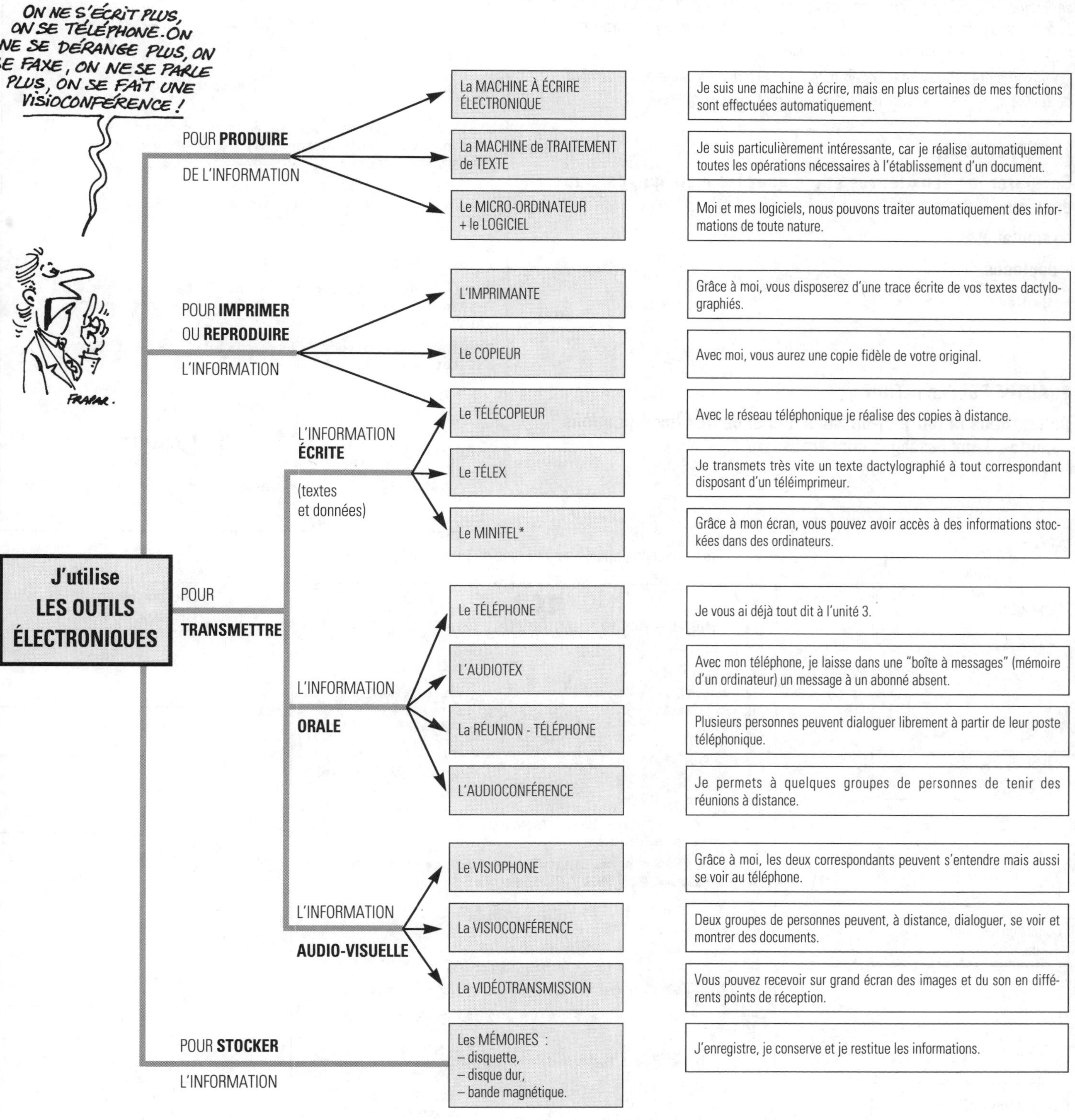
ON NE S'ÉCRIT PLUS, ON SE TÉLÉPHONE. ON NE SE DÉRANGE PLUS, ON SE FAXE, ON NE SE PARLE PLUS, ON SE FAIT UNE VISIOCONFÉRENCE !
FRAPAR.
J'utilise LES OUTILS ÉLECTRONIQUES
POUR PRODUIRE DE L'INFORMATION
La MACHINE À ÉCRIRE ÉLECTRONIQUE
Je suis une machine à écrire, mais en plus certaines de mes fonctions sont effectuées automatiquement.
La MACHINE de TRAITEMENT de TEXTE
Je suis particulièrement intéressante, car je réalise automatiquement toutes les opérations nécessaires à l'établissement d'un document.
Le MICRO-ORDINATEUR + le LOGICIEL
Moi et mes logiciels, nous pouvons traiter automatiquement des informations de toute nature.
POUR IMPRIMER OU REPRODUIRE L'INFORMATION
L'IMPRIMANTE
Grâce à moi, vous disposerez d'une trace écrite de vos textes dactylographiés.
Le COPIEUR
Avec moi, vous aurez une copie fidèle de votre original.
Le TÉLÉCOPIEUR
Avec le réseau téléphonique je réalise des copies à distance.
POUR TRANSMETTRE
L'INFORMATION ÉCRITE (textes et données)
Le TÉLEX
Je transmets très vite un texte dactylographié à tout correspondant disposant d'un téléimprimeur.
Le MINITEL*
Grâce à mon écran, vous pouvez avoir accès à des informations stockées dans des ordinateurs.
L'INFORMATION ORALE
Le TÉLÉPHONE
Je vous ai déjà tout dit à l'unité 3.
L'AUDIOTEX
Avec mon téléphone, je laisse dans une "boîte à messages" (mémoire d'un ordinateur) un message à un abonné absent.
La RÉUNION - TÉLÉPHONE
Plusieurs personnes peuvent dialoguer librement à partir de leur poste téléphonique.
L'AUDIOCONFÉRENCE
Je permets à quelques groupes de personnes de tenir des réunions à distance.
L'INFORMATION AUDIO-VISUELLE
Le VISIOPHONE
Grâce à moi, les deux correspondants peuvent s'entendre mais aussi se voir au téléphone.
La VISIOCONFÉRENCE
Deux groupes de personnes peuvent, à distance, dialoguer, se voir et montrer des documents.
La VIDÉOTRANSMISSION
Vous pouvez recevoir sur grand écran des images et du son en différents points de réception.
POUR STOCKER L'INFORMATION
Les MÉMOIRES :
– disquette,
– disque dur,
– bande magnétique.
J'enregistre, je conserve et je restitue les informations.

* Le système VIDÉOTEX interactif est connu en France sous le nom de TÉLÉTEL, accessible par le réseau téléphonique au moyen d'un terminal appelé MINITEL.

# 1. LE TRAITEMENT DE TEXTE

Traiter un texte, c'est le dactylographier (ou le taper) au clavier, comme sur une machine à écrire. Mais c'est aussi pouvoir le visualiser sur un écran, le modifier sans avoir à le retaper entièrement, le stocker (ou le mémoriser) et l'imprimer autant de fois que c'est nécessaire dans la présentation souhaitée.

*Anne Laborde, la responsable de la promotion de l'ICP, n'est pas entièrement satisfaite de la présentation et de certaines formulations de la lettre ci-contre. Elle demande donc à une opératrice de traitement de texte d'y apporter des modifications et d'améliorer la mise en page.*

*Ce travail a été effectué par l'opératrice à l'aide d'une machine de traitement de texte : la nouvelle version de la lettre est présentée ci-dessous.*

## 1. AUTRES MOTS

**Comparer les deux lettres et indiquez les mots qui, dans la deuxième lettre ont été :**

**– remplacés,**

**– déplacés,**

**– ajoutés.**

## 2. AUTRE PRÉSENTATION

**Reliez, dans la lettre ci-dessous, les encadrés (modifications apportées) aux passages concernés.**

Lettre dactylographiée à l'aide d'une machine à écrire électrique

ICP
Institut de la Communication Professionnelle
112, av. de Choisy - PARIS 75013

Tél. : (1) 45.23.32.45
Fax. : (1) 45.78.12.39
Télex : 204.123 F

Monsieur Pierre CADOT
15, rue Pasteur
44005 NANTES

Paris, le 14 mai 19..

Cher client, chère cliente,

Vous n'avez pu vous rendre disponible pour assisté à la réunion d'information qui s'est déroulée le 5 mai 19..

J'ai le plaisir de vous faire savoir qu'une autre réunion ICP - Bureautique sur la présentation des formations longues est organisé

le 12 juin à 14 h
dans les locaux de l'IPC
112, av. de Choisy - 75013 PARIS

Métro : Tolbiac. Bus : lignes 83 et 62, station Tolbiac. Parking ICP gratuit assuré.

Merci de me confirmer votre participation avant le 7 juin 19.. en me retournent le coupon réponse ci-joint.

Recevez, cher client, chère cliente, mes sincères salutations

Anne LABORDE

A. Laborde

Responsable de la Promotion

Lettre dactylographiée sur machine de traitement de texte

Centrage du texte

Retrait de première ligne de paragraphe

Correction de fautes d'orthographe

*Caractères italiques*

**ICP**

*INSTITUT DE LA COMMUNICATION PROFESSIONNELLE*
112, av. de Choisy - 75013 PARIS

TEL : (1) 45.23.32.45
FAX : (1) 45.78.12.39
TELEX : 204.123 F

Monsieur Pierre CADOT
15, rue Pasteur
44005 NANTES

Paris, le 14 mai 19..

Madame, Monsieur,

Vous n'avez pu vous libérer pour assister à la dernière réunion d'information qui s'est déroulée le 5 mai 19..

Je suis heureux de vous annoncer qu'une autre réunion sur la présentation des formations longues ICP BUREAUTIQUE est organisée le :

**12 JUIN à 14 H 00**

dans les locaux de l'ICP
112, av. de Choisy - 75013 PARIS

Métro : Tolbiac - Bus : lignes 83 et 62, station Tolbiac — Parking ICP gratuit assuré

☞ *Merci de me confirmer votre participation en me retournant le coupon ci-joint avant le 7 juin 19..*

Recevez, Madame, Monsieur, mes sincères salutations.

Anne LABORDE
Responsable de la promotion

Augmentation de la taille des caractères

Caractères gras

Encadrement

Soulignement

***Alignement du texte à droite***

# 2. LA REPRODUCTION DES DOCUMENTS

## 1. À APPRÉCIER

*Voici, extraits d'une publicité sur le copieur en couleur GÉNIAL les photos, les professions et les déclarations de huit personnes.*

### a. Que disent-elles ?

**Tout a été mis dans le désordre. À vous de faire correspondre chaque dessin :**
**– d'abord à la profession correspondante,**
**– puis à la déclaration correspondante.**

### b. Comment le disent-elles ?

**Soulignez dans les huit déclarations les mots ou expressions qui permettent de valoriser le copieur GÉNIAL.**

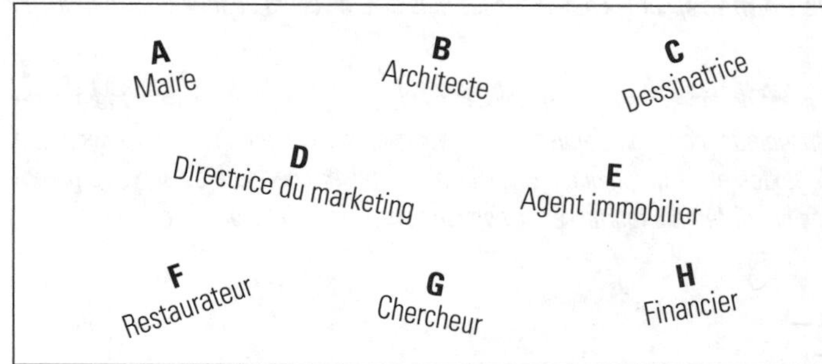
A
Maire
B
Architecte
C
Dessinatrice
D
Directrice du marketing
E
Agent immobilier
F
Restaurateur
G
Chercheur
H
Financier

**a** *Plus explicites en couleur, mes dossiers de financement sont tous acceptés.*

**b** *La couleur donne un impact formidable à mes stratégies.*

**c** *Grâce à la couleur mes projets séduisent toutes les assemblées.*

**d** *Revu et corrigé par GÉNIAL, mon book déclenche l'enthousiasme.*

**e** *En couleur mes travaux sont enfin compris par tout le monde.*

**f** *GÉNIAL sait rendre mes menus encore plus appétissants.*

**g** *Mes maisons se vendent beaucoup mieux en couleur qu'en noir et blanc.*

**h** *Jamais la couleur n'avait mieux mis mes plans en valeur.*

## 2. À VENDRE

*Voici, présentées dans le tableau ci-contre, les caractéristiques d'un copieur.*
*Mais attention, dans la deuxième colonne, les mentions ont été mises dans le désordre.*

**a. Attribuez chaque mention à la rubrique correspondante et indiquez la signification des sigles et abréviations mentionnés.**

**b. Supposons que vous soyez le vendeur de ce copieur.**
**Pour convaincre vos clients, présenter les caractéristiques techniques ne suffit pas, il faut aussi leur montrer les avantages qu'ils peuvent tirer de l'utilisation de cet appareil.**
**Avec un partenaire, simulez cet entretien de vente et n'oubliez pas de faire correspondre un avantage à chaque caractéristique technique.**
Avantages possibles : léger et facilement transportable, faible coût de fonctionnement, gain de temps et performance, encombrement réduit, investissement à long terme, copie sur mesure...

**c. Rédigez un court texte destiné à présenter ce copieur à des clients potentiels.**

| CARACTÉRISTIQUES TECHNIQUES | |
|---|---|
| • Type | **a.** 18 copies/minute (Format A 4) |
| • Format de l'original | **b.** Papier ordinaire, transparent |
| • Format des copies | **c.** 1,5 KW |
| • Vitesse de reproduction | **d.** 41 kg |
| • Alimentation papier | **e.** Max. A3 (297 x 420 mm) |
| • Type de support | **f.** Meuble support, trieuse 10 cases |
| • Temps de préchauffage | **g.** Copieur de table |
| • Alimentation électrique | **h.** 2 cassettes de 250 feuilles |
| • Consommation électrique | **i.** Min. A5, max. A3 |
| • Dimensions (L x H x P) | **j.** 15 650 FF |
| • Poids | **k.** Zoom : 65 % - 154 % |
| • Prix | **l.** 690 x 392 x 605 mm |
| • Options | **m.** 110V / 220 V |
| • Taux de réduction / agrandissement | **n.** 2 minutes |

## Une vie plus facile, un monde plus proche

*Les Français sont fous du **Minitel** : 7 000 000 d'exemplaires sont actuellement en service dans le pays. Cet appareil, qui dispose d'un clavier et d'un écran, est le **terminal** de TÉLÉTEL. Grâce à lui, il est possible d'interroger de gros ordinateurs (les **serveurs**) qui ont dans leur mémoire des milliards d'informations (**banques de données**) sur les domaines les plus divers : cours de la bourse, météo, horaires des trains ou des avions et réservation, offres d'emploi...*

*Il suffit de taper ses questions sur le clavier, relié à l'ordinateur par la ligne téléphonique, pour voir apparaître les réponses sur l'écran du minitel sous forme de textes et de graphiques. On peut ainsi utiliser une foule de services proposés par différents fournisseurs, comme vous le montre le document suivant.*

CENTRE SERVEUR
RÉSEAU TÉLÉPHONIQUE
MINITEL

TIENS! IL Y A UNE PROMOTION SUR LES PERCEUSES.
1

VOUS VOYEZ, AVEC TÉLÉTEL JE SAIS TOUJOURS CE QUE J'AI SUR MON COMPTE BANCAIRE SANS ME DÉPLACER ET EN TOUTE SÉCURITÉ.
2

OUAIS! GÉNIAL! IL Y A UN MATCH DE FOOTBALL DEMAIN. QUI VIENT AVEC MOI ?
3

C'EST A TOI DE JOUER
JE PASSE
A MON TOUR.
4

QU'EST-CE QUE C'EST PRATIQUE!
5

DEMAIN, J'AI UN CONTRÔLE DE MATHS. JE VAIS REFAIRE DES EXERCICES AVEC TÉLÉTEL.
6

NOTE BIEN LA LISTE DE TOUTES LES PIÈCES A FOURNIR POUR UNE DEMANDE DE PASSEPORT.
7

BON, JE VAIS PRENDRE LE 8H45.
8

ET SI JE FAISAIS DU POISSON ? IL N'EST PAS CHER.
9

BEAU TEMPS PRÉVU POUR DIMANCHE! SI ON ORGANISAIT UNE RANDONNÉE?
10

DIS-MOI, J'AI VU SUR TÉLÉTEL QU'IL Y AVAIT UNE VENTE AUX ENCHÈRES CET APRÈS-MIDI SI ON Y ALLAIT?
11

TIENS, IL Y A DES TRAVAUX SUR LE PÉRIPHÉRIQUE, JE FERAIS BIEN DE CHANGER D'ITINÉRAIRE.
12

VAS-Y SEULE, MOI, JE VIENS DE VOIR QU'IL Y A UN TOURNOI DE BELOTE ORGANISÉ PAR NOTRE ASSOCIATION !
10

## 1. VIVE LE MINITEL !

**Écoutez (ou lisez) les déclarations faites par les personnages de la bande dessinée de la page ci-contre et indiquez le sens de chacune de ces déclarations en complétant le tableau par le numéro de la vignette correspondante.**

| Signification des déclarations | Numéro de la vignette correspondante |
|---|---|
| **a.** *Elle vient d'avoir une idée pour la cuisine.* | *9* |
| **b.** Il pourra bricoler à meilleur marché. | |
| **c.** Il demande à son interlocutrice de partir sans lui, car il vient de se trouver une autre activité. | |
| **d.** Il vient de recevoir une information qui le décide à prendre une autre route. | |
| **e.** Il fait des recommandations à son interlocutrice pour les formalités à accomplir. | |
| **f.** Il apprend qu'une manifestation sportive va avoir lieu et demande qui veut l'accompagner. | |
| **g.** Il exprime sa satisfaction devant la commodité du minitel. | |
| **h.** Il se souvient d'une chose qu'il aura à faire le lendemain et décide de travailler avec son minitel. | |
| **i.** Elle vient de recevoir une information de Télétel dans le domaine bancaire. | |
| **j.** Elle vient de consulter la météo et fait une proposition. | |
| **k.** Elle choisit l'horaire de son train ou avion. | |
| **l.** On se parle au cours d'un jeu électronique. | |
| **m.** Elle pense pouvoir faire des achats intéressants et fait des propositions. | |

## 2. GÉNIAL !

*Dans le document reproduit ci-contre, les commentaires faits par les personnages sur les avantages du minitel ont été volontairement retirés. Seuls les commentaires des sept premières vignettes ont été transcrits ci-dessous, mais dans le désordre.*

**1. Écoutez (ou lisez) ces sept commentaires et faites correspondre chacun à leur auteur.**

*Exemple : 5 c*

**a.** "Télétel c'est super ! Quand on a oublié une date d'histoire, une leçon de géo ou une formule de maths, on peut vite la retrouver".

**b.** "Télétel, c'est pratique tout de même. On obtient toutes sortes de renseignements administratifs sans avoir à faire la queue aux guichets".

**c.** "J'avais oublié le téléphone d'un vieil ami et perdu son adresse. J'ai retrouvé tout de suite ses coordonnées avec l'annuaire électronique. En un rien de temps, on obtient le renseignement dont on a besoin".

**d.** "Souvent le soir, on fait des jeux en famille avec Télétel. Il y en a de rudement calés".

**e.** "Avec Télétel, on ne s'embête pas. On a tous les programmes de cinéma, la liste des matches, les activités du club photo..."

**f.** "Je peux même commander un nouveau chéquier à ma banque et me renseigner sur les conditions d'ouverture d'un compte épargne..."

**g.** "C'est vraiment pratique Télétel. Avec les services de vente par correspondance, nous pouvons savoir si un article est disponible et le commander immédiatement".

| Vignettes : | 1 | 2 | 3 | 4 | 5 | 6 | 7 |
|---|---|---|---|---|---|---|---|
| Commentaires : | | | | | c | | |

**2. Quels commentaires ont bien pu faire les six autres personnages de la bande dessinée ? À vous de les imaginer ?**

## 3. QU'EST-CE QUE C'EST PRATIQUE !

**LA MAISON DE VOS RÊVES SUR MINITEL**

Une première dans le monde de l'immobilier: la visualisation sur l'écran du minitel de maisons à vendre.

Finis les innombrables rendez-vous auxquels on arrive trop tard; finis les longs déplacements inutiles; finies les visites décevantes.

Désormais il vous suffit de vous installer devant votre minitel, de faire le 3615 PARTOUT, pour savoir à quoi ressemble la villa que vous avez sélectionnée, en fonction de sa surface ou de sa situation géographique. Et tout cela pour le prix d'une communication téléphonique.

En effet un groupement d'agents immobiliers a mis en place le réseau PARTOUT: des milliers d'offres de vente de propriétés sont ainsi accessibles au public par minitel. Beaucoup d'entre elles sont accompagnées d'une photo digitalisée relativement nette. Décidement on n'arrête pas le progrès.

*Un soir, un de vos amis de Lyon vous appelle et vous raconte qu'en ce moment il recherche une maison de campagne. Son problème, c'est le temps : il n'est pas suffisamment disponible pour visiter les maisons à vendre.*

**Connaissant les possibilités du minitel et l'existence du nouveau réseau PARTOUT, vous lui expliquez le principe de ce service et les avantages qu'il peut en retirer.**

# SECTION 3 : DÉCOUVRIR L'ORDINATEUR

*Avec le progrès technique, les ordinateurs sont devenus de plus en plus petits et de moins en moins chers. Le micro-ordinateur, le petit de la famille, est conçu pour les besoins de la maison ou du bureau, mais comme les gros ordinateurs, il est capable de recevoir, de traiter et de restituer de l'information.*

**Un micro-ordinateur comprend DEUX ÉLÉMENTS.**

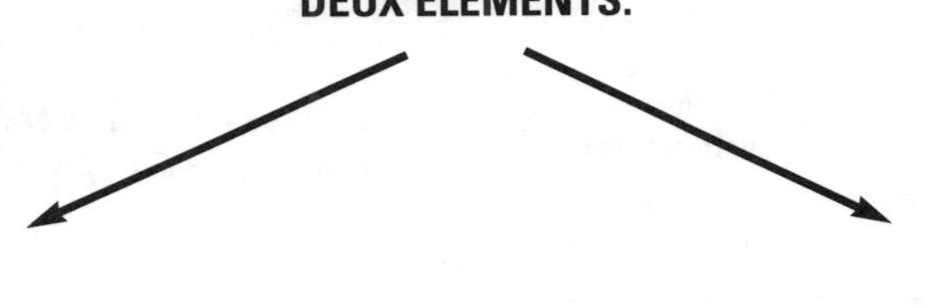

**LE MATÉRIEL**
- Une unité centrale.
- Des périphériques.

*(voir la présentation suivante)*

**LE LOGICIEL** ou le programme : ensemble des instructions nécessaires à l'exécution du travail.

**L'UNITÉ CENTRALE**

C'est ce qu'on appelle familièrement le cerveau de l'ordinateur. Grâce à sa prodigieuse mémoire et à son puissant calculateur, elle traite l'information en réalisant à très grande vitesse des opérations de calcul arithmétique et logique, souvent très complexes.

**LE CLAVIER**

Il sert à introduire dans l'unité centrale les données et les instructions nécessaires au traitement.

**L'ÉCRAN**

Il permet de visualiser les informations introduites dans l'ordinateur, ainsi que les résultats des opérations effectuées par l'unité centrale.

**LES DISQUES, DISQUETTES, BANDES MAGNÉTIQUES**

Ils jouent le rôle de mémoires auxiliaires et servent à conserver et à restituer les informations enregistrées.

**L'IMPRIMANTE**

Elle permet d'obtenir sur un support papier les résultats du traitement de l'ordinateur.

## 1. À CHAQUE CHOSE SA FONCTION

**Après avoir pris connaissance du schéma précédent, complétez les phrases suivantes avec les termes relatifs aux différentes parties du micro-ordinateur.**

**1.** Si vous voulez éditer les données traitées par l'ordinateur, vous devez disposer d'...

**2.** Grâce à ... vous pourrez visualiser les informations introduites dans l'ordinateur.

**3.** Sans ... vous ne pouvez pas avoir sur papier de trace écrite des résultats du traitement.

**4.** Avec l'ensemble des ... il est possible de communiquer avec l'unité centrale.

**5.** ... servent à enregistrer et à stocker les données.

**6.** Avec ... j'indique à l'unité centrale quelles opérations elle doit faire.

**7.** ... interprète les ordres et réalise les opérations demandées.

**8.** ... affiche les données tapées au clavier.

## 2. À CHACUN SES RAISONS

**Voici, d'après une publicité d'I.B.M., les raisons qui poussent certaines personnes à se procurer un micro-ordinateur.**

**Restituez à chaque personne la raison invoquée.**

| QUI ? | POUR QUOI FAIRE ? |
|---|---|
| **1.** l'opticien | a. pour suivre les articles **qui marchent**. |
| **2.** l'horloger | b. pour améliorer **le niveau de ses connaissances**. |
| **3.** le marchand de chaussures | c. pour établir **les additions de mes clients**. |
| **4.** le cinéaste | d. pour vérifier si mes ventes augmentent **à vue d'oeil**. |
| **5.** l'étudiant | e. pour vivre **avec son temps**. |
| **6.** le loueur de voitures | f. pour voir **plus clair** dans ses affaires. |
| **7.** l'électricien | g. pour faire **fructifier l'épargne**. |
| **8.** le transporteur | h. pour calculer **le kilométrage illimité**. |
| **9.** le banquier | i. pour **tourner** au moindre coût. |
| **10.** l'épicier | j. pour planifier ses **chargements**. |

## 3. L'INTERVIEW DE L'ORDINATEUR

*Dans nos interviews antérieures nous avons souvent donné la parole aux utilisateurs de matériels informatiques. Mais, cette fois, juste retour des choses, c'est l'ORDINATEUR que nous avons voulu rencontrer. Il n'a fait aucune difficulté pour nous recevoir et nous a parlé avec beaucoup de franchise. Au cours de cette interview exclusive, il nous a même fait quelques révélations intéressantes.*

**L'interviewer :** Tout d'abord, qui êtes-vous ? Voulez-vous bien vous présenter ?

**L'ordinateur :** Je suis ce qu'on appelle un micro-ordinateur ; je suis le petit de la famille. Mais, entre nous, cette appellation n'a pas lieu d'être, car nos capacités, à mes confrères et à moi, n'ont rien de "minuscule", elles sont même grandes... et même de plus en plus grandes. Attendez encore quelques années et vous verrez que nous n'avons pas fini de vous étonner.

**L'interviewer :** Quel âge avez-vous exactement ?

**L'ordinateur :** Vous, les humains, vous avez vécu des milliers d'années. Nous, nous sommes encore très jeunes, puisque nous avons à peu près 20 ans. C'est pour ainsi dire l'âge de la pierre. Je ne crois pas être trop présomptueux en vous disant que nous avons encore un bel avenir devant nous.

**L'interviewer :** Où travaillez-vous en ce moment ?

**L'ordinateur :** Je suis affecté au service de la comptabilité d'un garage automobile. Mais je voudrais préciser que le type d'organisme dans lequel je suis employé n'a pas beaucoup d'importance. En effet, mes collègues et moi, nous avons des différences, mais nous fonctionnons tous selon le même principe, c'est-à-dire que nous sommes capables de traiter automatiquement des informations de toute nature à l'aide d'instructions qui nous sont fournies par un programme.

**L'interviewer :** Pourquoi avez-vous été choisi, vous plutôt qu'un autre ?

**L'ordinateur :** Pourquoi m'a-t-on choisi ? Je pourrais vous répondre : parce que je suis le meilleur. C'est du moins ainsi que l'on m'a présenté à mon futur employeur. Sincèrement, je ne pense pas être le meilleur et ce n'est d'ailleurs pas un critère de choix suffisant.

**L'interviewer :** Comment avez-vous été accueilli ici ? Avez-vous rencontré certaines difficultés ?

**L'ordinateur :** À mon arrivée, j'ai senti une certaine réserve, et même de la suspicion de la part du personnel. C'est normal, seule la direction de l'entreprise semblait me connaître. Ensuite, j'ai été présenté à l'ensemble du personnel à qui la direction a expliqué les raisons de ma présence. Les barrières sont tombées assez vite, lorsque les employés ont compris que mon rôle était d'accomplir les travaux ennuyeux et répétitifs et de leur permettre ainsi de se consacrer à des tâches beaucoup plus intéressantes.

**L'interviewer :** Êtes-vous entré en fonction tout de suite ?

**L'ordinateur :** Je l'aurais souhaité... Malheureusement ça n'a pas été le cas et pourtant avant de pénétrer dans l'entreprise, j'avais acquis les connaissances nécessaires – c'est ce que vous appelez dans votre jargon "les programmes" – pour être immédiatement opérationnel.

**L'interviewer :** Il n'est pas possible d'être efficace dès son arrivée. Cela demande une période d'adaptation.

**L'ordinateur :** C'est vrai. Néanmoins j'aurais pu l'être plus rapidement.

**L'interviewer :** De quelles façons ?

**L'ordinateur** : D'abord, avant de m'"engager", mon employeur aurait dû agir avec plus de méthode. J'ai peut-être quelques défauts, mais je possède une qualité : celle d'être rigoureux, à condition que celui qui m'emploie le soit également.

**L'interviewer :** C'est-à-dire ...

**L'ordinateur :** C'est-à-dire qu'il aurait fallu prévoir les conditions de mon installation, établir un plan de travail, de façon à répondre parfaitement aux besoins de l'entreprise. Je ne peux être efficace que dans une bonne organisation.

### 1. LA FICHE D'IDENTITÉ

**Écoutez (ou lisez) "l'interview de l'ordinateur" et remplissez la fiche d'identité suivante :**

FICHE D'IDENTITÉ

– Nom : ..................................................
– Âge : ..................................................
– Qualification : ..................................................
– Fonction actuelle : ..................................................
– Qualité(s) : ..................................................
– Défaut(s) éventuel(s) : ..................................................
– Relations : • avec le personnel : ..................................................
• avec la direction : ..................................................
• avec les humains : ..................................................

### 2. LES MEMBRES DE LA FAMILLE

*Le micro-ordinateur interrogé dit être le petit de la famille.* **Quels autres membres de la famille connaissez-vous ?**

### 3. LES MOTIFS DE MÉCONTENTEMENT

*Le micro-ordinateur fait preuve d'une certaine amertume.* **De quoi se plaint-il exactement ?**

### 4. LES CRITÈRES DE CHOIX

*L'ordinateur interviewé affirme qu'être le meilleur n'est pas un critère suffisant de choix.* **Quels sont, d'après vous, les autres critères ?**

### 5. LES BONS CONSEILS

*Un de vos amis, artisan, vous demande quelques conseils avant de s'acheter un micro-ordinateur.* **Que lui répondez-vous ?**

*Transmettre ou recevoir des messages écrits, directement de machine à machine, sans avoir à transporter une feuille de papier dans une enveloppe... C'est possible... Et en quelques secondes, quelle que soit la distance, 24 heures sur 24, même en l'absence du destinataire au moment de la réception... C'est le COURRIER ÉLECTRONIQUE.*

Le **TÉLEX**

Deux téléimprimeurs (ou télex), reliés entre eux par le réseau télex, peuvent se transmettre des messages dactylographiés en quelques secondes.

Le réseau qui est international offre une grande sécurité : le message reçu peut constituer un commencement de preuve écrite en cas de contestation.

Les appareils actuels disposent d'un écran de visualisation et d'une mémoire.

La **TÉLÉCOPIE**

C'est la copie à distance.

Deux télécopieurs reliés entre eux par une simple ligne téléphonique peuvent transmettre en quelques secondes la copie exacte de tout document de format A4 (texte manuscrit ou dactylographié, graphique, dessin ...)

La réception se fait automatiquement, même en l'absence du destinataire.

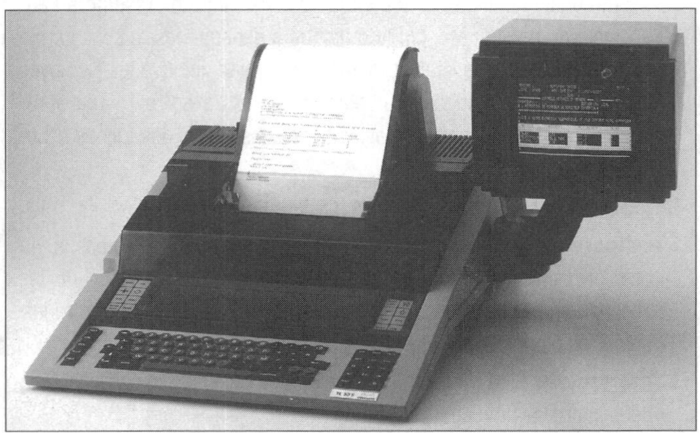

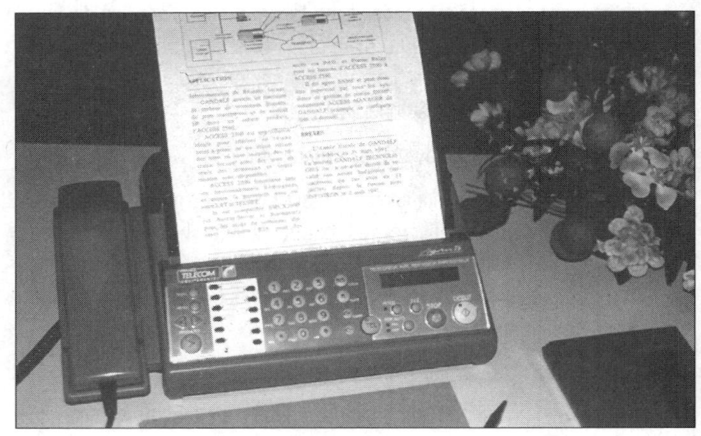
TÉLÉCOM

# 1. QUELLE DIFFÉRENCE ?

## 1. QUEL EST LE MEILLEUR SYSTÈME ?

**Après avoir pris connaissance du document précédent, indiquez par des croix, dans le tableau ci-contre, à quel(s) système(s) de communication se rapporte chacune des caractéristiques énumérées** (TL pour télex ; TLC pour télécopie).

| Caractéristiques | TL | TLC |
|---|---|---|
| **Ce système...** | | |
| **a.** dispose d'un grand réseau dans le monde ; | ............... | ............... |
| **b.** transmet une copie rigoureusement fidèle à l'original ; | ............... | ............... |
| **c.** convient surtout aux messages courts ; | ............... | ............... |
| **d.** permet une transmission quasi-instantanée du message ; | ............... | ............... |
| **e.** permet d'envoyer et de recevoir des informations à toute heure du jour et de la nuit ; | ............... | ............... |
| **f.** ne peut transmettre que des textes dactylographiés ; | ............... | ............... |
| **g.** permet l'envoi et la réception de documents en couleur ; | ............... | ............... |
| **h.** n'est pas compliqué : une prise de courant et une ligne téléphonique suffisent ; | ............... | ............... |
| **i.** ne nécessite pas de savoir taper sur un clavier ; | ............... | ............... |
| **j.** permet à l'émetteur d'envoyer le message quand il le souhaite et au récepteur de le lire, quand il le désire ; | ............... | ............... |
| **k.** transmet un courrier avec la qualité de présentation d'une véritable lettre commerciale ; | ............... | ............... |
| **l.** ne permet pas d'avoir une signature manuscrite sur le dossier ; | | |
| **m.** rend possible la transmission de schémas. | ............... | ............... |

## 2. QUEL EST LE SYSTEME LE PLUS ADAPTÉ ?

*Dans la succursale, où vous êtes employé(e), vous disposez des deux sytèmes de communication électronique : télex, télécopie. Il en est de même pour les correspondants avec lesquels vous communiquez.*

**Quel système allez-vous utiliser, si vous devez :**

**a.** Envoyer d'urgence, au siège de votre société, une lettre reçue d'un client ;

**b.** Faire parvenir de toute urgence un contrat de 15 pages que vous venez de dactylographier sur votre machine de traitement de textes ;

**c.** Confirmer très vite une commande passée par téléphone ;

**d.** Transmettre à un architecte les plans d'un atelier ?

## 2. ET ÇA MARCHE VRAIMENT

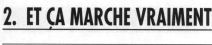

**Journaliste :** *Pouvez-vous citer un exemple concret d'utilisation de ces techniques de communication ?*

**Joël de Rosnay** : Je peux vous citer une application amusante. J'étais aux États-Unis pour négocier la location d'un certain nombre d'expositions itinérantes. J'avais besoin de rédiger trois lettres sur place pour des personnes qui voulaient une documentation et une offre précise signée. J'ai tapé ces trois lettres sur mon micro-ordinateur portable. Je les ai envoyées à ma secrétaire à Paris par la messagerie électronique. Ma secrétaire a repris les textes sur le Macintosh, a rajouté les éléments qui me manquaient, a tiré les lettres sur imprimante laser avec le papier à en tête de mon entreprise et me les a retransmises par un excellent fax. J'ai signé et donné les documents sur place à mes interlocuteurs. Cela a pris environ une heure.

### 1. DANS QUEL ORDRE ?

**Après avoir lu l'extrait de l'interview de Joël de ROSNAY, reconstituez l'ordre chronologique des opérations effectuées par ce dernier et par sa secrétaire, en complétant le schéma suivant avec les mentions appropriées.**

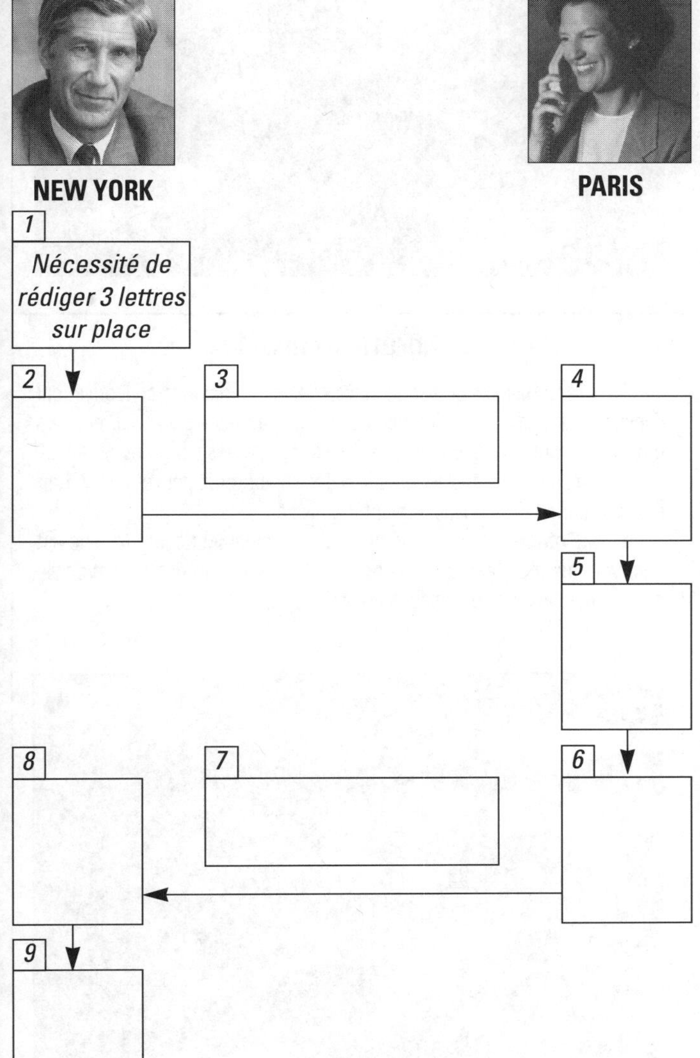
NEW YORK
PARIS
1
Nécessité de rédiger 3 lettres sur place
2
3
4
5
6
7
8
9

### 2. ÊTES-VOUS D'ACCORD ?

**Indiquez par des croix dans le tableau suivant si les affirmations sont vraies (V) fausses (F) ou discutables (D).**

| Affirmations | V | F | D |
|---|---|---|---|
| **a.** Il a **d'abord** rédigé trois lettres, **puis** les a remises aux intéressés. | ......... | ......... | ......... |
| **b. Après** avoir tapé les trois lettres, Joël de Rosnay les a adressées à sa secrétaire par télécopie. | ......... | ......... | ......... |
| **c. Avant de** rajouter aux lettres les éléments qui manquaient, la secrétaire les a dactylographiées sur Macintosh. | ......... | ......... | ......... |
| **d. Dès que** les rajouts ont été effectués, la secrétaire a édité les lettres sur imprimante. | ......... | ......... | ......... |
| **e. Pendant que** la secrétaire travaillait, Joël de Rosnay continuait de négocier. | ......... | ......... | ......... |
| **f.** C'est seulement **après** avoir été tirées sur imprimante que les lettres ont été renvoyées à Joël de Rosnay. | ......... | ......... | ......... |
| **g.** Joël de Rosnay est resté aux U.S.A. **jusqu'au** renvoi des lettres par la secrétaire. | ......... | ......... | ......... |
| **h.** Joël de Rosnay a signé les lettres, il les avait tapées **juste avant**. | ......... | ......... | ......... |
| **i. Une fois** signées, les lettres ont été remises aux interlocuteurs américains. | ......... | ......... | ......... |
| **j. À peine une heure a suffi pour** faire toutes les opérations. | ......... | ......... | ......... |
| **k. Il a fallu moins de** 60 minutes **pour** faire toutes les opérations. | ......... | ......... | ......... |
| **l.** Le tout **a duré** exactement une heure. | ......... | ......... | ......... |
| **m. En une heure** à peu près, Joël de Rosnay et sa secrétaire ont réussi à faire toutes les opérations. | ......... | ......... | ......... |
| **n. Une heure** environ **s'est écoulée** entre la première frappe des lettres et leur remise aux interlocuteurs américains. | ......... | ......... | ......... |

### 3. AVANT, APRÈS OU PENDANT ?

**Précisez dans la grille suivante si les mots en gras dans les phrases précédentes indiquent l'antériorité (A), la postériorité (P), ou la durée (D).**

| | a | b | c | d | e | f | g | h | i | j | k | l | m | n |
|---|---|---|---|---|---|---|---|---|---|---|---|---|---|---|
| A | | | | | | | | | | | | | | |
| P | | | | | | | | | | | | | | |
| D | | | | | | | | | | | | | | |

# SECTION 5 : COMMUNIQUER ENTRE GROUPES À DISTANCE

*Traverser la France, simplement pour participer à une réunion, n'a rien d'exceptionnel ; pourtant les déplacements sont fatigants et coûtent cher. Mais peut-on faire autrement ? Bien sûr ! Il existe "plus vite" et "moins cher". En effet, on peut se rencontrer sans se déplacer, en utilisant les moyens de communication de groupes à distance offerts par les télécommunications. On ne réserve plus ni taxi, ni place d'avion, ni chambre d'hôtel, mais une plage horaire... Pour plus de détails, consultez la fiche suivante...*

## 1 LA RÉUNION-TÉLÉPHONE

La réunion-téléphone (parfois appelée aussi télé-réunion) met en relation 4 à 20 personnes, dispersées géographiquement, à partir d'un simple poste téléphonique, 24 heures sur 24.

C'est le service le plus simple, le moins cher et le plus rapide à mettre en service. L'organisateur de la réunion fait une réservation auprès du centre commercial des télécommunications (1 heure à l'avance). Il reçoit un numéro confidentiel qu'il transmet à ses interlocuteurs. À l'heure fixée, chacun compose son numéro et la réunion peut commencer.

## 2 L'AUDIOCONFÉRENCE

Plus sophistiquée, mais aussi plus chère que la réunion-téléphone, l'audioconférence permet à quelques groupes de personnes, situés dans des lieux différents, de communiquer à partir d'un studio spécialement aménagé ou d'un bureau de l'entreprise équipé d'un terminal numérique AXEL.

Au jour et à l'heure fixés pour la réunion, chaque groupe se rend dans le local prévu. Une réservation est obligatoire pour toute communication en studio public. Par contre, avec un terminal numérique, la liaison est établie en faisant le numéro, comme pour une communication ordinaire.

## 3 LA VISIOCONFÉRENCE

Prenez l'audioconférence, ajoutez-y l'image de vos interlocuteurs sur des écrans de télévision et vous obtenez la visioconférence, plus moderne, plus chaleureuse et, bien sûr, plus chère que l'autre.

Elle permet à quelques groupes de personnes, séparés géographiquement, de dialoguer, de se voir, de montrer des documents ou des objets, d'échanger des graphiques, des schémas... Les groupes sont installés soit dans des studios publics (réservation obligatoire), soit dans des locaux de l'entreprise équipés du terminal numérique AXEL-conférence. La communication peut alors être établie sans réservation.

## 4 LA VIDÉOTRANSMISSION

La vidéotransmission est un moyen de communication collective, qui consiste à transmettre à distance des images de télévision en direct vers différents points de réception où elles sont projetées sur grand écran.

Grâce à des liaisons son et vidéo, les spectateurs peuvent intervenir et dialoguer en direct avec le point d'émission.

La vidéotransmission est un procédé extrêmement coûteux ; elle est réservée aux manifestations exigeant la réunion d'un grand nombre de personnes dans plusieurs salles de projection.

# 1. COMPARER

*Au cours d'un congrès sur la "communication en entreprise", un journaliste a capté quelques déclarations sur les communications de groupes. En voici quelques extraits.*

1 Cela me permet de faire le point chaque mardi matin avec mes 5 directeurs régionaux... et sans avoir à les déplacer.

2 Que d'économie en transport, hôtel, restaurant, et sans compter le gain de temps !

3 C'est vraiment formidable de pouvoir participer à un événement aussi prestigieux comme si on y était, alors qu'on se trouve à des milliers de kilomètres.

4 Oui, mais trouver un horaire qui convienne à tout le monde, c'est très difficile, c'est même souvent impossible.

5 Eh bien ! Oui, il m'est désormais possible d'entrer en communication avec mes collaborateurs à partir de n'importe quel poste téléphonique, même de ma voiture.

6 Vous avez déjà essayé, vous, de vous exprimer à 10 sur une même ligne téléphonique ?

7 Ce qui fait problème, c'est que le nombre des groupes admis est limité.

8 ... Nos trois filiales peuvent ainsi se concerter régulièrement. Nous pouvons même nous montrer les maquettes.

9 C'est bien la meilleure solution pour répondre à un problème urgent en prenant l'avis de tous les intéressés...

10 Ce qui est vraiment intéressant, c'est de pouvoir nous parler, mais aussi de nous voir.

### 1. POUR OU CONTRE ?

**Après avoir écouté (ou lu) ces déclarations, indiquez si leur auteur est favorable (F) ou défavorable (D) à ce type de communication, en cochant les cases convenables de la grille ci-contre.**

### 2. QUEL SYSTÈME DE COMMUNICATION ?

**Écoutez (ou lisez) une nouvelle fois les déclarations précédentes et indiquez à quel(s) système(s) de communication elles se rapportent, en mettant des croix dans les cases de la grille. (R.T. : réunion-téléphone ; A.D. : audioconférence ; V.C. : visioconférence ; V.T. : vidéotransmission).**

**Attention :** *certaines déclarations peuvent concerner plusieurs systèmes de communication.*

| | 1 | 2 | 3 | 4 | 5 | 6 | 7 | 8 | 9 | 10 |
|---|---|---|---|---|---|---|---|---|---|---|
| F | | | | | | | | | | |
| D | | | | | | | | | | |
| RT | | | | | | | | | | |
| AC | | | | | | | | | | |
| VC | | | | | | | | | | |
| VT | | | | | | | | | | |

# 2. ORGANISER LA RÉUNION-TÉLÉPHONE

*Le directeur général de votre société, M. Benoît Courcier, vous a demandé de préparer une note de service destinée aux directeurs des succursales de province, afin de les informer de la mise en place de réunions-téléphone hebdomadaires qui auront lieu tous les lundis de 9 h 30 à 10 h à partir du deuxième lundi du mois prochain.*

*Vous avez tapé, sur votre machine de traitement de texte, les paragraphes de cette note de service. Mais il vous reste, avant de la soumettre à M. Courcier, à mettre ces différents paragraphes dans le bon ordre.*

**1. Reconstituez cette note de service.**

**2. Êtes (Seriez)-vous favorable à la mise en place de la réunion-téléphone dans votre entreprise ?**
**Pourquoi ?**

**SOCIÉTÉ PIRON**
8, av. de Choisy
75013 PARIS

Paris, le 8 mai 19..

**La direction générale aux directeurs de succursales**

**NOTE DE SERVICE**

a) Il reste, bien sûr, indispensable que nous continuions à nous rencontrer régulièrement à Paris. Cette réunion "classique" aura lieu le dernier lundi de chaque mois.

b) Les réunions organisées à notre siège de Paris sont très utiles, mais ces déplacements entraînent des frais relativement élevés, de la fatigue et des perturbations dans votre programme de travail.

c) Veuillez trouver, ci-joint, une fiche expliquant le principe de la réunion-téléphone.

d) Aussi ai-je demandé à notre directeur administratif, M. Niel, une étude à ce sujet. Pour résoudre ce problème, il nous propose des réunions-téléphone. J'ai donc décidé de mettre en place, à titre expérimental, ce moyen de communication à distance tous les lundis de 9 h 30 à 10 h. Notre première réunion aura lieu le lundi 10 juin.

e) Je compte sur vous pour mener à bien cette nouvelle expérience.

f) L'évolution que connaît actuellement notre société nous oblige à travailler en équipe et à nous concerter de plus en plus fréquemment pour faire le point sur nos actions et sur la situation du marché.

g) Le Directeur général
B. COURCIER

**Départ**

Comment pouvez-vous avoir la preuve de la transmission d'un document écrit envoyé par la poste ? 1

"*Veuillez me faire parvenir les marchandises suivantes*" : pouvez-vous lire cette phrase sur un bon de livraison ? 2

Vous êtes en France et vous voulez téléphoner dans votre pays sans payer la communication. Que faites-vous ? 3

Vous devez transmettre d'urgence au Japon un ensemble de documents (textes, dessins, graphiques). Quel système utilisez-vous ? 4

Faites correspondre les numéros à leur définition.
1. (1) 45.35.16.12
2. CRELYON 205 632 M
3. Paris B 364 512 045

a. Numéro de télex.
b. Numéro d'immatriculation au Registre du Commerce et des Sociétés.
c. Numéro de téléphone. 5

Comment peut-on transmettre par le réseau téléphonique un message à des correspondants qui appellent en dehors des heures d'ouverture des bureaux ? 6

Les deux points (:), comme signe de ponctuation, introduisent une explication ou une énumération. Êtes-vous d'accord ? 7

Quel signe de ponctuation utilisez-vous pour signaler qu'une phrase est inachevée ? 8

"*Je vais envoyer ce graphique par télex.*" Que pensez-vous de cette déclaration ? 18

"*Le numéro vert sert à obtenir des renseignements d'ordre écologique.*" Êtes-vous d'accord ? 19

"*Allô ! Je voudrais commander 50 paires de chaussures, modèle Printania.*" Votre correspondant vous a répondu dans le jeu. Retrouvez sa réponse. 20

"*Désolé(e), nous en manquons actuellement.*" C'est la réponse que vous fait votre correspondant. Retrouvez votre question. 21

"*Par suite d'encombrements, votre appel ne peut aboutir. Veuillez rappeler ultérieurement.*" Dans quelle situation entendez-vous cette phrase ? 22

Même message que 14. Quel moyen de communication Martine a-t-elle utilisé pour dialoguer avec Charles ? 23

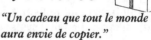

"*Allô ! Je voudrais une place dans le TGV Lyon-Paris de 19 heures.*" Recherchez votre correspondant qui se cache dans le jeu. 24

Quel est l'intrus dans la liste suivante : commande, rapport, livraison, facturation, règlement ? 32

"*Je souhaiterais connaître les prix des articles présentés dans votre dernier catalogue.*" Le fournisseur a répondu à ce client en lui adressant un devis. A-t-il eu raison ? 33

Un étranger désire téléphoner d'un publiphone de votre pays en France. Il vous demande ce qu'il doit faire. Que lui répondez-vous ? 34

"*Au téléphone le sourire s'entend.*" Quelle est la signification de cette phrase ? 35

À quoi sert la boîte à idées ? 36

**Arrivée**

"*Un cadeau que tout le monde aura envie de copier.*" De quel appareil cette phrase pourrait-elle être le slogan ? 42

e téléimprimeur sert à en- oyer des messages par télé- opie. Êtes-vous d'accord ?

9

Les commandes passées par téléphone doivent être confirmées par lettre ou télex.

Êtes-vous d'accord ?

10

*"L'oreille qui reste à la maison."*

De quel appareil de communication est-ce le slogan ?

11

*"Je voudrais pouvoir recevoir des messages lorsque je suis en déplacement."*

Quel moyen de communication proposez-vous à cette personne ?

12

Citez trois techniques de communication avec lesquelles la transmission du message est pour ainsi dire immédiate.

13

*"Allô ! Charles, regarde-moi, comment trouves-tu ma nouvelle coiffure ?"*

Charles lui a répondu. Recherchez sa réponse dans le jeu.

14

Un représentant veut communiquer à son directeur une étude sur les raisons expliquant la chute des ventes de son secteur et sur les moyens proposés pour y remédier. Quelle sorte de document va-t-il lui adresser ?

15

*"N'oubliez pas d'appeler le service de maintenance pour la réparation du copieur."* Ce message, laissé par le directeur, s'adresse-t-il :

- au (à la) comptable ?
- au (à la) secrétaire ?
- à la femme de ménage ?

16

*"Bien, aujourd'hui nous llons examiner les points uivants..."*

)ans quelle situation de entreprise pouvez-vous ntendre cette phrase ?

17

*À mon minitel, je peux )nsulter l'annuaire 'ectronique."*

'otre interlocuteur ne trompe-t-il pas ?

25

*"Compartiment fumeurs ou non fumeurs ?"*

Votre interlocuteur vous parle. Que lui avez-vous dit ?

26

Quel moyen de communication utilisez-vous pour annoncer à votre personnel que le lundi 30 avril les bureaux fermeront à 16h au lieu de 17h.

27

*"Elle est superbe !"*

À quelle correspondante répond-il ?

28

*"Grâce à moi, vous pouvez communiquer oralement avec des absents."*

Qui suis-je ?

29

Vous voulez faire comprendre à votre ami français qu'il ne doit pas parler. Quel geste lui faites-vous ?

30

Cette adresse est-elle correctement libellée ?

Madame MARTIN
25 Quai des Indes
CEDEX LORIENT 56100

31

*'Au bip sonore, )euillez parler."*

)uand entendez-'ous cette phrase ?

37

Vous devez passer de toute urgence une commande importante à un fournisseur.

Que faites-vous ?

38

À qui le téléphone aurait-il été le plus utile ?

- Robinson Crusoé
- Don Juan
- Napoléon

39

Vous désirez présenter un nouveau produit à un très grand nombre de clients potentiels.

Quel moyen allez-vous utiliser ?

40

*'e télex convient à us les messages 'ils soient courts ou ngs."*

:es-vous d'accord ?

41

## *Faites vos comptes.* Chaque réponse juste et complète compte pour un point.

Si vous avez obtenu :

- **42 points : bravo**... vous êtes un as de la communication.
- **entre 30 et 42 points :** c'est bien, mais il vous reste quelques progrès à faire pour communiquer avec compétence et efficacité.
- **entre 15 et 30 points :** ce n'est pas vraiment excellent... il vous reste à combler vos lacunes en reprenant certaines sections de cet ouvrage.
- **entre 0 et 15 points :** ne vous découragez pas ; la communication cela s'apprend aussi... en révisant, par exemple, les dix unités de ce livre.

**LES EXPRESSIONS DE LA**

Quand j'écris une lettre commerciale

## JE COMMENCE SOUVENT PAR ME RÉFÉRER À QUELQUE CHOSE :

lettre, télex, annonce, entretien téléphonique, rencontre, offre... :

| | | |
|---|---|---|
| • **Nous avons bien reçu / Nous venons de recevoir / Nous accusons réception de / Nous avons pris connaissance de / Nous nous référons à / Nous avons pris bonne note de / Nous vous remercions de**<br>• **En référence à / Nous référant à / En réponse à / Suite à** | votre lettre du ... | • **par laquelle vous nous informez que ... +** *verbe*<br>• **nous informant que ... +** *verbe*<br>• **relative à ... +** *nom*<br>• **se rapportant à ... +** *nom*<br>• **concernant ... +** *nom* |
| • Par votre lettre du ..., **vous nous informez que ... +** *verbe.* | | |
| • Votre lettre du ... **nous est bien parvenue**. / **a retenu notre attention**. | | |

## JE DIS QUE J'INFORME.

- **Nous vous informons que** nous acceptons votre demande de prorogation.
- **Nous vous informons de** la modification des horaires d'ouverture de nos bureaux.
- **Nous vous faisons savoir / précisons / indiquons / rappelons que** nous vous paierons par chèque.
- **Nous vous faisons connaître** nos nouveaux tarifs.
- **Nous vous adressons / fournissons** des indications / renseignements sur cet appareil.
- **Veuillez prendre bonne note de** cette majoration de 5 %.

## PARFOIS J'ANNONCE UN ENVOI.

| | | |
|---|---|---|
| • **Veuillez trouver,**<br>• **Vous trouverez,**<br>• **Nous vous envoyons / adressons / faisons parvenir ,** | **ci-joint,**<br>**ci-inclus**<br>**sous ce pli,**<br>**sous pli séparé,** | la facture n° ... |
| **Nous vous expédions les articles demandés** | | |

## J'APPORTE UNE RESTRICTION.

*La prudence me dicte cette formulation*

- **À notre avis**, il serait imprudent de ...
- **D'une manière générale**, nous demandons...
- **Exceptionnellement**, nous consentons à ...
- **À titre exceptionnel**, nous acceptons...
- **À titre indicatif**, nous vous informons...
- **Sauf erreur de notre part**, vous devez...
- **Sans engagement de notre part**, vous pouvez...
- **Il nous semble que** votre proposition est ...

## JE FORMULE MA DEMANDE

*de manière plus ou moins polie ou ferme selon les circonstances :*

- **Vous nous obligeriez en** acceptant de proroger l'échéance.
- **Nous vous serions obligés / reconnaissants de** } nous faire connaître votre réponse dans les plus brefs délais
- **Nous vous saurions gré de** }
- Des informations complémentaires nous **seraient utiles.**
- **Nous aimerions / souhaiterions / désirerions** recevoir votre dernier catalogue.
- **Je vous prie de (bien vouloir)** prendre bonne note de cette modification.
- **Veuillez** me confirmer votre réponse par retour du courrier.
- **Vous voudrez bien** nous retourner les pièces jointes.
- **Nous vous demandons de (bien vouloir)** procéder à un envoi immédiat.
- **Nous réclamons / exigeons** des dommages-intérêts pour le préjudice causé.
- **Nous vous mettons en demeure de** nous payer dans les 48 heures.

## D'AUTRES FOIS, J'AI À CONFIRMER.

- **Je vous confirme** notre rendez-vous...
- **Comme convenu,** le règlement se fera par chèque...
- **Comme vous me l'avez demandé,** la livraison sera effectuée dans les huit jours...
- **Conformément à notre accord,** le transport s'effectuera franco domicile...

## JE FAIS DES PROMESSES POUR RASSURER

| | |
|---|---|
| • Vous pouvez compter sur / être assuré de | notre complète discrétion. |
| • Nous vous assurons / Soyez persuadé que | le nécessaire sera fait. |
| • Nous nous engageons à | vous livrer sous huitaine |
| • Si vos conditions sont avantageuses, | nous vous passerons commande... |

## CORRESPONDANCE COMMERCIALE

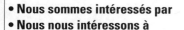

Si tout va bien

S'il y a des problèmes

### JE DIS MA SATISFACTION.

- **Nous sommes heureux de** vous annoncer l'envoi de...
- **Nous avons le plaisir de** vous donner satisfaction...
- **Nous nous empressons de** répondre à votre offre...

### JE DIS MON REGRET.

- **Nous regrettons de** ne pas pouvoir vous satisfaire.
- **Nous avons le regret de** vous annoncer la fermeture de...
- **Nous sommes au regret de** devoir arrêter la production...

### JE MANIFESTE DE L'INTÉRÊT, JE DIS MON INTENTION.

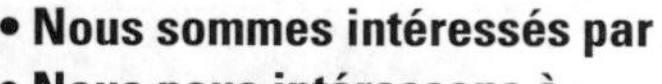

| | | |
|---|---|---|
| • **Nous sommes intéressés par**<br>• **Nous nous intéressons à** | votre offre du ... | |
| • Votre offre du ... | **nous intéresse (vivement).**<br>**nous a (particulièrement) intéressés.** | |
| • **Nous avons l'intention de**<br>• **Nous souhaiterions** | vous commander... | |

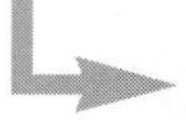

### J'EXPRIME L'OBLIGATION.

*Elle justifie une décision désagréable ou permet de menacer mon correspondant.*

| | | |
|---|---|---|
| • La crise actuelle nous<br>• Cette faillite nous | **oblige / contraint** | **à** reporter notre décision |
| • **Nous sommes / Nous nous voyons / Nous nous trouvons**<br>• À défaut de règlement / Dans le cas contraire, **nous serions /** | **contraints / obligés / dans l'obligation / dans la nécessité** | **de** remettre votre dossier au service du contentieux |

Je lui dis qu'

### IL M'EST POSSIBLE DE...

Je lui dis qu'**IL M'EST IMPOSSIBLE DE...,**

**c'est-à-dire que je refuse ce qui a été demandé**

- **Nous (ne) pouvons (pas)** vous donner satisfaction.
- **Nous (ne) sommes (pas) en mesure de** vous consentir ce prêt...
- **Nous sommes dans l'impossibilité de** respecter les délais...

### J'ACCEPTE.

| | |
|---|---|
| • **Nous acceptons** | votre proposition... |
| • **Nous consentons à**<br>• **Nous sommes prêts à**<br>• **Nous sommes disposés à** | vous offrir... |

### JE FAIS UNE CONTRE-PROPOSITION.

| | | |
|---|---|---|
| • **Toutefois / Néanmoins**<br>• **En revanche / Par contre,** | nous pouvons | vous accorder une remise de 5 % |

Et pour respecter les règles sociales,

### JE REMERCIE

**pour l'avantage qui a été ou sera obtenu**

| | |
|---|---|
| • **Nous vous remercions de** votre aimable invitation et<br>• **Nous vous en remercions** d'avance/par avance et<br>• **Nous vous adressons/renouvelons nos remerciements** et | nous vous prions de recevoir,... nos salutations distinguées. |

### JE PRÉSENTE MES EXCUSES

**pour l'avantage refusé ou le dommage causé:**

| | | |
|---|---|---|
| • **Nous vous** | **présentons/renouvelons** | **(toutes) nos excuses pour** ce retard |
| • **Nous vous prions de**<br>• **Vous voudrez bien**<br>• **Veuillez** | **nous excuser pour** cet oubli<br>**nous excuser de** vous avoir livré avec retard | |
| • **Avec toutes nos excuses pour** ce retard. | | |

LE FRANÇAIS DE
L'ENTREPRISE
MICHEL DANILO
BEATRICE TAUZIN
CLE INTERNATIONAL

LE FRANÇAIS DE
L'HÔTELLERIE ET DE
LA RESTAURATION
H. RENNER
U. RENNER
G. TEMPESTA
CLE
international

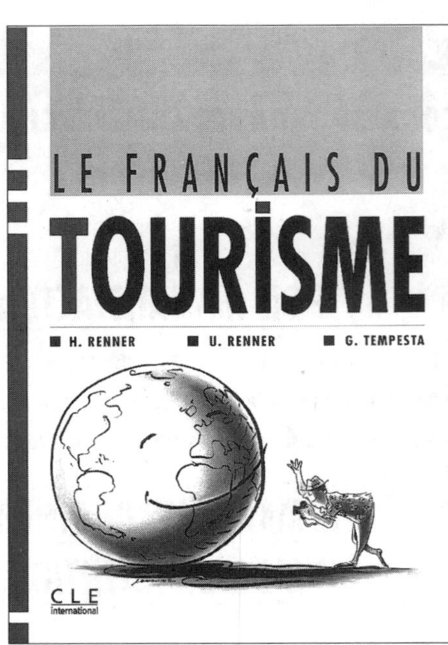
LE FRANÇAIS DU
TOURISME
H. RENNER
U. RENNER
G. TEMPESTA
CLE
international

**Références photographiques:**

p. 6 hg: Château Malescasse; p. 6 hd: Journal de Carrefour; p. 6 b: Nouvel Observateur, Cordier; p. 8 bd: Télésoft; p. 10 h: Château du Taillan; p. 10 b: Plantu; p. 11: Pessin; p. 14 m: CNCT; p. 21: Rapho, Donnezan; p. 22: supplément Éco, Figaro, le 12-03-90; p. 27: TWA; p. 29: France Télécom; p. 32: Lauzier; p. 34: Kroll; p. 36: Expansion; p. 37 h: Alcatel; p. 37b: Cosmopolitan, Cathy Guisewite; p. 38: Alcatel; p. 39: Perceval, S.A. © Lombard, 1977, illustration de Hergé; p. 45: CERPET; p. 53: Expansion, Devis Grebu; p. 55: Rosy; p. 57: Télé 7 jeux, Bodis; p. 70: INSEP Éditions, Kroll; p. 82: Toshiba; p. 87: Wolinski; p. 96: Crédit Agricole; p. 97: Elle, Jacques Verdoux; p. 116 h: PTT Télécommunications; p. 116 b: Télématique Magazine; p. 117: Gauvreau FNAIM; p. 118: Jerrican, Bramaz; p. 120 g: PTT Télécommunications; p. 120 d: France Télécom; p. 121 h, mg: Gamma, Andersen; p. 121 md: Zefa; p. 122 h: France Télécom; p. 122 bg: Jerrican, Daudier; p. 122 bd: Jerican, Daudier.

**Dessins:** Frapar
**Édition:** Gilles Breton
**Fabrication:** Pierre David
**Iconographie:** Atelier d'Images
**Composition et maquette:** Joseph Dorly
**Couverture:** Gilles Jouannet

N° d'éditeur : 10090685 - (IX) - 39 - OSBB 80° - Dépôt légal : novembre 2001
Imprimé en France par Clerc s.a. - 18200 Saint-Amand-Montrond
*Imprimé en France*